Acquisition.com Vo¹

Prospectos de $100M

*Cómo conseguir que los desconocidos
quieran comprar lo que vendes*

ALEX HORMOZI

Acquisition.com
7710 N FM 620, Building 13C, Suite 100, Austin, Texas 78726.

Principios Rectores

Haz más.

Gracias

A Trevor:

Gracias por tu verdadera amistad. Gracias por tu incansable esfuerzo por extraer las ideas de mi cabeza. Y, por tu continuo apoyo para vencer al monstruo del nihilismo.

Dicen que eres afortunado si tienes un amigo de verdad en toda tu vida. Gracias por ser el mejor amigo que un hombre podría pedir.

A Leila:

Aunque Lady Gaga lo dijo primero, no lo hace menos cierto:

"Encontraste la luz en mí que yo no podía encontrar.

La parte de mí que eres tú, nunca morirá".

Tabla de contenidos

PARTE I: EMPIEZA AQUÍ

"Es difícil ser pobre con clientes llamando a tu puerta"
– jingle de la familia Hormozi

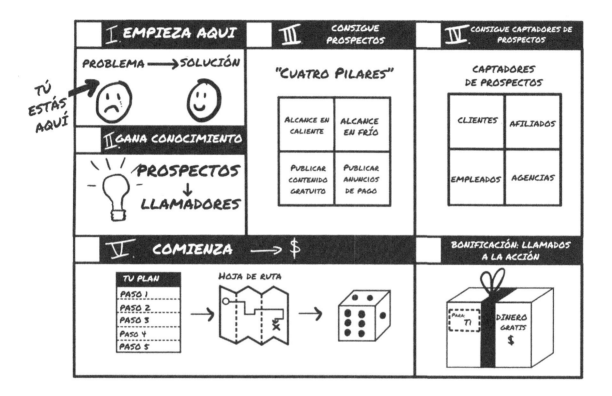

Debes vender algo para ganar dinero. La ecuación parece bastante sencilla, pero todo el mundo parece intentar saltearse la parte de "ganar dinero". Y no funciona. Yo lo intenté. Necesitas *todas* las piezas. Necesitas el producto a vender - una oferta. Necesitas gente a quien vendérselo - prospectos, es decir clientes potenciales. Luego tienes que conseguir que esas personas lo compren - ventas. Una vez que pongas todas estas piezas en su lugar, *entonces* podrás ganar dinero.

Mi primer libro, *Ofertas de $100M*, cubre el primer paso y te da la *solución*. Responde a la vieja pregunta de *"¿Qué debo vender?"*. La respuesta: una oferta tan buena que la gente sienta que es estúpida si dice que no. Pero los desconocidos solo pueden comprar tus productos si saben de tu existencia. Para eso hacen falta prospectos. "Prospectos" significa muchas cosas diferentes para diferentes personas. Pero la mayoría coincide en que son el primer paso para conseguir más clientes. En términos más sencillos, son personas que tienen un problema a resolver y dinero para gastar.

Si estás leyendo este libro, ya sabes que los prospectos no aparecen por arte de magia. Tienes que salir a buscarlos. Más concretamente, ¡tienes que ayudarlos a encontrarte para que puedan comprar lo que vendes! Y lo mejor es que no tienes que esperar... puedes *forzarlos* a que te encuentren. Eso se consigue mediante la publicidad. **La publicidad,** *el proceso de darte a conocer,* permite que los desconocidos conozcan lo que vendes. Si más gente conoce tus productos, venderás más productos. Si vendes más productos, ganarás más dinero. *Tener muchos prospectos hace que sea difícil ser pobre.*

La publicidad te permite tener un producto terrible... y aun así ganar dinero. Te permite ser terrible en ventas... y aun así ganar dinero. Te permite cometer un montón de errores y *aun así - ganar - dinero.* En resumen, tener esta habilidad te da infinitas oportunidades de *hacerlo bien.*

Y en el implacable mundo de los negocios, las segundas oportunidades son difíciles de conseguir. Así que más vale que lo hagas en grande. *La publicidad es una habilidad que vale la pena tener.*

Y este libro, *Prospectos de $100M,* te muestra *exactamente* cómo hacerlo.

***

Prospectos de $100M se asienta sobre la base de mi primer libro, *Ofertas de $100M.* Asume que ya tienes una *Oferta Grand Slam* para vender - tu producto. Una vez que se tiene una oferta para vender, surge el siguiente problema: *¿a quién se la vendo?* Este libro es mi respuesta a esa pregunta. Prospectos. Muchos clientes potenciales.

Y antes de saber cómo conseguir clientes potenciales, la vida *apesta.* No sabes de dónde vendrá tu próximo cliente. Luchas para cubrir el alquiler y pagar las cuentas. Te preocupa despedir gente, poner comida en tu mesa y... *quebrar.* Te esfuerzas al máximo para tener éxito y los demás se ríen de ti por intentarlo. Se siente como la muerte. He pasado por eso. Te entiendo. Este libro te pondrá en una mejor situación. Una en la que tendrás más clientes potenciales de los que puedas manejar y más dinero del que puedas gastar.

Aquí está el cómo:

Primero, explica cómo funciona la publicidad.

En segundo lugar, revela los cuatro pilares básicos para conseguir clientes potenciales.

En tercer lugar, te muestra cómo conseguir que otras personas lo hagan por ti.

Y por último, concluye con un plan de publicidad de una sola página que puedes utilizar para hacer crecer tu negocio *hoy mismo.*

Una vez que sepas cómo conseguir prospectos, la vida será más fácil.

En cuanto a por qué deberías escucharme ciegamente sobre cómo conseguir más clientes potenciales, no lo hagas. ¡Forma tu propia opinión! Pero, con el espíritu de "predicar con el ejemplo", aquí está mi historial:

Hago publicidad en diversos sectores a través de mi empresa de holding, Acquisition.com. Nuestra cartera incluye empresas de software, comercio electrónico, servicios empresariales, servicios al consumidor, cadenas tradicionales, productos digitales y muchos otros. En conjunto, estas empresas generan más de 250 millones de dólares de ingresos anuales. Y lo hacen consiguiendo más de 20.000 prospectos al día vendiéndoles ofertas a partir de $1 y hasta más de $1.000.000.

En el ámbito personal, tengo un retorno promedio de vida en la publicidad de 36:1. Eso significa que por cada $1 que gasto en publicidad, obtengo $36 de vuelta. Un rendimiento del 3600%. Algunas personas construyeron su riqueza invirtiendo en el mercado de valores. Otros en bienes raíces. Yo construí la mía en base a la publicidad.

Este año superé los 100.000.000 de dólares de patrimonio neto a los 32 años. Y si vienes del futuro, eso es en dólares estadounidenses del 2022. Esta suma, muy a mi pesar, vino sin festejos. Sin premios. Sin desfiles. Sigo siendo 2.000 veces más pobre que el hombre más rico del mundo. Mi vida es más o menos la misma. Sigo teniendo la misma estatura, sigo casado con la misma mujer y las canas me crecen más rápido que cuando era pobre.

En estas páginas, comparto las habilidades responsables de la mayor parte de mi éxito material. Lo hice todo utilizando los métodos publicitarios de este libro. No omití nada. Este no es un libro de teorías ni de análisis desde el sillón. Este libro se basa en lo que a mí me funcionó. Y lo escribí con la esperanza de que funcione aún mejor para ti.

Para responder a una pregunta que me hicieron después de publicar mi primer libro: "¿Por qué tus libros parecen escritos para niños?" La respuesta es simple: mis libros deben ser libros que yo leería. Y yo tengo una capacidad de atención muy corta. Por eso comparo mis preferencias de lectura con las de un niño: libros cortos, con palabras sencillas y muchas ilustraciones. Estos libros son mi intento de conseguirlo.

Prospectos de $100M trata sobre cómo conseguir que personas desconocidas muestren interés en los productos que vendes. Y una vez que te transfiera esta habilidad, es tu turno para usarla.

Dicho esto... ¡hagámonos ricos, ¿de acuerdo?!

Consejo profesional: Aprende más rápido y profundo leyendo y escuchando al mismo tiempo

Éste es un truco de vida que descubrí hace mucho tiempo... Si escuchas un audiolibro y lees el libro físico o el *eBook* al mismo tiempo, aumentarás tu velocidad de lectura y retendrás más información. El contenido se almacena en más lugares de tu cerebro. Es genial. Así es como leo la mayoría de los libros que valen la pena.

También hago las dos cosas porque me cuesta mantener la concentración. Si escucho el audio mientras leo, evito desconcentrarme. Tardé dos días en grabar este libro en voz alta. Lo hice para evitar que tengas que luchar como yo para concentrarte.

Si quieres probarlo, consigue la versión en audio y compruébalo por ti mismo. Espero que lo encuentres tan valioso como yo.

Se me ocurrió poner este "truco" al principio del libro para que tuvieras la oportunidad de probarlo si el primer capítulo te parecía lo suficientemente valioso como para ganar tu atención.

Consejo profesional: Truco para terminar libros

Personalmente, me distraigo con facilidad. Así que necesito pequeños trucos para mantener la atención. Este me ayuda mucho: termina los capítulos. No te quedes a medias. Terminar un capítulo te da un refuerzo positivo. Te mantiene en marcha. Así que, si te encuentras con un capítulo difícil, termínalo para poder empezar de cero con el siguiente.

Cómo llegué hasta aquí

"La esperanza es ser capaz de ver la luz a pesar de toda la oscuridad" – Desmond Tutu

Marzo de 2017.

Sentí unos golpecitos apresurados en mi hombro mientras trabajaba en mi escritorio. Era Leila, mi (entonces) novia y socia comercial.

"¿Qué pasa? ¿Estás bien?".

"Tenemos un problema". Me dijo.

¿Y ahora qué? Pensé.

"Mira esto". Apartó una pila de libros para hacer sitio para su computadora portátil.

"¿Qué estoy mirando?" Entrecerré los ojos.

"Un desastre".

Pasó el dedo por la pantalla para dirigir mi mirada.

-$99... -$499...-$499... -$299...-$399... -$499...-$499...

Cada número era superior al monto de mi alquiler.

"¿Qué son estos?"

Empezó a desplazarse. "Reembolsos. Todos ellos. De los dos gimnasios que lanzamos el mes pasado".

"Espera. ¿Cómo? ¿Por qué?"

Continuó desplazándose por la pantalla. "Anoche recibí muchos mensajes extraños de los miembros a los que les vendimos en el gimnasio de Kentucky. Supongo que el dueño se subió a una silla y les dijo a todos que devolvieran el dinero y se fueran a casa. No quería lidiar con todos esos nuevos clientes".

"Eso es una locura", dije.

Ella seguía desplazándose. "Sí, y el dueño del otro gimnasio les dijo a sus nuevos clientes que los aceptaría por la mitad de precio si nos pedían el reembolso a nosotros y le pagaban a él en su lugar".

"Espera, ¿qué? No puede hacer eso", le dije.

"Bueno, lo hizo." *Ella se desplazó más rápido, los números se volvieron borrosos.*

"¿Los has llamado?, eso no está permitido en el acuerdo". Le dije.

"Sí. Lo sé. Ignoran mis llamadas".

Puse mi mano sobre la suya. La cascada de reembolsos se congeló en su lugar. Luego, comencé a sentir cientos de recordatorios del tamaño de gotas de sudor y lágrimas de cómo fallé.

"¿Qué tan malo es esto? ¿Cuántos reembolsos? ¿Sólo recorte de ganancias? ¿O tantas como para dar negativo y deber dinero?" Intenté mantener la voz firme. No lo conseguí.

Leila hizo una pausa antes de responder. "Son ciento cincuenta de los grandes". La cifra quedó flotando en el aire. "...no les podremos pagar a mis amigos".

Sus caras pasaron por mi mente y la poca esperanza que tenía se desvaneció de mi pecho. Un mes antes, conseguí que los amigos de Leila renunciaran a sus trabajos por esto. Ahora tenía que decirles que no tenía dinero para pagarles.

Ella continuó. "Tampoco podemos vender nuestra salida de esto. Sólo creará más devoluciones con las que lidiar. Y no tenemos dinero". Sus ojos se encontraron con los míos, buscando las respuestas que merecía. Yo no tenía nada.

Me sentí fatal.

Un año antes...

Yo era bueno consiguiendo prospectos para mis gimnasios. Llegué a tener cinco locales en sólo tres años. Mi gran virtud consistía en abrir mis gimnasios a pleno rendimiento el primer día. Así que abrí todos los que pude tan rápido como pude.

Este vertiginoso ritmo empezó a llamar la atención. Me pidieron que hablara en una conferencia sobre mi método publicitario. Sin embargo, yo no creía que mi proceso fuera especial. Creía que era algo que todo el mundo hacía. Así que hice mi presentación con la esperanza de no aburrir al público. Se quedaron mudos.

En cuanto bajé del escenario, se formó una multitud a mi alrededor. Me lanzaron preguntas a diestra y siniestra. Apenas podía seguirles el ritmo. Incluso me siguieron hasta el baño. Me sentía como una celebridad. Fue una locura. Al día de hoy, nunca me han bombardeado tanto en mi vida. Todos querían que les enseñara a hacer lo que acababa de presentar. Querían mi ayuda. Me querían a mí. Pero yo no tenía nada que venderles. Más de cien personas me dejaron sus números de teléfono y tarjetas de presentación por si acaso. Entonces se me ocurrió una idea descabellada.

Podría ganar algo de dinero haciendo esto...

3 meses después: una idea se convierte en un negocio

Como utilizaba la publicidad para poner en marcha mis gimnasios a pleno rendimiento, pensé que tal vez podría "poner en marcha" los gimnasios de otras personas también a pleno rendimiento. Bauticé la empresa con el nombre de Gym Launch (Lanzamiento de gimnasios, en español). Original, lo sé.

Mi oferta era simple. *Llenaré tu gimnasio en 30 días de forma gratuita. Tú no pagas nada. Yo pago por todo. Consigo nuevos miembros y me quedo con las primeras 6 semanas de membresías como pago. Tú te quedas con todo lo demás. Si no lleno tu gimnasio, no gano dinero. Tú no gastas nada de todos modos.*

Era una oferta fácil de vender. Yo volaría hacia cada gimnasio. Encendería mi máquina de conseguir clientes potenciales. Trabajaría para ganarme esos clientes. Luego vendería esos clientes ganados. En lugar de colocarlos en mis gimnasios, los conseguiría para el gimnasio en el que estuviera acampando ese mes. Cada mes iba a un gimnasio nuevo. Repetía una y otra vez el proceso. *Y funcionó.*

La noticia del chico que llenaba tu gimnasio gratis se corrió rápidamente. A menos que contratara ayuda, las recomendaciones me habrían reservado por más de dos años seguidos. No podía seguir dirigiendo mis gimnasios *y* haciendo esto, así que vendí mis gimnasios y me metí de lleno en Gym Launch.

Sin embargo, detecté un problema. Yo llenaba sus gimnasios y *ellos* se quedaban con todas las ganancias a largo plazo. Estaba dejando mucho dinero sobre la mesa. Pero, si yo fuera copropietario de algunos de esos gimnasios, podría acumular ingresos mes a mes. ¡*Bingo*! No mucho tiempo después, uno de los dueños de un gimnasio me hizo una buena oferta. Iríamos cincuenta-cincuenta. Yo llenaría el gimnasio de miembros, y él lo llenaría de personal. Con este nuevo modelo, podría abrir uno o dos gimnasios al mes y ser dueño de todos. Esto funcionaría mucho mejor que simplemente cobrar el efectivo inicial. Sería una asociación beneficiosa para ambas partes.

Sin embargo, había un pequeño contratiempo en el plan. Mi nuevo socio tenía algunos "problemas financieros". Así que el bueno de Alex se ofreció a pagar todos los gastos y asumir toda la responsabilidad del primer lanzamiento. Yo garantizaría personalmente el contrato de arrendamiento y emplearía *mi* tiempo y dinero en llenar el gimnasio de miembros. Una vez lleno, le entregaría el gimnasio. Invertí todo el dinero de la venta de mis gimnasios, incluidos los ahorros de toda mi vida, en este modelo de "lanzamiento y retirada". Me costó todo lo que tenía.

Unas semanas más tarde, a mitad del lanzamiento, me desperté y vi que todo el dinero de la cuenta de banco había desaparecido. Todo. Mi socio me acusó de robo y se llevó el dinero como "su parte" de las ganancias. *Pero no habíamos ganado nada.* Luego envió el dinero a un contacto extranjero y se declaró en quiebra. Eso fue lo que me dijo. Cuando le propuse revisar los estados financieros y rendir cuentas de cada dólar, se negó. Entonces supe que había cometido un terrible error.

Resulta que mi socio había sido acusado de fraude unos años antes. Y para colmo, yo *ya lo sabía*. Me dijo que había sido "sólo un gran malentendido". Le creí. Como dice el refrán, *cuando el dinero se junta con la experiencia... el dinero se queda con la experiencia, y la experiencia se queda con el dinero.* Lección aprendida.

En tres meses, pasé de ser un exitoso dueño de varios gimnasios en todo el país... A vender todos mis gimnasios por un nuevo y genial proyecto de lanzamiento de gimnasios. A estar completamente en la ruina. Todo lo que gané de la venta de mis gimnasios, había desaparecido. Mis ahorros de toda la vida se habían ido. Se esfumaron. Me quedé sin nada. Cuatro años de trabajo, de ahorro, durmiendo en el suelo borrados en un... oh no... *Leila*.

Leila dejó su vida tal como la conocía para hacer esto conmigo. Soportó mis constantes cambios. Me apoyó en aquella sociedad a medias, a pesar de que se oponía. Incluso con este enorme fracaso, ni siquiera una vez insinuó un *te lo dije*. En lugar de eso, me dijo: "El modelo Gym Launch sigue siendo bueno. Hagamos más de esos". Así que lo hicimos.

Puse 3.300 dólares *al día* en una tarjeta de crédito para pagar anuncios, boletos de avión, hoteles, coches de alquiler, etc. y para seis representantes de ventas, los amigos de Leila. Cuento esto a la ligera, pero ya conté la pesadilla que fue en mi primer libro. Así que no lo repetiré aquí.

En el primer mes, lanzamos seis gimnasios y recaudamos $100.117. Hicimos lo suficiente para cubrir la factura de la tarjeta de crédito de 100.000 dólares. Y para que conste, eso significaba que todavía estaba quebrado. El mes siguiente ganamos $177.399, con entre $30.000 y $40.000 de beneficios. Me dio un poco de espacio para respirar. *Finalmente.*

Y fue entonces cuando Leila me tocó el hombro para compartir $150.000 de malas noticias.

Ahora ya estás al tanto.

La mañana después de que Leila me dijera que teníamos $150.000 en reembolsos y perdimos todo nuestro dinero. Por segunda vez.

Una bocina me sobresaltó a las 3 AM. Mis problemas volvieron. Vaya. Ya estoy despierto. Me levanté de la cama y me arrastré hasta mi rincón de trabajo. Me acerqué más por costumbre que por deseo. Deslicé la silla y me dejé caer, con el cuaderno y el bolígrafo preparados. Tenía que conseguir 150.000 dólares de beneficios, no de ingresos, en treinta días. Y tenía que hacerlo sin dinero y sin experiencia en ganar tanto dinero en un mes. Jamás lo había hecho. Así que empecé a garabatear ideas:

... Cobrar una tarifa inicial para los nuevos gimnasios

...Pedir un porcentaje de los ingresos de los antiguos gimnasios.

...Hacer que los gimnasios que ya había inaugurado pagaran por adelantado por un futuro lanzamiento.

...Llamar a todos los antiguos clientes y venderles suplementos por teléfono.

Seguí haciendo cuentas. Ninguno de estos haría suficiente dinero. Al menos no en treinta días. Me sentí atascado en la silla. *Tengo que resolverlo.* Me quedé mirando el cuaderno, esperando que surgiera algo. Y nada surgió. *Dios, apesto.*

Unas horas más tarde, Leila se despertó. Como un reloj, entró en la cocina y se sirvió una taza de café. Se puso directamente a trabajar en la mesa de la cocina, detrás de mí.

"¿Qué haces?" pregunté, tratando de distraerme.

"Seguimiento de clientes de fitness en línea", dijo.

"¿Cuánto te ha aportado eso?"

"3.600 dólares el mes pasado."

"¿Cuánto cobras?"

"300 dólares al mes. ¿Por qué?"

"¿Cuánto tiempo te lleva?"

"Unas horas a la semana"

"¿Y no hay gastos generales? ¿Sólo tiempo?"

"Sí... ¿por qué?"

Continué: "Sé que son antiguos clientes de entrenamiento personal, pero ¿crees que podrías hacerlo con desconocidos?".

"No lo sé... probablemente... ¿qué estás pensando?".

"Creo que tengo algo". Dije.

"Espera, ¿para qué?".

"Para llegar a los ciento cincuenta mil".

"¿Qué, mi entrenamiento online? ¿Cómo?" Parecía escéptica.

"Simplemente eliminamos al intermediario y vendemos directamente. Podemos poner anuncios en una página de ventas en la que se puedan reservar citas por teléfono. Luego podemos vender los programas de fitness que hemos estado vendiendo en los gimnasios, pero como un programa en línea. Ya tenemos el material. Ya sabemos que los anuncios funcionan. Y no habrá ningún costo de cumplimiento. Además, no más vuelos. No más alquileres. No más moteles. Y ningún dueño de gimnasio diciéndoles que pidan reembolsos...".

Ella dudó. "¿Crees que podría funcionar?"

"Sinceramente... ni idea. Pero cada día que no hacemos algo es un día menos para conseguir el dinero".

Lo pensó detenidamente. "De acuerdo, hagámoslo."

Eso fue todo lo que necesité.

Trabajé treinta y ocho horas seguidas para poner en marcha la oferta. Unas horas más tarde, los prospectos empezaron a llegar. Al día siguiente Leila recibió su primera llamada. Entré cuando la llamada estaba terminando:

"499 dólares... sí... ¿y qué tarjeta quieres usar?", *tenía la franqueza de una profesional.* Unos minutos después, pregunté con expectación: "¿¿Eso fue una venta??".

"Síp". *Vaya, ella _es_ una profesional.*

Incluso saqué una foto de Leila cerrando nuestra primera venta porque me pareció un momento trascendental.

En cuestión de días, estábamos vendiendo $1.000 al día por Internet. Además, recibíamos el dinero por adelantado y casi sin riesgo de devoluciones. *Esto funcionaba.* Pero, todavía estábamos *muy* lejos de los $150,000.

Durante la comida, escuchó mi plan maestro entre bocado y bocado. "De acuerdo, los vendedores pueden quedarse en casa y vender esto por teléfono. Si hacen los mismos 1.000 dólares al día que tú, con ocho personas, deberíamos alcanzar los 8.000 dólares al día. En treinta días, haríamos 240.000 dólares. Tras el gasto en publicidad y las comisiones, tendremos suficiente para cubrir los 150.000 dólares".

"¿Y los gimnasios que debemos lanzar?"

"Les llamaré y les diré que vamos en otra dirección. No nos han pagado nada, así que no hay mucho que puedan objetar. Empezaré a llamarlos después del almuerzo".

La primera llamada fue al dueño de un gimnasio en Boise, Idaho.

"¿Hola?"

Bajé la vista para leer los puntos clave de mi pequeño guion. "Escucha, ya no nos dedicaremos a los lanzamientos. Estamos vendiendo pérdida de peso directa al consumidor. Así que no iremos y..."

Me interrumpió. "Pero *realmente* necesito esto ahora. Acabo de refinanciar mi casa y exprimir todas mis tarjetas de crédito para mantener mi gimnasio a flote. Puse los ahorros de mi vida en este lugar. ¿Hay alguna forma en que puedas ayudarme? Tú lanzaste el gimnasio de mi amigo. Sé lo que eres capaz de hacer".

Dada mi situación *peor que la suya*, no me importaba cuán malas eran sus finanzas. Así que traté de sonar cortés. "Entiendo que es un momento difícil, pero no puedo volar en estos momentos. Lo siento".

"Está bien, está bien. Entiendo que no puedes venir. Pero, ¿hay alguna manera de que me muestres qué hacer? Realmente necesitamos esto".

Estaba hecho polvo, agotado, arruinado y me sentía traicionado por toda la industria. Debería haber dicho "no", pero en lugar de eso, dije… "Bien. Te enseñaré cómo conseguir clientes potenciales, pero no voy a volar hacia allí para salvarte si no puedes venderles".

"Lo entiendo, totalmente. Depende de mí. Puedo cerrar. Simplemente no tengo a nadie que entre por la puerta. Necesito PROSPECTOS. ¿Cuánto por mostrarme cómo hacer el lanzamiento?"

Miré mi guion. No era así como se suponía que debía ir. Quería decir que no y colgar. Nuestra oferta de pérdida de peso en línea estaba funcionando, y no quería distracciones. Ya me había dicho que estaba quebrado, así que le dije la cifra más alta que se me ocurrió para que colgara el teléfono.

"$6.000. Considéralo la "venta de mis secretos".

"6k?"

"Sí. Seis mil". Dije, articulando el número entero, con la esperanza de asustarlo. "¿6.000? Ok - hecho."

¿Qué? Me quedé boquiabierto, helado por la incredulidad. *Seis. Mil. Dólares.* Salí flotando de mí mismo y vi cómo se desarrollaba la conversación. Todavía me estremezco al recordarlo.

"Oh… ehh… genial… ¿con qué tarjeta quieres hacerlo?" Ahora, tratando de *no* ahuyentar a los *Seis. Mil. Dólares.* Preso del pánico, escribí los datos de su tarjeta en la solapa de una caja de cartón.

"¿Cuándo empiezo?", preguntó.

"Te enviaré todo el lunes por la mañana". Dándome a mí mismo la loca tarea de "empaquetar" todo mi sistema de clientes potenciales y ventas de gimnasios en cuarenta y ocho horas. Acepté.

Colgué y me quedé en estado de shock. Una vez que entré en razón, revisé la tarjeta de crédito.

$6.000... éxito. ¿Esto es real?

Quería decírselo desesperadamente a Leila, pero estaba en una llamada de ventas. Quince minutos más tarde, apareció.

"Tengo otro", dijo.

"No te lo vas a creer. Acabo de vender nuestro sistema Gym Launch por 6.000 dólares al gimnasio de Boise".

"¿Qué? Creía que nos estábamos dedicando a la pérdida de peso".

"Sí, lo sé. Yo también, pero..." Ella esperó. "...creo que todavía estamos en el negocio de los gimnasios... creo que lo estábamos haciendo mal". Necesitaba más detalles. Todavía no tenía ninguno. "Voy a llamar a los gimnasios que planeábamos lanzar el mes que viene a ver si también compran".

"Ohhh... de acuerdo", dijo ella.

La siguiente llamada fue igual excepto que cuando dijo "¿Cuánto?". Le dije: "$8.000". Estuvo de acuerdo.

La siguiente llamada, lo mismo, excepto que dije, "$10.000". Aceptó.

Los ocho gimnasios que planeábamos lanzar dijeron que sí a la licencia de los materiales de lanzamiento en su lugar. *En un solo día, recaudé $60.000 vendiendo algo sin costos de cumplimiento.* En un solo día, estaba a un tercio de salir de mi prisión de $150.000. Pasé cinco años desarrollando este sistema de publicidad. Finalmente obtuve mi pago. Hacer lo que más me asustaba, *revelar mis secretos*, supuso el mayor avance de mi vida.

"No puedo creerlo", dije. "Creo que podemos salir de esta". "Entonces... ¿no vamos a hacer lo de la pérdida de peso?".

"No. Supongo que no... Creo que hemos tenido algo aquí todo el tiempo. Sólo teníamos que unir las piezas".

"¿Crees que alguien más lo comprará?"

"Voy a llamar a los treinta gimnasios que ya lanzamos. Saben que nuestro sistema funciona porque lo hicimos frente a ellos. También tenemos algunos contactos de propietarios de gimnasios de esa conferencia. Eso debería cubrir los $150.000 y darnos un borrón y cuenta nueva".

"Bien, ¿entonces qué? ¿Es esto lo que vamos a hacer?" Ella buscó un poco de estabilidad bien merecida.

"Quiero decir... ¿eso creo, no? Genera más dinero que lo otro, y es mucho más fácil de entregar". Ella estuvo de acuerdo. "Así que después de llamar a esos clientes potenciales, empezaré a publicar anuncios. Publicaré nuestras historias de éxito en algunos grupos de gimnasios para conseguir más clientes potenciales. Y también les diré a los gimnasios que les pagaré $2.000 en efectivo por cada gimnasio que envíen y que se inscriba. Eso nos dará prospectos provenientes de los anuncios, clientes potenciales que han visto nuestros contenidos *y* prospectos por referencias".

***

En los siguientes 30 días, hicimos $215.000 *en ganancias*. Cubrimos los $150.000 en reembolsos con dinero de sobra. Obtuvimos resultados increíbles, el gimnasio promedio que utilizó nuestro sistema de publicidad sumó $30.000 adicionales en efectivo en sus primeros 30 días. *Ganaron más dinero del que pagaron por él*. Cumplimos, *con creces*. Además, se quedaron con todo el dinero. Les encantó. Nos llovían las referencias.

Encontré los registros de procesamiento de mayo-junio de 2017, el mes en que sucedió todo esto:

	Autorizaciones pendientes		Cargos		Reembolsos		Retenciones/Contracargos		Vacíos		Declinaciones		Totales	
	Cta.	Monto	Cta.	Monto	Cta.	Monto	Cta.	Monto	Cta.	Monto	Cta.	% de Aprob.	Cta.	Monto
01/2017	0	$0.00	348	$102,605.64	7	-$2,488.33	0	$0.00	12	$2,002.98	148	70%	515	$100,117.31
02/2017	0	$0.00	847	$190,809.50	56	-$13,243.77	1	-$166.00	5	$1,247.00	232	78%	1141	$177,399.73
03/2017	0	$0.00	782	$177,820.58	61	-$12,701.50	4	-$997.00	21	$3,458.50	285	73%	1153	$164,122.08
04/2017	0	$0.00	704	$204,461.25	49	-$10,725.00	10	-$6,315.00	2	-$50.00	354	67%	1119	$187,421.25
05/2017	0	$0.00	191	$260,754.00	4	-$797.00	11	-$16,984.00	0	$0.00	42	82%	248	$242,973.00
06/2017	0	$0.00	214	$272,835.00	5	-$1,498.00	30	-$55,375.00	0	$0.00	1	100%	250	$215,962.00
07/2017	0	$0.00	282	$316,917.98	0	$0.00	21	-$23,450.00	0	$0.00	7	98%	310	$293,467.98
08/2017	0	$0.00	346	$393,370.62	0	$0.00	28	-$32,998.99	1	$100.00	45	88%	420	$360,371.63
09/2017	0	$0.00	478	$543,376.29	1	-$1,000.00	64	-$65,792.00	0	$0.00	41	92%	584	$476,584.29
10/2017	0	$0.00	799	$828,709.31	7	-$5,798.00	50	-$49,887.00	8	$8,000.00	31	96%	895	$773,024.31
11/2017	0	$0.00	1076	$1,132,319.31	8	-$8,000.00	66	-$64,296.00	1	$1.00	92	92%	1243	$1,060,023.31
12/2017	0	$0.00	1315	$1,363,956.31	13	-$17,296.00	83	-$82,099.00	1	$1,000.00	111	92%	1523	$1,264,561.31
01/2018	0	$0.00	1609	$1,621,972.81	15	-$28,175.00	97	-$88,995.00	8	$9,000.00	102	94%	1831	$1,504,802.81
Totales	0	$0.00	8991	$7,409,908.60	226	-$101,722.60	465	-$487,354.99	59	$24,759.48	1491	86%	11232	$6,820,831.01

Concluimos ese primer año con unos ingresos de $6.820.000. El siguiente año obtuvimos $25.900.000 en ingresos y $17.000.000 en ganancias. Sí, *decenas de millones*. Fue una locura. Increíble. La compañía continúa hasta el día de hoy con más de 4.500 gimnasios y contando. Y nadie está más sorprendido que yo. Algo que hice realmente funcionó...finalmente.

En 2018 iniciamos Prestige Labs para vender suplementos a través de nuestra base de clientes de gimnasios. Utilizamos Prestige Labs y los gimnasios como una red de afiliados para generar clientes potenciales de pérdida de peso entre sí. En 2019, pusimos en marcha ALAN. Un nuevo tipo de empresa de software que generaba prospectos para negocios locales. En 2020, fundamos Acquisition.com como una sociedad de cartera para nuestros intereses comerciales. En 2021, vendimos el 75% de ALAN a una empresa más grande. No se me permite decir por cuánto, pero ALAN generó $12.000.000 en ingresos en los doce meses anteriores. Así que puedes hacer uso de tu imaginación. Vendimos el 66% de nuestro negocio de licencias de suplementos y gimnasios a American Pacific Group por un valor de $46.200.000. Y eso fue después de haber recibido $42.000.000 en salarios de los propietarios durante los primeros 4 años.

Comparto esto porque todavía no puedo creerlo. Todo esto fue gracias a una chica que creyó en mí, una tarjeta de crédito y *la capacidad de conseguir clientes potenciales*.

Aclaración importante

Saber cómo conseguir clientes potenciales salvó mi negocio, mi reputación y probablemente mi vida. Fue la única manera de mantenerme a flote. Fue la razón por la que seguí consiguiendo segundas, terceras, cuartas y quintas oportunidades.

Alex Hormozi ✔
@AlexHormozi
...

Durante los días más difíciles, me repetía a mí mismo la frase:

No puedo perder si no me rindo.

Publicité muchas cosas diferentes, de muchas maneras diferentes. Publicité para conseguir clientes potenciales para gimnasios locales. Hice publicidad para conseguir clientes potenciales de pérdida de peso online para Leila. Publicité para conseguir clientes potenciales propietarios de gimnasios para vender servicios empresariales. Publicité para conseguir clientes potenciales afiliados para nuestra empresa de suplementos. Hice publicidad para conseguir contactos de agencias para nuestro software. Y así sucesivamente. Conseguir prospectos ha sido mi tarjeta de *salida de la cárcel, me dio libertad* sin fecha de caducidad. Y en este punto, está descolorida y desgastada por el uso.

Me gustaría compartir esta habilidad contigo. Puedo mostrarte cómo conseguir más clientes potenciales. Y aquí tienes la primera buena noticia: al leer estas palabras, ya estás dentro del 10% superior. La mayoría de la gente compra un producto y nunca lo abre.

También lanzaré un spoiler alert: cuanto más leas, más grandes serán las pepitas de oro. Solo observa.

Gracias de todo corazón. Gracias por permitirme hacer un trabajo que encuentro significativo. Gracias por prestarme tu bien más preciado: tu atención. Me comprometo a hacer todo lo que esté a mi alcance para ofrecerte el mayor rendimiento posible. Este libro cumple con sus promesas.

El mundo necesita más emprendedores. Necesita más luchadores. Necesita más magia. Y eso es lo que estoy compartiendo contigo: magia.

El problema que resuelve este libro

"Prospectos, muchos prospectos".

Tienes un problema:

No estás consiguiendo tantos prospectos como quisieras porque no te estás anunciando lo suficiente. Y punto. Como resultado, tus clientes potenciales ignoran tu existencia. ¡Qué triste! Esto significa que te entra menos dinero.

Así que ahora que sabes que tienes un problema, a menos que odies ayudar a las personas y ganar dinero, de alguna manera tienes que resolverlo.

Cómo lo resuelve este libro:

Para ganar más dinero, tienes que hacer crecer tu negocio. Sólo puedes hacer crecer tu negocio de dos maneras:

1) Consiguiendo más clientes

2) Haciendo que valgan más

Eso es todo. Hago crecer nuestras empresas de cartera con este marco exacto. *Prospectos de $100M* se enfoca en el número uno: conseguir más clientes. Conseguirás más clientes si consigues:

1) Más prospectos

2) Mejores prospectos

3) Prospectos más baratos

4) Más fiables (piensa "desde diferentes lugares")

En resumen: Si el resto de factores se mantienen invariables... <u>cuando duplicas tus clientes potenciales, duplicas tu negocio.</u>

Este libro te enseña cómo transformar tu negocio en una máquina de conseguir prospectos. Una vez que apliques sus modelos, aumentarás *instantáneamente* el flujo de prospectos. Y, al igual que el flujo de caja, cuando los clientes fluyen, es difícil no ganar dinero. Este libro resolverá tu problema de "no conseguir suficientes prospectos" para siempre.

En pocas palabras: Te mostraré cómo hacer que los desconocidos *quieran* comprar lo que vendes.

¿Qué gano yo?

En una palabra: ***confianza.***

Ofrezco este libro y el curso que viene con él gratis (o a precio de costo) con la esperanza de ganarme tu confianza. Quiero que este libro proporcione más valor que cualquier curso de $1.000, programa de coaching de $30.000, o título de $100.000. Aunque podría vender estos materiales de esa manera, no quiero hacerlo. Tengo un modelo diferente. Te lo explicaré a continuación.

¿A quién quiero ayudar?

Quiero aportar valor a dos tipos de emprendedores. El primero, obtiene *menos* de $1.000.000 anuales de <u>beneficios</u>. Si te encuentras dentro de este grupo, mi objetivo es ayudarte a alcanzar ese $1.000.000 de ganancias anuales (gratis) y, al hacerlo, *ganarme tu confianza*. Prueba un par de tácticas de este libro, consigue algunos clientes potenciales, prueba algunas más y consigue más clientes potenciales. Cuantos más prospectos consigas, mejor.

Hazlo lo suficiente, y te convertirás en el segundo tipo de empresario: el tipo que hace más de $1.000.000 de EBITDA (palabra elegante para ganancias) al año. Una vez que llegues ahí, o si ya te encuentras ahí ahora, sería un honor para mí invertir en tu negocio y ayudarte a escalar.

No vendo coaching, Masterminds, cursos, ni nada por el estilo... invierto. <u>Compro acciones en crecimiento, rentables, empresas bootstrap.</u> Luego, utilizo los sistemas, recursos y equipos de *todas mis empresas* para acelerar el crecimiento de la tuya.

Pero no me creas todavía... *acabamos de conocernos.*

Nota del autor: Nuestros criterios de inversión han cambiado desde el último libro

Si has notado algunos cambios en nuestros criterios de inversión, estás en lo cierto. Hemos cambiado nuestro umbral mínimo de inversión de $3.000.000 de ingresos a $1.000.000 en beneficios.

Además, solíamos invertir principalmente en empresas de educación y servicios. Pero nuestra cartera se ha ampliado. Hemos tenido bastante éxito fuera de esos sectores. Así que ahora, siempre y cuando una empresa cumpla con nuestros requisitos de tamaño, sea rentable, tenga liquidez y esté creciendo, nos planteamos invertir en ella.

Mi modelo de negocio

<u>Mi modelo de negocio es simple:</u>

1) Ofrezco productos gratuitos de mejor calidad que los productos pagos del mercado.

2) Me gano la confianza de los empresarios que obtienen más de $1.000.000 anuales en beneficios.

3) Invierto en esos empresarios para acelerar su crecimiento.

4) Ayudo a todos los demás gratis, de manera permanente.

Nuestro proceso invierte la ingeniería del éxito. Los ganadores saben que mis modelos les funcionarán porque ya lo han hecho. Y yo sé que los ganadores los utilizarán porque ya lo hacen. Así que operamos sobre la base de la confianza compartida.

Este enfoque evita fracasos y aumenta las probabilidades de éxito. Todos ganamos. Es fácil decirlo, pero permítanme mostrarles la diferencia que supone nuestro proceso...

En los primeros 12 meses, nuestra cartera media de empresas multiplica **por 1,8 los ingresos y por 3,01 los beneficios.** Y nos asociamos a largo plazo, eso es sólo en los primeros 12 meses. Nuestra cartera promedio de empresas que han estado con nosotros entre 12 y 24 meses, han aumentado 2,3 veces sus ingresos y 4,7 veces sus ganancias. Como ejercicio divertido, puedes calcularlo con tus números, para ver cómo sería para ti. <u>Esto realmente funciona.</u>

Por eso sé que los modelos que estoy a punto de mostrarte funcionan. *Porque ya lo han hecho.*

La misión de Acquisition.com

Hacer que los negocios reales sean accesibles para todos. Las empresas resuelven problemas. Las empresas mejoran el mundo. Hay demasiados problemas para que los resuelva una sola persona.

Y yo no puedo curar el cáncer, acabar con el hambre o resolver la crisis energética mundial (por ahora). Pero *puedo* aportar valor a los emprendedores que crean las empresas que lo harán. Quiero ayudar a crear tantas empresas como sea posible para que podamos resolver tantos problemas como podamos. Así que comparto estos marcos de creación de empresas en lugar de guardarlos para mí. ¿Te parece bien?

Muy bien. ¡Comencemos entonces!

Esquema básico de este libro

Este libro parte de cero clientes, cero prospectos, cero publicidad, cero dinero y cero habilidades (Parte II) para llegar al máximo de clientes, máximo de prospectos, máximo de publicidad, máximo de dinero y máximo de habilidades (Parte IV). Aprenderemos más habilidades a medida que avancemos en el libro. Y cuando tengamos más habilidades, podremos conseguir *más prospectos al mismo tiempo*. Por lo tanto, terminaremos con las habilidades más complejas que nos den más clientes potenciales por tiempo invertido. Las dejamos para el final porque requieren muchas habilidades y más dinero. Y llegar a ser bueno y tener dinero lleva tiempo. Quiero que este libro ayude a las personas a conseguir sus primeros cinco clientes *y* a conseguir su primer mes de diez millones de dólares y más.

Este orden también recuerda a quienes tienen habilidades y dinero, incluyéndome a mí, lo básico que dejamos de hacer. *Nuestras empresas merecen algo mejor.* Respetar los métodos probados que te llevaron a tu nivel actual probablemente te llevará al siguiente. *Los maestros nunca dejan de hacer lo básico.*

Por lo tanto, comenzaremos desde conseguir tu primer prospecto hasta construir una máquina de más de $100.000.000 en prospectos. Aquí está el desglose:

Parte I: *Estás a punto de terminar de leerla ahora mismo.*

Parte II: Revelo lo que hace que la publicidad realmente funcione. La mayoría de los emprendedores piensan en la publicidad de manera equivocada. Como piensan de manera incorrecta en cuanto a la publicidad, hacen cosas incorrectas para conseguir clientes potenciales. Tú querrás hacer lo correcto para conseguir clientes potenciales. *Este es el camino.*

Parte III: Aprenderemos los "cuatro pilares" de la publicidad. Sólo hay cuatro maneras de conseguir clientes potenciales. Así que si hay una parte importante en este libro sobre "cómo hacerlo", es ésta.

Parte IV: Aprenderás a conseguir que otras personas (clientes, empleados, agencias y afiliados) lo hagan todo por ti. Y esto completa el ensamblaje de tu máquina de *Prospectos de $100M* completamente funcional.

Parte V: Concluimos con un plan publicitario de una sola página, que podrás utilizar para conseguir más clientes potenciales hoy mismo.

BOLETO DE ORO:

Invertimos en empresas de más de 1.000.000 de dólares de beneficios para ayudarlas a crecer. Si quieres que invirtamos en tu empresa para que crezca, visita Acquisition.com. También puedes encontrar libros y cursos gratuitos tan buenos que harán crecer tu negocio sin que te des cuenta. Y si no te gusta teclear, puedes escanear el código QR que figura a continuación para conseguirlos.

PARTE II: GANA CONOCIMIENTO

La publicidad. Simplificada.

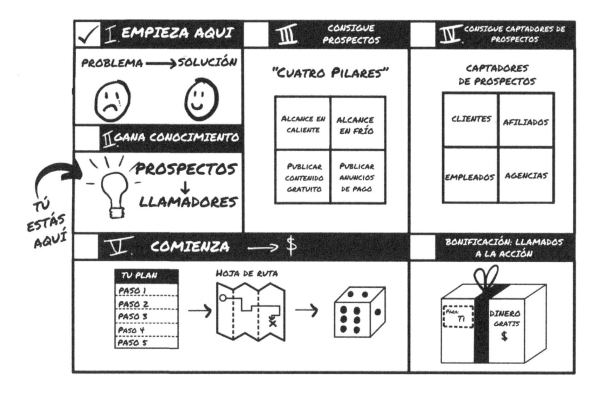

En esta sección abordaremos tres aspectos para asegurarnos de que la publicidad haga exactamente lo que queremos que haga.

En primer lugar, hablaremos de lo que realmente es un prospecto. Si queremos más de ellos, será mejor que estemos bien seguros de que estamos hablando de lo mismo. En segundo lugar, aprenderemos a separar los prospectos que te hacen ganar dinero de los que te hacen perder tu tiempo. En tercer lugar, te mostraré las mejores maneras que conozco para conseguir que los prospectos que te generan dinero *muestren interés en lo que vendes*.

Vayamos al grano.

Los prospectos por sí solos no bastan

"Si no puedes explicar algo en términos sencillos, es que no lo entiendes".
- Dr. Richard Feynman, Premio Nobel de Física

Permíteme compartir contigo un pequeño secreto. Este libro empezó porque alguien me preguntó una vez qué era un prospecto. Se podría pensar que es algo sencillo, pero no supe dar una respuesta concreta. Y después de seis meses tratando de descifrarlo, estaba más confundido que al principio. *Estaba claro que no sabía tanto acerca de eso como creía.* Mi búsqueda de una definición clara de "prospecto" derivó en el enorme proyecto en que se convirtió *Prospectos de $100M*. Todo esto para decir que debemos ponernos de acuerdo en qué demonios es un prospecto antes de lanzarnos de cabeza a conseguirlos...

Entonces, ¿qué es un prospecto de todos modos?

¿Alguien que hace clic en un anuncio?

¿Un número de teléfono?

¿Una persona que programa una llamada?

¿Una lista de nombres?

¿Una puerta a la que llamar?

¿Una persona que se acerca sin cita previa?

¿Una dirección de correo electrónico?

¿Un suscriptor?

¿Una persona que ve tu contenido?

Etc...

Verás, las palabras importan porque afectan cómo pensamos. Cómo pensamos afecta lo que hacemos. Y si las palabras nos hacen pensar de forma equivocada, probablemente haremos cosas equivocadas. Odio hacer las cosas mal. Así que para hacer más de lo correcto y menos de lo incorrecto, es mejor que sepamos qué significan las palabras y las utilicemos en consecuencia.

Para cortar el suspenso, un **prospecto** es una *persona a la que puedes contactar*. Eso es todo. Si compras una lista de correos electrónicos, esos son prospectos. Si obtienes información de contacto de un sitio web o una base de datos, son prospectos. Los números de teléfono son prospectos. La gente de la calle son prospectos. *Si puedes contactarlos, son prospectos.*

Pero me di cuenta de que *los prospectos por sí solos no son suficientes*. Queremos **prospectos *comprometidos***: *personas que *demuestren* interés en lo que vendes.* Si alguien da su información de contacto en un sitio web, eso es un cliente potencial comprometido. Si alguien *te sigue* en las redes sociales y puedes ponerte en contacto con él, se trata de un prospecto comprometido. Las personas que *responden* a tu campaña de correo electrónico, son prospectos comprometidos. Los prospectos que *muestran interés* son los que realmente importan.

Los prospectos comprometidos son el verdadero resultado de la publicidad.

Conseguir más prospectos *comprometidos* es el objetivo de este libro. Pero no podía llamar al libro "prospectos comprometidos" porque nadie lo entendería. Pero ahora lo entiendes. Así que la siguiente pregunta es: ¿Cómo conseguimos prospectos comprometidos?

Compromete a tus prospectos: Ofertas e imanes de prospectos.

"Yo no consumo drogas. Yo soy la droga" - Salvador Dalí

Abril de 2016.

Pagué 25.000 dólares para estar en este grupo, y *todos* me dijeron que creara un webinar. De hecho, mi mentor en ese momento me dijo: "Haz un webinar cada semana hasta que ganes un millón de dólares. Hasta entonces, no me preguntes sobre nada más". *Este es mi único camino hacia el éxito. Tengo que hacerlo.*

Un webinar o seminario web, como yo lo entendía, era una presentación mágica con un millón de diapositivas. Si alguien lo mirara, lo hipnotizaría para que comprara mi producto.

Había tanto que no sabía. Páginas de aterrizaje. Páginas de registro. Correos electrónicos de seguimiento. Correos electrónicos de respuesta. Correos electrónicos de carrito abandonado. Software de presentación. Integración de sitios web. Redacción de anuncios. Creación de anuncios. Decidir dónde colocar los anuncios. A quién mostrar los anuncios. Crear una página de pago. Procesar los pagos. Por no hablar de *crear el seminario web en sí*. La lista me abrumaba.

Así que empecé con lo que mejor entendía, la página de aterrizaje. Había construido algunas de esas para mis gimnasios. Mi mentor había hecho millones con seminarios web, así que tomé como modelo su página de aterrizaje. Pero no necesitaba que hiciera millones. Sólo necesitaba hacer *algo*.

Bien... ahora la página de "agradecimiento".

Un domingo entero después, la página de "agradecimiento" se puso en marcha. *Ahora la gran prueba*. Ingresé mi correo electrónico en la página de aterrizaje, hice clic en "inscribirme" y esperé. Mi flamante página de agradecimiento se cargó. *Todo un éxito*. Todavía no era millonario, cara triste. Pero era algo.

El domingo siguiente, me senté para mi ritual habitual de "trabajar sobre el negocio, no en el negocio". Tenía diez horas para resolver la siguiente pieza del rompecabezas del seminario web. Después de mi primera taza de café, decidí que en realidad no quería trabajar, pero aun así quería sentirme productivo. Así que me dirigí al foro de mi grupo de publicidad para que me dieran algunos consejos.

"Acabo de terminar mi webinar. ¡32.000 dólares en una hora! ¡Recuperé la totalidad de la matrícula en mi primera semana! ¡Los webinars son lo máximo!"

Nunca voy a hacer que esto funcione. Él se unió el mismo mes que yo. Estaba en la misma industria que yo. Él descubrió cómo hacer dinero con su webinar antes que yo. Estaba acaparando todos los clientes antes de que yo tuviera la oportunidad. *Todo el mundo está haciendo dinero excepto yo.*

Desesperado, llamé a otras personas del grupo. "Haré lo que sea por tu negocio: crear un equipo de ventas... escribir tus guiones de ventas... fijar tu proceso de ventas... lo que sea... *sólo ayúdame a finalizar este webinar*... ¡por favor!". Una persona accedió a ayudarme. *Gracias a Dios.*

Ocho domingos después, el pequeño círculo junto a mi campaña publicitaria se volvió verde. *¡Está viva!* Estaba gastando oficialmente 150 dólares al día en anuncios. Todo lo que tenía que hacer ahora era ver cómo entraba el dinero. ¡Iba a ser rico!

Tres días, $450, 80 prospectos, y 0 ventas más tarde...

Lo cerré todo. *Apesto.*

Nadie vio mi webinar. Mientras tanto, ese tipo volvió a publicar sobre la cantidad de dinero que estaba haciendo gracias a este seminario web. ¿Por qué apesto tanto?

Gasté la mayor parte de mi dinero para unirme a este grupo, y acabo de poner *otros $450* a quemar. No tenía el dinero para fracasar de nuevo. *Necesitaba* que el próximo proyecto funcionara. Y si ni siquiera podía lograr que alguien lo viera, ¿qué sentido tenía?

Estudio de caso:

Me desplacé por las noticias para ver qué hacían los demás. Un anuncio me llamó la atención. "Estudio de caso gratuito sobre cómo gasté un dólar y gané 123.000 en un fin de semana", o algo así. Ingresé mi dirección de correo electrónico y la página me dirigió a un video de una exitosa campaña publicitaria. Nada del otro mundo. Sin diapositivas. Nada de "presentaciones". Sólo un tipo explicando cómo funcionó su campaña.

Esto podría hacerlo yo.

Encendí la grabadora de mi pantalla:

"Muy bien, todo el mundo. Aquí está la cuenta publicitaria de un gimnasio que acabamos de lanzar. Aquí están los anuncios que hicimos. Esto es lo que hemos gastado. Los dirigimos a esta página con esta oferta. Pueden ver cuántos prospectos conseguimos aquí. Tuvieron esta cantidad de personas programadas. Esta cantidad asistió. Esta es la cantidad que vendieron. Esto es lo que el dueño del gimnasio ganó. Esto es todo lo que hicimos. Si quieres ayuda para montar algo así, lo haremos todo gratis. Y sólo nos pagarás en función de las ventas que hagas. Si te parece justo, reserva una llamada".

Tomó tal vez 13 minutos. Simple. Cambié el webinar por este video y cambié el titular:

"Estudio de caso GRATUITO: Cómo sumamos 213 socios y 112.000 dólares de ingresos a un pequeño gimnasio en San Diego".

Podrían reservar una llamada en la página siguiente.

Configuré una nueva campaña publicitaria y me fui a la cama.

A la mañana siguiente...

"Alex... ¿qué hiciste?", preguntó Leila.

"¿A qué te refieres?"

"Unos desconocidos han reservado mi agenda para la semana que viene".

"¿En serio?"

"Sí. ¿Has empezado una nueva campaña o algo así?"

"Sí... pero no creí que se activaría tan rápido. Espera. ¡¿Alguien reservó llamadas?!"

"Sí. Montones".

Ver el calendario de Leila lleno de citas me llenó de alegría. ¡Está funcionando!

Aprendí una lección importante. *No querían mi webinar. Pero sí querían mi caso de estudio.* Este descubrimiento accidental me mostró cómo funciona realmente la captación de prospectos... *tienes que dar a la gente algo que quieran.* La mejor parte: es que es más fácil de lo que crees.

Nota del autor: Los webinars aún funcionan

Obviamente, funcionaron para el otro tipo de mi grupo. Pero en aquel momento, yo no tenía los conocimientos necesarios para hacerlo funcionar. Quedé tan marcado por mi primera experiencia que no volví a probar un webinar durante años. Dedica tu tiempo a probar tu oferta en lugar de perfeccionar un producto no probado. Este fue mi gran avance. Sólo tenía que dar a la gente algo simple que ellos quisieran. Para los propietarios de gimnasios, era un estudio de caso que mostraba <u>cómo llené gimnasios en 30 días</u>.

Los imanes de prospectos consiguen que los prospectos se comprometan

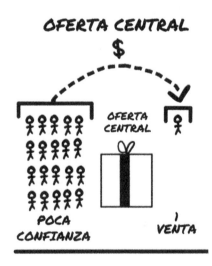

Las ofertas son lo que uno promete dar a cambio de algo de valor. A menudo, una empresa promete dar su producto o servicio a cambio de dinero. Esta es la *oferta central*. Si publicitas tu oferta central, irás directo a la venta, el camino directo al dinero. Anunciar tu oferta principal puede ser todo lo que necesitas para que los prospectos se comprometan. Prueba este enfoque primero.

A veces, sin embargo, la gente quiere saber más sobre tu oferta antes de comprar. Esto es habitual en las empresas que venden productos más caros. Si ese es tu caso, normalmente conseguirás más clientes potenciales anunciándote primero con un imán de prospectos. **Un imán de prospectos** es una solución completa a un problema acotado. Suele ser una oferta gratuita o de bajo costo para ver quién está interesado en tu producto. Y, una vez resuelto el problema concreto, revela otro problema *que se soluciona con tu oferta principal.* Esto es importante porque es más probable que los clientes potenciales que se interesan ahora por productos de bajo costo o gratuitos, compren *más adelante* un producto relacionado de mayor costo.

Piensa en esto como si hubiera rosquillas saladas en un bar. Si alguien se come las rosquillas, tendrá sed y pedirá una bebida. Las rosquillas saladas resuelven el problema del hambre. También revelan un problema de sed que se resuelve con una bebida, que pueden conseguir, *a cambio de dinero.* Las rosquillas tienen un costo, pero si se hace bien, los ingresos de la bebida cubren el costo de las rosquillas *y* generan ganancias.

Así que tu imán de clientes potenciales debería ser lo suficientemente valioso como para que pudieras cobrar por él. Y, después de conseguirlo, deberían querer más de lo que tú ofreces. Esto los pone un paso más cerca de comprar tu producto. *Una persona que paga con su tiempo ahora, es más propensa a pagar con su dinero más adelante.*

Los buenos imanes de prospectos, consiguen prospectos y clientes más comprometidos que una oferta central por sí sola, y lo hacen por menos dinero. Entonces, creemos un imán de prospectos, ¿de acuerdo?

Consejo profesional: Incluso las cosas gratis tienen un costo.

Las personas te darán su tiempo antes que su dinero. Pero, el tiempo sigue siendo un costo. Si consideran que tu imán de prospectos no vale su tiempo, pensarán que *está sobrevalorado*. Y, gratis o no, no volverán a comprarte.

Así que míralo de esta manera: *si creen que tu imán de prospectos vale su tiempo, creerán que tu oferta principal vale su dinero.*

Siete pasos para crear un imán de prospectos eficaz

Paso 1: Identifica el problema que quieres resolver y a quién se lo debes resolver

Paso 2: Identifica cómo resolverlo

Paso 3: Piensa cómo proporcionarás la solución

Paso 4: Prueba cómo llamarlo

Paso 5: Haz que sea fácil de acceder

Paso 6: Haz que sea muy bueno

Paso 7: Haz que sea fácil que te digan que quieren más

Algo a tener en cuenta antes de empezar: Las Ofertas Grand Slam funcionan igual o mejor para cosas gratuitas que para cosas pagas. Así que haz que tu imán de prospectos sea tan increíblemente bueno que la gente se sienta estúpida al decir que no. Y sí, esto significa que podrás tener algunas ofertas increíblemente valiosas (aun siendo gratuitas). Pero eso es algo *bueno*. El negocio que ofrezca el mayor valor gana. Y punto. Así que empecemos.

Paso 1: Identifica el problema que quieres resolver y a quién se lo debes resolver

Aquí tienes un ejemplo sencillo que podemos repasar juntos... este libro es un imán de prospectos. Tú eres un cliente potencial. Quiero resolver un problema de clientes potenciales comprometidos. Y quiero resolverlo para las empresas que hacen *menos de* $1.000.000

en ganancias anuales. Con suficientes prospectos comprometidos, pueden hacer *más de* $1.000.000 en ganancias anuales. Entonces, calificarán para mi oferta central: invertir en su empresa para ayudarlos a crecer.

El primer paso es elegir el problema a resolver. Utilizo un modelo sencillo para determinarlo. Lo llamo el ciclo Problema-Solución. Puedes verlo a continuación.

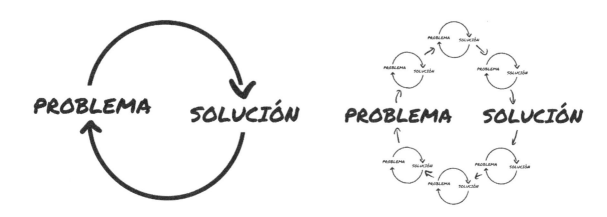

Cada problema tiene una solución. Cada solución revela más problemas. Este es el ciclo interminable de los negocios (y de la vida). Y los ciclos de solución de problemas más pequeños se sitúan dentro de los ciclos de solución de problemas más grandes. Entonces, ¿cómo elegimos el problema adecuado para resolverlo?

Empezamos por elegir un problema acotado *y* significativo. Después, lo resolvemos. Y, como acabamos de aprender, cuando resolvemos un problema, aparece otro nuevo. Aquí viene la parte importante: *si podemos resolver ese nuevo problema con nuestra oferta central, tenemos un ganador.* Esto es porque resolvemos este nuevo problema *a cambio de dinero.* Eso es todo. No le des más vueltas.

Ejemplo: Imagina que ayudamos a los propietarios a vender sus casas. Esa es una solución amplia. Pero, ¿qué pasa con los pasos *previos* a la venta de una casa? Los propietarios quieren saber cuánto vale su casa. Quieren saber cómo aumentar su valor. Necesitan fotos. Necesitan que se limpie. Necesitan arreglar el jardín. Necesitan arreglos menores. Necesitan servicios de mudanza. Pueden necesitar una reforma. etc. Todos estos son problemas acotados, ideales para imanes de prospectos. Elegimos uno de los problemas *concretos* y lo resolvemos gratis. Y aunque les ayudaremos, haremos que su otro problema sea más obvio: *todavía tienen que vender su casa.* Pero ahora nos hemos ganado su confianza. Así que podemos cobrar para resolver los problemas restantes con nuestra oferta principal y ayudarle a alcanzar su objetivo más amplio.

Paso a seguir: Elige el problema acotado específico que quieres resolver. A continuación, asegúrate de que tu oferta principal pueda resolver el siguiente problema que surja.

Paso 2: Descubre cómo resolverlo

Hay tres tipos de imanes de prospectos y cada uno ofrece un tipo de solución diferente.

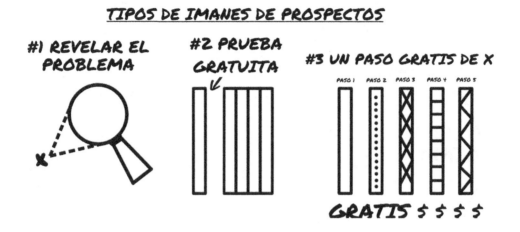

En primer lugar, si tu audiencia tiene un problema que desconoce, tu imán de prospectos se lo hará saber. En segundo lugar, podrías resolver un problema recurrente durante un breve periodo de tiempo con una muestra o prueba de tu oferta principal. En tercer lugar, puedes ofrecerles un paso de un proceso de varios pasos que resuelva un problema mayor. Los tres resuelven un problema y revelan otros. Así que los tres tipos son: 1) Revelar el problema, 2) Muestras y pruebas, y 3) Un paso de un proceso de varios pasos.

1) **Revelar su problema.** Piensa en un "diagnóstico". Estos imanes de prospectos funcionan muy bien cuando revelan problemas que empeoran cuanto más tiempo dejas pasar.

   o Ejemplo: ejecutas una prueba de velocidad que demuestra que su sitio web carga un 30% por debajo de la velocidad que debería. Trazas una línea clara entre dónde deberían estar y cuánto dinero pierden por estar por debajo de los estándares.

   o Ejemplo: haces un análisis de postura y les muestras cómo debería ser su postura. Trazas una línea clara de cómo sería su vida sin dolor de espalda si su postura estuviera corregida y cómo puedes ayudarles.

   o Ejemplo: haces una inspección de termitas que revela lo que ocurriría si los insectos se comieran su casa. Si tienen termitas, puedes deshacerte de ellas por menos dinero que el costo de... otra casa. Si no las tienen, ¡pueden pagarte para evitar que aparezcan las termitas! Puedes venderles de cualquier manera. ¡Todos salen ganando!

2) **Muestras y pruebas.** Ofreces acceso completo pero breve a tu oferta principal. Puedes limitar la cantidad de usos, el tiempo de acceso o ambos. Esto funciona muy bien cuando tu oferta central es una solución recurrente a un problema recurrente.

- o Ejemplo: los conectas a tu servidor más rápido y muestras cómo tu sitio web carga a la velocidad de un rayo. Consiguen más clientes gracias a tus tiempos de carga más rápidos. Si quieren mantenerlo, tienen que seguir pagándote.

- o Ejemplo: les ofreces un tratamiento gratuito para corregir su mala postura y experimentan un alivio. Para obtener beneficios permanentes, deben seguir pagando el tratamiento.

- o Ejemplo: alimentos, cosméticos, medicinas o cualquier otro *artículo de consumo*. Los artículos de consumo, por naturaleza, tienen usos limitados y resuelven problemas recurrentes... con un uso recurrente. Así que las muestras de tamaño "irrisorio", de una sola dosis, etc. son excelentes imanes de prospecto. Así es como Costco vende más comida que otras tiendas: ¡ofrecen muestras gratis!

Consejo profesional: actúa como un traficante de drogas

Mucha gente gana dinero vendiendo drogas (legal e ilegalmente). Una muestra gratuita de droga es un imán de prospectos. Pueden permitirse regalar una "dosis" porque una vez que la gente lo prueba, se engancha. Es tan buena que regresan por más. Esta es la razón por la que no "diluimos" el valor de nuestros imanes de prospectos ni regalamos productos de mala calidad. En todo caso, como un traficante de drogas, querrías dar la "dosis" más fuerte *primero*. Así regresarán por más. Tu imán de prospectos es tu primer "dosis". La siguiente la tienen que pagar. Compórtate como un traficante de drogas (legal) y ganarás dinero como tal.

PD: Hagas lo que hagas, asegúrate de que sea legal.

---

3) Un paso de un proceso de varios pasos. Cuando tu oferta central consta de varios pasos, puedes ofrecer un paso valioso gratis y el resto cuando compren. Esto funciona muy bien cuando tu oferta principal resuelve un problema más complejo.

o Ejemplo: este libro. Te ayudo a llegar a más de $1.000.000 al año en ganancias. Entonces tendrás nuevos problemas que podemos ayudarte a resolver, y escalar a partir de ahí.

o Ejemplo: ofreces un protector de madera gratuito para una puerta de garaje. Pero el proceso de sellado requiere de tres capas diferentes para protegerla de las inclemencias del tiempo. Ofreces la primera capa gratis, explicas que sólo cubre parcialmente y ofreces las otras dos en un paquete.

o Ejemplo: ofreces cursos de finanzas gratuitos, guías, calculadoras, plantillas, etc. Son tan valiosos que las personas realmente pueden hacerlo todo por sí mismas. Pero, también revelan el tiempo, esfuerzo, y sacrificio de hacerlo todo uno mismo. Así que les ofreces servicios financieros para resolver todo eso.

Paso a seguir: Elige cómo quieres resolver el problema.

Nota del autor: Lo que podemos aprender de los probadores: "Prueba antes de comprar"

Hace algunos años, no estaba permitido probarse las cosas antes de comprarlas. Entonces, un astuto empresario creó un probador. Sus ventas, presumiblemente, se dispararon. Tanto, que actualmente es una práctica habitual en todas las tiendas de ropa. Te diré cuál es la razón por la que los probadores son tan poderosos: son los tres tipos de imanes de prospectos en uno. Tener la oportunidad de probarte algo, es como *una muestra gratis*. También *revela un problema*, ya que una vez que te pruebas algo, puedes descubrir que necesitas algo diferente de lo que pensabas. Y una vez que encuentras una camisa que te gusta… un buen vendedor te diría "¿quieres unos pantalones para combinarla?" Se convierte en el primer paso de un proceso de varios pasos para crear *un conjunto*. Así que, si puedes, intenta conseguir un imán de prospectos que haga las tres cosas: revelar un problema, darles una muestra de la solución y mostrarla como una pequeña pieza de un paquete completo.

Paso 3: Determina cómo entregarlo

Hay infinitas formas de resolver problemas. Pero mis imanes de prospectos favoritos los resuelven con: software, información, servicios y productos físicos. Y cada uno de ellos funciona muy bien con los tres tipos de imanes de prospectos del paso dos. Te mostraré lo que he hecho para atraer a los propietarios de gimnasios utilizando cada tipo de imán de prospectos.

1) Software: *les ofreces una herramienta.* Si tienes una hoja de cálculo, una calculadora, o un pequeño software, tu tecnología hará el trabajo para ellos.

    Ejemplo: regalo una hoja de cálculo o un panel de control que proporciona al propietario de un gimnasio todas las estadísticas relevantes de su negocio, las compara con las medias del sector y, a continuación, les asigna una categoría.

2) Información: *les enseñas algo.* Cursos, lecciones, entrevistas con expertos, presentaciones magistrales, eventos en directo, errores y fallos, trucos/consejos, etc. Cualquier cosa de la que puedan aprender.

    Ejemplo: regalo un mini curso para gimnasios sobre cómo redactar un anuncio.

3) Servicios: *realizas un trabajo gratis.* Corregir su postura. Realizar una auditoría del sitio web. Aplicar la primera capa de sellador de portones de garaje. Transformar su video en un libro electrónico. etc.

    Ejemplo: publico anuncios de propietarios de gimnasios gratis durante treinta días.

4) Productos físicos: *les das algo que puedan tener en las manos.* Una tabla de evaluación de postura, un suplemento, un bote pequeño de sellador de puertas de garaje, guantes de boxeo para conseguir clientes potenciales de gimnasios de boxeo, etc.

Ejemplo: Yo vendo un libro para dueños de gimnasios llamado Gym Launch Secrets (Secretos de lanzamientos de gimnasios).

Con tres tipos diferentes de imanes de prospectos y cuatro formas de ofrecerlos, son hasta doce imanes de prospectos que resuelven un único problema. ¡Tantos imanes, en tan poco tiempo!

Hago tantas versiones de un imán de prospectos como puedo y las voy rotando. Esto mantiene la publicidad fresca *y* con poco esfuerzo. Además, ves cuáles funcionan mejor. Al igual que la historia de mi caso práctico del principio del capítulo, los resultados suelen ser sorprendentes. Y no lo sabrás hasta que lo pruebes.

Paso a seguir: como ejercicio de reflexión, piensa en un imán de prospectos y luego en una versión del mismo para cada método de entrega. Puedes hacerlo, te lo prometo. Luego, elige cómo entregar tu imán de prospectos.

Paso 4: Prueba qué nombre ponerle

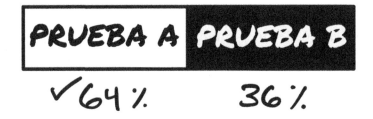

David Ogilvy dijo: "Cuando has escrito el titular, has gastado 80 céntimos de cada dólar (publicitario)". Esto significa que cinco veces más gente lee el titular que cualquier otra parte de la promoción. Lo leen y toman la decisión de seguir leyendo... o no. Como insinúa Ogilvy, los clientes potenciales tienen que fijarse en tu imán de prospectos *antes* de poder consumirlo. Nos guste o no, esto significa que la forma en que lo presentamos importa más que cualquier otra cosa. Por ejemplo, mejorar el titular, el nombre y la presentación de tu imán de prospectos puede duplicar, triplicar o multiplicar por 10 tu captación. Es *así* de importante. Además, si nadie muestra interés en tu imán de prospectos, nadie sabrá nunca lo bueno que es. No puedes dejarlo al azar. Así que presta atención. Esto es lo que debes hacer a continuación: **pruebas**.

Las tres cosas que querrás probar son el titular, la(s) imagen(es) y el subtítulo, en ese orden. El titular es lo más importante. Así que si sólo quieres probar una cosa, prueba esta. Por ejemplo, no tenía ni idea de cómo titular este libro. Esto es lo que hice para averiguar qué nombre sería el mejor: **probé**. Es posible que los resultados te sorprendan tanto como a mí.

Pruebas de titulares

Prueba I: Publicidad ✔ vs. Promoción

Prueba II: Publicidad vs Prospectos ✔

Prueba III: Marketing vs Prospectos ✔

Prueba de imágenes

✔ Real vs. Caricatura

Subtítulos

Prueba I:

Prueba II:

"Como conseguir que más personas quieran comprar lo que vendes"

"Como conseguir que más desconocidos quieran comprar lo que vendes" ✔

"Cómo conseguir que desconocidos quieran comprar lo que vendes"

"Cómo conseguir que desconocidos quieran comprar lo que vendes" ✔

Prueba III: Prueba IV:

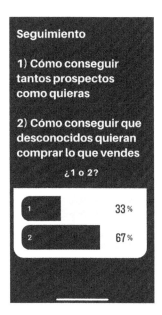

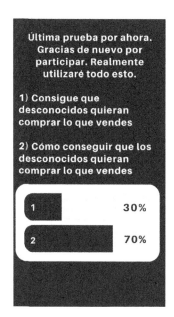

"Cómo conseguir tantos prospectos como quieras"

"Consigue que desconocidos quieran comprar lo que vendes" ✔

"Cómo conseguir que desconocidos quieran comprar lo que vendes"

"Cómo conseguir que los desconocidos quieran comprar lo que vendes" ✔

Observa dos cosas con respecto a las pruebas de los subtítulos:

1) "Cómo conseguir que los desconocidos quieran comprar lo que vendes" vence abrumadoramente a "Consigue que desconocidos quieran comprar lo que vendes". La única diferencia, una palabrita: "cómo". Y también venció a "cómo conseguir que *más* desconocidos quieran comprar lo que vendes" con una sola palabra eliminada "más". Los pequeños cambios pueden hacer grandes diferencias.

2) Como tanta gente me lo ha preguntado, he pensado en responderlo aquí. No he subtitulado el libro "Cómo conseguir que desconocidos compren lo que vendes" porque se trataría de ventas, no de conseguir prospectos. El objetivo de este libro es conseguir que los desconocidos muestren interés, no que compren (todavía). Una mano levantada es donde termina este libro. *'Ventas de $100M'* o *'Persuasión'* (aún no lo he decidido) será un futuro libro. Un problema a la vez.

Paso a seguir: Prueba. Si la gente se involucra masivamente, tienes un ganador.

Y si tienes algún tipo de seguidores, puedes hacer encuestas como éstas. No necesitas muchos votos para tener una idea orientativa. Si no puedes hacerlo, publica un post en cada plataforma y pide a la gente que responda con un "1" o un "2", luego cuéntalos. Si ni siquiera puedes hacer eso, manda un mensaje a la gente y pregúntales. Siempre hay una forma de hacerlo, y ésta es una de las cosas por las que puedes sacar más provecho de tu tiempo: asegúrate de que la forma en que lo presentes consiga atraer a la gente y comprometerla y te darás a ti mismo una gran ventaja.

Puntos extra: Si la gente responde a la encuesta *y* pregunta cuándo podrán tenerlo en sus manos, tienes un mega ganador.

Paso 5: Facilítales su consumo

La gente prefiere hacer cosas que requieran menos esfuerzo. Así que si queremos que más personas presten atención a nuestro imán de prospectos, y lo consuman, tenemos que hacerlo fácil. Puedes ver aumentos de 2, 3, e incluso de 4 veces más en las tasas de aceptación *y* consumo simplemente haciéndolo más fácil de consumir.

1) Software. Tienes que hacerlo accesible en sus teléfonos, en un ordenador y en múltiples formatos diferentes. Así, elegirán el que les resulte más fácil.

2) Información. A la gente le gusta consumir cosas de formas diferentes. A algunos les gusta ver, a otros leer, a otros escuchar, etc. Haz tu solución en tantos formatos diferentes como puedas: imágenes, videos, textos, audios, etc. Ofrece todos. Por eso este libro viene en todos los formatos que consume la gente.

3) Servicios. Deberás estar disponible en más momentos y de más formas. Más horas al día. Más días a la semana. Por videollamada, por teléfono, en persona, etc.

Cuanto más fácil sea ponerse en contacto contigo, más probabilidades habrá de que la gente se convierta en clientes potenciales comprometidos.

4) <u>Productos físicos.</u> Haz que el pedido sea muy sencillo y rápido de conseguir. Haz que el producto en sí sea fácil y rápido de abrir. Proporciona instrucciones sencillas sobre cómo utilizar el producto. <u>Ejemplo:</u> Apple fabrica sus productos tan bien que ni siquiera necesitan instrucciones. Y el embalaje es tan bueno que la mayoría de la gente guarda las cajas.

<u>Paso a seguir:</u> Empaqueta tu imán de prospectos de todas las formas que puedas. Aumentará drásticamente el número de clientes potenciales comprometidos. Y más clientes potenciales comprometidos con tu imán de prospectos significa más clientes potenciales que obtienen valor de él. Esto es enorme.

Dato curioso: mi libro *Ofertas de $100M* tiene una división casi perfecta de ¼, ¼, ¼, ¼ entre ebooks, libros físicos, audiolibros y videos (gratis en Acquisition.com). Hacer que el libro esté disponible en varios formatos es la forma más fácil que conozco de conseguir entre 2 y 4 veces más clientes potenciales por el mismo trabajo. Si sólo lo pusiera a disposición en un formato, me perdería de 3 a 4 veces la cantidad de personas que de otro modo no habrían leído el libro. Hubiese sido una pena y un verdadero desperdicio.

Paso 6: Hazlo condenadamente bueno:

Regala los secretos, vende la implementación

El mercado juzga todo lo que ofreces, *gratis o no*. Y nunca estarás proporcionando demasiado valor. Pero, *podrías* proporcionar muy poco. Así que querrás que tu imán de prospectos proporcione tanto valor que la gente se sienta obligada a pagarte. El objetivo es proporcionar más valor que el costo de tu oferta principal *antes de que la hayan comprado.*

Piénsalo de este modo. Si te da miedo revelar tus secretos, imagina esta alternativa: regalas una porquería sin valor. Entonces, las personas que podrían haberse convertido en clientes piensan ¡esta persona apesta! ¡Sólo ofrece porquerías sin valor! Entonces, le compran a otra persona. Qué triste. No sólo eso, le dicen a otras personas que podrían haberte comprado, que no lo hagan. Es un círculo vicioso que no querrás experimentar.

Pero recuerda, las personas compran cosas basadas en cuánto valor piensan que obtendrán después de comprarlas. Y la forma más fácil de hacerles creer que obtendrán toneladas de valor después de comprar es... redoble de tambores por favor... proporcionarles valor *antes* de que compren.

PARTE II: GANA CONOCIMIENTO

Imagina que una compañía escala de $1M a $10M sólo por consumir mi contenido gratuito. La posibilidad de que se asocien con Acquisition.com es enorme porque *ya pagué mi parte antes de empezar.*

<u>Paso a seguir:</u> el 99% de las personas no van a comprar, pero van a crear (o destruir) tu reputación basada en el valor de tu producto gratuito. Así que, haz que tus imanes de prospectos sean tan buenos como tus productos pagos. Tu reputación depende de ello. Proporciona valor. Inclina la balanza a tu favor. Y recoge las recompensas.

Paso 7: Facilítales que te digan que quieren más

Una vez que los clientes potenciales consuman tu imán de prospectos, algunos de ellos estarán listos para comprar o aprender más sobre tu oferta. Este es el momento de hacer una llamada a la acción. **Una llamada a la acción (CTA,** por sus siglas en inglés, Call To Action) *le indica a la audiencia qué hacer a continuación.* Pero hay algo más que eso. Al menos, si quieres que tu publicidad funcione. Las buenas CTA tienen dos cosas: 1) qué hacer y 2) razones para hacerlo *ahora mismo.*

<u>Qué hacer</u> - Las CTA le dicen al público que llame al número, haga clic en el botón, proporcione información, concierte una llamada, etc. Hay demasiadas opciones para enumerar. Pero ten en cuenta que las CTA indican al público cómo convertirse en clientes potenciales. Las buenas CTA tienen un lenguaje claro, sencillo y directo. No *"no te demores",* sino *"llama ahora".* Lee el siguiente párrafo para saber más (¿ves lo que acabo de hacer?).

<u>Razones para hacerlo ahora mismo</u> - Si das a la gente una razón para pasar a la acción, más gente lo hará. Pero hay que tener en cuenta un par de cosas: en primer lugar, las buenas razones funcionan mejor que las malas. Y segundo, cualquier razón (incluso las malas) suele funcionar mejor que ninguna. Por eso, para conseguir que más gente pase a la acción, incluyo tantas razones efectivas como puedo. Aquí están mis razones favoritas para actuar de inmediato:

a) Escasez. *Escasez es cuando hay una cantidad limitada de algo.* Especialmente cuando la oferta es reducida en comparación con la demanda. Cuando algo es escaso, como tu imán de prospectos o tu oferta, la gente también tiende a quererlo más. Y por eso es más probable que actúen *de inmediato.* Cuantos menos tengas, más valioso lo considerará la gente. Pero hay un truco: cuantos menos tengas, menos clientes potenciales comprometidos podrás conseguir antes de que se agoten. Así que la mejor estrategia que conozco para la escasez, es *la realidad.* Permíteme explicarme. Si mañana le vendieras a 1.000 clientes más, ¿podrías manejarlo? Si no puedes hacerlo, tienes *un* límite de lo que puedes vender. Tal vez estés limitado por el servicio de atención al cliente, el onboarding (incorporación de clientes), el inventario, los

44   Copyright © 2024 por ACQUISITION.COM LLC PROHIBIDA SU DISTRIBUCIÓN plazos u horarios semanales, etc. No lo mantengas en secreto - Anúncialo. Esto te da escasez ética. Si no puedes atender a más de cinco clientes nuevos a la semana, *dilo*. Destaca la escasez natural de tu negocio. Si tienes limitaciones, aprovéchalas para ganar dinero.

Ejemplo: *"Los horarios de clase más convenientes se llenan rápido. Llama ahora para conseguir el que quieres". "Sólo puedo atender a cinco personas a la semana, así que si quieres que te lo solucione pronto, haz xyz...".*

"Solo imprimimos un lote de camisetas y no volveremos a reimprimir este diseño, consigue una para no lamentarte de haberla perdido para siempre...".

b) Urgencia. Puedes tener unidades ilimitadas para vender, pero digamos que dejas de venderlas en una hora... *a propósito*. Apuesto a que más gente de lo normal comprará lo tuyo en esa hora. Esto es la urgencia en acción. La **urgencia** *es cuando la gente actúa más rápido porque tiene poco tiempo para hacerlo.*

Y cuanto menos tiempo tiene la gente, más rápido (más urgente) tiende a actuar. Así que si haces que el tiempo que tienen para actuar en tu CTA sea más corto, puedes conseguir que más de ellos actúen *más rápido*. También puedes utilizar la misma urgencia con descuentos o bonificaciones que desaparezcan al cabo de X minutos u horas. Después de los cuales, esta oferta no volverá a estar disponible.

Ejemplo: *"Nuestra promoción del 4 de julio termina el lunes a la medianoche, así que si la quieres, actúa ahora".*

"Nuestra promoción de Black Friday termina a medianoche. Sólo quedan cuatro horas. Consíguela mientras puedas".

"Hasta el viernes, también regalaré un sombrero a cualquiera que compre más de tres libros. Así que si quieres lucir un sombrero de Acquisition.com, compra ahora".

Consejo profesional: La táctica de urgencia que más utilizo

Pongo límites de tiempo a las bonificaciones. De esta manera, no necesito cambiar mis precios o productos todo el tiempo. Simplemente cambio la bonificación. Me gusta crear un puñado de bonos valiosos y rotarlos cada semana. Y si no actúan antes de que acabe la semana, *de hecho* se perderán el bono. La mejor parte es que es una manera fácil de hacer que las CTAs sean más eficaces *sin limitar las ventas.*

---

c) Planificador de fiestas de fraternidades (mi favorito) - Invéntate un motivo. Las fraternidades no necesitan una razón para organizar una fiesta, pero seguro que encuentran alguna extravagante para hacerlo. "A John le han quitado las muelas del juicio... ¡fiesta de hermandad!" "¡Lunes de Margarita!" "Martes de toga" "Jueves sediento", etc. La razón no tiene por qué tener sentido *y, aun así,* conseguirá que más personas actúen. De hecho, Harvard llevó a cabo un experimento que demostró que las personas eran más propensas a dejar que alguien se adelantara en la fila *si simplemente daban una razón.* El número de personas que dejaban adelantarse a otras aumentaba si la razón tenía sentido (como la escasez y la urgencia). Pero *cualquier razón* es mejor que *ninguna.* Así que siempre intento incluir una. Piensa en "lo que dices" después de la palabra "*porque*". Ejemplos:

- *Porque...* las mamás saben más.

- *Porque...* tu país te necesita.

- *Porque...* es mi cumpleaños y quiero que lo celebres conmigo.

Paso a seguir: ofrece una CTA clara, sencilla y orientada a la acción. A continuación, dales un "por qué" utilizando la escasez, la urgencia y cualquier otra razón que se te ocurra. Y hazlo con frecuencia. No te pases de listo, sé claro.

Aunque la entrega de tu imán de prospectos cueste dinero, debería reducir el costo de conseguir un nuevo cliente. Esto se debe a que más prospectos comprometidos significan más oportunidades de conseguir clientes. Y los clientes adicionales cubren *con creces* tus gastos. De eso se trata.

Supongamos que obtienes 10.000 dólares de beneficios con tu negocio principal. Y te cuesta 1.000 dólares en publicidad conseguir que alguien te llame. Si cierras una de cada tres personas, te cuesta 3000 dólares en publicidad para conseguir un cliente. Como tenemos

10.000 dólares en ganancias para trabajar, está bien. Pero somos inteligentes, podemos hacerlo mejor. Así que hagámoslo mejor.

Imagina que anuncias un imán de prospectos gratuito en lugar de tu oferta principal. La entrega de tu imán de prospectos te cuesta 25 dólares, y como es gratis para el público, más personas participarán. Según los datos sólo cuesta 75 dólares en publicidad para conseguir un prospecto comprometido en una llamada. En total, serían 100 dólares por llamada. Al ofrecer valor antes de que compren, *obtendrás diez veces más clientes potenciales comprometidos por el mismo costo.* <u>Nota:</u> esto sucede todo el tiempo cuando se lanza el imán de prospectos.

Ahora, digamos que una de cada diez personas que reciben el imán de prospectos compra tu producto principal. Esto significa que el nuevo costo de adquisición de un cliente es de 1.000 dólares ($100 x 10 personas). Acabamos de reducir nuestro costo para conseguir un cliente a 3 veces. Así que en lugar de gastar 3000 dólares para conseguir un nuevo cliente, mediante el uso de un imán de prospectos, gastamos sólo 1.000. Teniendo en cuenta que hacemos 10.000 dólares, eso es un retorno de 10:1. Así que si mantenemos nuestro presupuesto de publicidad igual, y usamos un imán de prospectos, triplicamos nuestro negocio. Recuerda: el objetivo es generar dinero, no sólo cumplir con nuestro "trato justo".

Aquí es donde los propietarios de negocios con experiencia le ganan a los novatos. Con un presupuesto de 25 dólares para entregar tu imán de prospectos, puedes proporcionar mucho más valor que con un presupuesto de 0. Una locura, lo sé. Atraes a más clientes porque tu imán de prospectos es más valioso que el de los demás. A menudo, por mucho. Esto se traduce en más desconocidos que se convierten en clientes potenciales comprometidos. También se traduce en más ventas porque proporcionaste valor por adelantado. ¡Todos ganan!

<u>Pasos a seguir:</u>

> Paso 0: Si te cuesta conseguir clientes potenciales, crea un imán de prospectos que sea <u>increíble</u>.

> Paso 1: Identifica el problema que quieres resolver para el cliente adecuado

> Paso 2: Determina cómo quieres resolverlo

> Paso 3: Piensa cómo entregarlo

> Paso 4: Ponle un nombre interesante y claro

> Paso 5: Haz que sea fácil de consumir

> Paso 6: Asegúrate de que sea condenadamente bueno.

> Paso 7: Diles qué hacer a continuación, por qué es una buena idea, hazlo con claridad y con frecuencia.

Parte II: Conclusión

Mi objetivo con este libro es desmitificar el proceso de captación de prospectos. En el primer capítulo, explicamos por qué los prospectos por sí solos no son suficientes: se necesitan *prospectos comprometidos*. En el segundo capítulo, explicamos cómo hacer que los prospectos se comprometan: *un imán de prospectos y una oferta valiosos*. Y un buen imán de prospectos hace cuatro cosas:

1) Engancha a los clientes ideales cuando lo ven.

2) Atrae a más personas que tu oferta principal por sí sola.

3) Es lo suficientemente valioso como para que lo consuman.

4) Aumenta las probabilidades de que las personas adecuadas compren.

Así, más personas muestran interés por nuestro producto. Ganamos más dinero con ellos. Y ofrecemos más valor que nunca, todo al mismo tiempo.

A continuación:

Nos hemos armado con un poderoso imán de prospectos. Ahora, te mostraré las cuatro maneras en que podemos anunciarlo. En otras palabras, ahora que tenemos "el producto", tenemos que contárselo a la gente. Consigamos algunos prospectos.

UN REGALO PARA TI: Tutorial adicional sobre cómo crear el imán de prospectos definitivo

Si deseas obtener una visión más profunda de cómo creamos imanes de prospectos increíblemente efectivos, visita **Acquisition.com/ training/leads.** Es gratuito y está disponible públicamente. Como prometí, mi objetivo es ganarme tu confianza. Y la confianza se construye ladrillo a ladrillo. Permite que este entrenamiento sea el primero de muchos ladrillos. Disfrútalo. También puedes escanear el código QR a continuación si no te gusta teclear.

ESCANÉAME

PARTE III: CONSIGUE PROSPECTOS

Los cuatro métodos principales de la publicidad

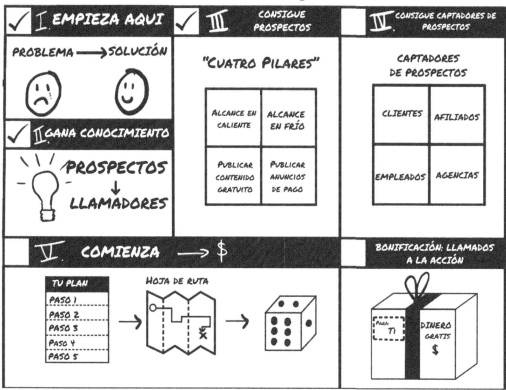

Conseguimos clientes potenciales comprometidos dando a conocer nuestro producto. Hay dos tipos de personas: las que nos conocen y las que no. Y hay dos formas de dárselo a conocer: uno a uno y uno a muchos. Éstas se combinan en las cuatro formas básicas en que una persona puede informar a otras de cualquier cosa. Veamos cómo podemos utilizar esas cuatro vías para conseguir prospectos.

Dos Tipos de Audiencias: Caliente y Fría

Las audiencias calientes son *personas que te han dado permiso para ponerse en contacto con ellas.* Piensa en "gente que te conoce", es decir, amigos, familiares, seguidores, clientes actuales, clientes anteriores, contactos, etc.

Las audiencias o públicos fríos son *personas que no te han dado permiso para ponerse en contacto con ellas.* Piensa en "desconocidos". Serían audiencias de otras personas: comprar listas de contactos, crear listas de contactos, pagar a plataformas por el acceso, etc.

La diferencia es importante porque cambia *la forma* de dirigirnos a ellos.

Dos formas de comunicación: Uno a uno (privado), uno a muchos (público)

Podemos contactar con personas 1 a 1 o 1 a muchos. Otra forma de verlo es mediante la comunicación privada o pública. La comunicación privada es cuando sólo una persona recibe un mensaje a la vez. Piensa en una "llamada telefónica" o un "correo electrónico". Si anuncias algo públicamente, muchas personas pueden recibirlo al mismo tiempo. Piensa en "publicaciones en redes sociales", "carteles publicitarios" o "podcasts".

Ahora bien, la automatización puede hacer que esto *parezca* confuso. No lo permitas. La automatización sólo significa que parte del trabajo lo hacen las máquinas. La naturaleza de la comunicación sigue siendo la misma. El correo electrónico, por ejemplo, es uno a uno. Enviar un correo electrónico a una lista de 10.000 personas "una vez" es más como un uno a uno realmente rápido gracias a una máquina. La automatización, de la que hablaremos más adelante, es una de las muchas formas "potenciadas" de conseguir prospectos. Al igual que las audiencias, la diferencia entre la comunicación pública y la privada es importante porque cambia *el modo* de anunciarnos.

Esquema de la Parte III: Conseguir prospectos

CUATRO PILARES BÁSICOS

	PERSONAS QUE TE CONOCEN	PERSONAS QUE NO TE CONOCEN
1 A 1 PRIVADO	CAPTACIÓN EN CALIENTE	CAPTACIÓN EN FRÍO
1 A ∞ PÚBLICO	PUBLICAR CONTENIDO GRATIS	LANZAR AVISOS PAGOS

La combinación de las audiencias cálidas y frías con el 1 a 1 y el 1 a muchos nos lleva a las únicas cuatro formas en que podemos informar a alguien sobre cualquier cosa: los cuatro métodos básicos. Los he combinado para ti.

- 1-a-1 a una audiencia cálida = Alcance caliente

- 1-a-muchos a una audiencia cálida = Publicación de contenido

- 1-a-1 a una audiencia fría = Alcance frío

- 1-a-muchos a una audiencia fría = Anuncios pagos

Estas son las cuatro únicas cosas que puedes hacer para que otras personas conozcan el producto que vendes. Y cada método nos lleva un paso más cerca de la tierra del flujo abundante de clientes potenciales. En el resto del libro me referiré a los cuatro métodos básicos, así que familiarízate con ellos. De hecho, conviértelos en parte de ti mismo.

Una vez que lo hagas, tendrás tu propio "pase de salida de la cárcel" para llevarlo siempre contigo. Te dará tantas oportunidades de tener éxito en los negocios como desees *durante el resto de tu vida*. O, al menos, así ha sido para mí.

Así que si tú no estás consiguiendo tantos clientes potenciales como quieres, no estás aplicando los cuatro métodos básicos con suficiente habilidad o con suficiente intensidad. Cubriremos todo esto en detalle. Cómo funcionan. Cómo aplicarlos. Cuándo hacerlo. Y te mostraremos cómo medir tus progresos. Esto simplifica el confuso mundo de la publicidad en cuatro acciones básicas. O bien las llevas a cabo y consigues tantos prospectos como te plazca, o serás aplastado por los que sí lo hacen.

UN REGALO PARA TI: Capacitación - El marco de los cuatro métodos básicos

Realicé una capacitación en vivo donde explico las más de 50 iteraciones que crearon este simple cuadro de 2 x 2. Explico cómo utilizar el marco de los cuatro métodos básicos para obtener la mayor cantidad de clientes potenciales posibles y establecer objetivos dentro de tu empresa. Si lo quieres, puedes conseguirlo gratis aquí: Acquisition.com/training/leads. También puedes escanear el código QR de abajo si no te gusta teclear.

---

1. Captación en caliente

Cómo llegar a tus conocidos

"El mundo pertenece a aquellos que pueden seguir haciendo sin ver el resultado de su hacer".

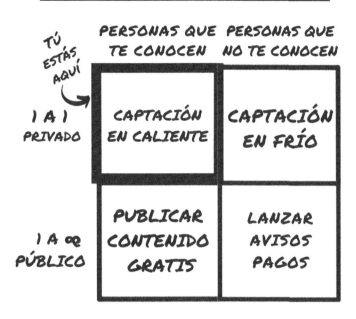

CUATRO PILARES BÁSICOS

	PERSONAS QUE TE CONOCEN	PERSONAS QUE NO TE CONOCEN
1 A 1 PRIVADO	CAPTACIÓN EN CALIENTE	CAPTACIÓN EN FRÍO
1 A ∞ PÚBLICO	PUBLICAR CONTENIDO GRATIS	LANZAR AVISOS PAGOS

Mayo de 2013. Mis comienzos.

Por tercera vez ese día, saqué mi teléfono y revisé mi cuenta bancaria. $51.128,13. Dejé escapar un pequeño suspiro de alivio. Es increíble cómo años de trabajo y ahorro pueden caber en una pantalla tan pequeña. Sintiéndome bien por el momento, me pasé a las redes sociales para obtener más dopamina. Algunos amigos de la universidad estaban solicitando plaza en una escuela de negocios. Las cartas de aceptación llenaban mi feed de noticias. Yo también empecé el proceso de solicitud.

Tenía que elegir: o dejaba mi trabajo y estudiaba administración de empresas, o dejaba mi trabajo y montaba un negocio.

La solicitud me miraba fijamente: ¿Cómo ayudará un MBA de Harvard a tus objetivos a corto y largo plazo?

Esa pregunta cambió mi vida. Pasé tres días intentando responderla. Al final del tercer día, vi la verdad: *no lo haría.* 150.000 dólares en préstamos y dos años sin ingresos no me ayudarían a montar un negocio. Al menos no tanto como empezar un negocio y tardar dos años para sacarlo adelante. *Podría ganar la misma cantidad para cuando me graduara y ahorrarme la deuda.* O, al menos, eso me dije a mí mismo.

Así que dejé mi trabajo y me puse manos a la obra para iniciar mi negocio. Creé Impetus Group LLC. Chequeado. Abrí una cuenta bancaria. Chequeado. Abrí una cuenta comercial para procesar los pagos. Chequeado. Seguía sin entrar dinero, pero al menos sentía que estaba haciendo algo "legítimo".

Impetus Group LLC. (dilo en voz alta...)

La primera persona a la que le hablé de mi nuevo emprendimiento me dijo: "¿Impotencia?". *Dios, apesto. No me extraña que el nombre estuviera disponible.* Inmediatamente lo cambié por 'The Free Training Project' (El proyecto de entrenamiento gratuito). ¿Un nombre que no apesta? Chequeado. Estaba en el negocio.

Pero tenía un problema: no sabía nada de publicidad ni de ventas. Pero sabía que necesitaba clientes. Así que pregunté por ahí donde pude. Llamé, envié mensajes de texto y mensajes de Facebook a un montón de gente que conocía.

"Oye, ¿conoces a alguien que quiera ponerse en forma? Estoy entrenando a gente gratis durante doce semanas. Además, les haré un plan de nutrición personalizado y una lista de las compras. Todo lo que tienen que hacer es realizar una donación a una organización benéfica de su elección y dejarme usar su testimonio".

Sólo seis personas dijeron que sí. Seis. Dos amigos del instituto. Un amigo de la universidad. Y tres personas a las que me remitieron.

Les envié a todos por correo electrónico los planes de fitness y nos pusimos manos a la obra. Nos enviábamos mensajes de texto durante la semana para controlar los progresos. Por suerte, todos eran amigos míos, así que lo dieron todo. Me animaron más que nadie al principio. Una década más tarde, aún conservo sus fotos del antes y el después.

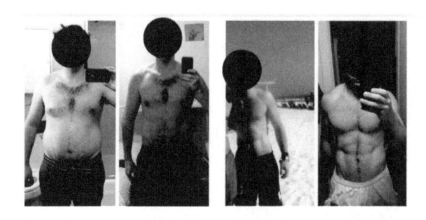

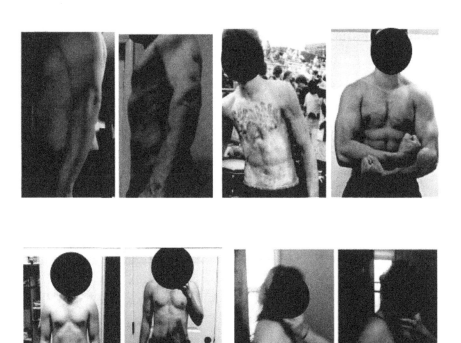

Y aquí es donde la decisión de omitir la escuela de negocios empezó a perseguirme. A los pocos meses, estaba menos seguro de mí mismo. Mi "pila" de dinero no parecía tan grande si no entraba dinero nuevo cada mes. Y empezó a convertirse en un verdadero problema. Así que, después de doce semanas de que "pagaran a una organización benéfica", les pedí que me pagaran a mí. Ahora yo era la organización benéfica. Ja. Me preocupaba que se enfadaran por pagarme a mí, pero no pareció importarles.

Cuando obtuvieron resultados, les pedí que me enviaran a sus amigos. Para mi sorpresa, conseguí otros cinco o seis clientes gracias a sus referencias. Les pedí que me pagaran directamente. De nuevo, a ninguno le importó. Aquel pequeño negocio me reportaba unos 4.000 dólares al mes y sustituía los ingresos de mi primer trabajo. Me daba suficiente dinero para vivir (y algo más). Mis ahorros empezaron a crecer de nuevo. Un suspiro de alivio.

Si este negocio parece sencillo, es porque lo era. Enviaba a los clientes sus planes por correo electrónico y ellos me enviaban las preguntas que tenían sobre la marcha. Eso es todo.

Así que si estás empezando, no necesitas mucho. Todo lo que necesitas es un número de identificación fiscal, una cuenta bancaria, una forma de recibir pagos y una forma de comunicarte con la gente.

Pero, esa última parte - una manera de comunicarse con la gente - es la parte más importante. Es la forma de conseguir prospectos. Así que, aunque no tenía ni idea de que estaba haciendo captación en caliente, uno de los *cuatro métodos básicos*, así es como conseguí mis primeros clientes potenciales. *Todavía* consigo clientes potenciales de esta manera (sólo que con números más grandes). Y te mostraré cómo tú también puedes hacerlo.

Cómo funciona la captación en caliente

CAPTACIÓN EN CALIENTE

Los contactos en caliente son aquellos en los que se establece un contacto uno a uno con tu público caliente, es decir, las personas que te conocen.

Es la forma más barata y sencilla de encontrar personas interesadas en lo que vendes. Es muy eficaz y la mayoría de las empresas no lo hacen. No seas como ellos. Además, *tienes* un público fiel, aunque no lo sepas. Todo el mundo conoce a alguien. Así que sus contactos personales son el lugar más fácil para empezar.

Los contactos personales suelen ser llamadas, mensajes de texto, correos electrónicos, mensajes directos, mensajes de voz, etc. Y como aprendimos en la Parte II, tú anuncias una de dos cosas. Les haces saber acerca de tu imán de prospectos (algo gratis y valioso), o les haces saber acerca de tu oferta principal (lo que vendes realmente).

Cuando empiezas a hacer contactos en caliente, no consigues muchos prospectos comprometidos ya que estás limitado por tu propio tiempo. Lo haces todo por tu cuenta y personalizas cada mensaje. Pero, por eso mismo, es *fiable*. Tan cierto como que el sol sale y se pone, *funciona*.

<u>Nota</u>: llegar a tu audiencia caliente funciona tanto si tienes 100 contactos como 1.000.000. Así que, a medida que tu negocio crezca, utilizarás la automatización y los empleados para hacerlo más eficiente. Los sistemas empiezan siendo pequeños, contigo, pero *escalan durante el trayecto.* En la Parte IV explico cómo ampliar estos sistemas a públicos más grandes.

Cómo hacer captación en caliente en 10 pasos

La "Captación en caliente" es una forma fantástica de conseguir tus "Primeros cinco clientes" para *cualquier nuevo producto o servicio*. Para los más avanzados: piensen en el reenganche y en nuevas líneas de productos. Así es como se hace:

Paso 1: Consigue tu lista

Paso 2: Elige una plataforma

Paso 3: Personaliza tu mensaje

Paso 4: Establece el contacto

Paso 5: Rompe el hielo

Paso 6: Invita a sus amigos

Paso 7: Ofréceles la oferta más fácil del mundo

Paso 8: Empieza desde arriba

Paso 9: Empieza a cobrar

Paso 10: Mantén tu lista caliente

(Paso 1) "Pero no tengo ningún prospecto..." → Todo el mundo tiene una lista

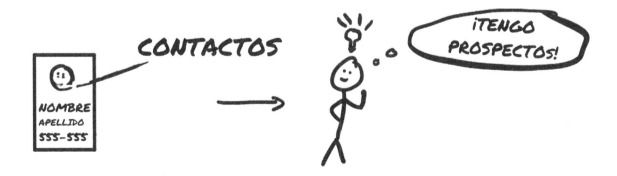

Conoces a otros seres humanos. Déjame demostrártelo.

- Toma tu teléfono. En su interior tienes contactos. *Cada contacto se ha suscrito a tu comunicación.* Te han dado los medios y el permiso para ponerte en contacto con ellos.

- Busca *todas* las cuentas de correo electrónico que has utilizado a lo largo de los años. Saca la lista de contactos y direcciones de cada una de ellas. ¡Bingo! Mira todos esos contactos.

- Ahora, ve a todos tus perfiles en las redes sociales. Mira tus seguidores, suscriptores, amigos, contactos o como los llamen ahora... eureka: ¡tienes más clientes potenciales!

Suma <u>todos</u> tus contactos de <u>todas</u> las plataformas. En serio, calcula el número. Entre el teléfono, el correo electrónico, las redes sociales y otras plataformas, tendrás contactos más que suficientes para empezar. Para muchos de ustedes, estos serán sus primeros 1.000 prospectos. ¡Fíjate! "No tengo prospectos". ¡Puf! Acabas de encontrar algunos.

Y si te aterra tener que hablar con la gente, relájate. Te gustará lo que te voy a enseñar a continuación.

(Paso 2) "Pero no sé por dónde empezar..." → Elige una plataforma.

Elige la plataforma en la que tengas más contactos. Teléfono, email, redes sociales, correo, paloma mensajera, etc. Da igual. Simplemente elige la que tenga más contactos. De todas formas, al final llegarás a todas.

(Paso 3) "¿Pero qué digo?". → Personaliza tu saludo

Utiliza algo que sepas sobre el contacto como motivo real para contactar. Si no tienes mucha información personal, puedes consultar sus perfiles en redes sociales, etc. para conocerlos un poco antes.

No seas un bicho raro. Cumple con tus obligaciones sociales. Recuerda que no les has pedido nada.

Sólo te estás reportando y aportando valor. Así que... relájate.

Ejemplo: *¡Vi que acabas de tener un bebé! ¡Felicidades! ¿Cómo está el bebé? ¿Cómo estás tú?*

(Paso 4) "¿Y ahora qué?" → Contacta a 100 personas cada día.

"Para conseguir lo que quieres, tienes que merecer lo que quieres". - Charlie Munger

Ahora, contacta con 100 de ellos al día con tus mensajes personalizados. Llamarás, enviarás mensajes de texto, correos electrónicos, postales, etc. Y te pondrás en contacto con ellos hasta tres veces. Una vez al día durante tres días* o hasta que respondan. Lo que ocurra primero.

*Una vez por semana a través del correo físico.

Consejo profesional: El que quiere celeste, que le cueste

El primer acercamiento es siempre el más difícil y el que lleva más tiempo. El segundo te llevará minutos. El tercero, segundos. Acéptalo. Es algo nuevo. Así es como aprendemos. Cuando pienso en empezar cosas nuevas, recuerdo este proverbio chino: *"Todo es difícil antes de ser fácil".*

(Paso 5): "¿Qué digo cuando me responden?". → Actúa como un ser humano.

Ahora podemos romper el hielo sin parecer irrespetuosos.

Responde utilizando el marco **R-E-F**:

- <u>Reconoce</u> lo que te han dicho. Repítelo con tus propias palabras. Esto demuestra una escucha activa.

  o *Ejemplo: Dos hijos. Y tú eres contable...*

- <u>Elogia</u> lo que te digan. Si puedes, relaciónalo con un rasgo positivo de su carácter.

  o *Ejemplo: ¡Wow! ¡Supermamá! ¡Qué trabajadora! Gestionas una carrera a tiempo completo y dos niños...*

- <u>Formula</u> otra pregunta. Dirige la conversación en la dirección que quieras. En este caso, hacia un tema más cercano a tu oferta. Ejemplos:

  o Terapia/coaching de vida: ... ¿Tienes tiempo para ti?

  o Fitness/Pérdida de peso: ... ¿Tienes tiempo para entrenar?

  o Servicios de limpieza: ... ¿Tienes a alguien que te ayude a mantener la casa en orden?

El marco **REF** es estupendo porque te ayuda a hablar con cualquier persona. Resulta que *también* es útil para dar a conocer tu producto o servicio. Esto significa que puedes aprender sobre la persona *y* guiar la conversación hacia tu oferta.

A la gente le encanta hablar de sí misma. Así que permíteles hacerlo. También les encanta que les hagan cumplidos, así que hazlo también. Y si las personas se sienten bien cuando hablan contigo, te apreciarán y confiarán más en ti. *Querrás que las personas te aprecien y que confíen más en ti.* Además, es una buena práctica encontrar lo bueno en todo el mundo. Hablando de práctica, esto requerirá de práctica. No te preocupes, todo saldrá bien.

Consejo profesional: En los correos electrónicos, sé más directo

En los correos electrónico, tendrás una introducción personalizada para mostrar que realmente te tomaste el tiempo para investigarlos de alguna manera. Piensa en 2 o 3 frases. Luego, pasarás directamente a tu oferta o imán de prospectos del que hablaremos a continuación. En los correos electrónicos o los mensajes de voz de alguna manera "lo haces todo de una vez".

(Paso 6) "¿Cómo sé si están interesados?". → Hazles una oferta.

Mantén una conversación "normal". Piensa en 3 o 4 intercambios si es por teléfono o a través de mensajes y de 3 a 4 minutos si es en persona. Luego, hazles una oferta para ver si están interesados.

Cuando hago una oferta desde cero, me remito a la ecuación de valor. Si te estás preguntando "¿qué es la ecuación de valor?", es el concepto central de mi primer libro *Ofertas de $100M*. El valor, tal y como yo lo defino, consta de cuatro elementos:

1) <u>Resultado soñado</u>: lo que la persona quiere que ocurra, de la forma en que quiere que ocurra.

- Enumera los mejores resultados posibles que puede ofrecer tu producto. Puntos extra si esos resultados proceden de personas similares a la persona con la que estás hablando.

2) <u>Probabilidad de éxito percibida</u>: qué probabilidades creen que tienen de alcanzar su objetivo.

- Incluye resultados, reseñas, premios, avales, certificaciones y otras formas de *validación de terceros*. Además, las garantías son muy importantes.

3) <u>Tiempo de espera</u>: cuánto tiempo creen que tardarán en obtener resultados después de la compra.

- Describe la rapidez con la que la gente *empieza* a obtener resultados, la frecuencia con la que obtienen resultados cuando empiezan y el tiempo que tardan en obtener los mejores resultados posibles.

4) <u>Esfuerzo y sacrificio</u>: Los obstáculos o dificultades que tendrán que sortear y a qué cosas buenas tendrán que renunciar en su lucha por conseguir el resultado.

- Muéstrales las cosas buenas que podrán seguir haciendo, o llegar a hacer, y aun así obtener resultados. Y muéstrales las cosas malas de las que podrán deshacerse, o evitar hacer, y aun así obtener resultados.

El objetivo es maximizar los dos primeros y minimizar los dos últimos. Así que todo lo que tienes que hacer ahora es mostrarle a alguien:

- Que tienes exactamente lo que quieren

- Que tienen el cumplimiento garantizado

- De manera increíblemente rápida

- Sin mover un dedo ni renunciar a nada de lo que aman.

No es tanto, ¿verdad? Obviamente, eso es lo ideal. Tenemos que acercarnos a eso lo más que podamos sin mentir ni exagerar.

Así que vamos a hacer precisamente eso con una oferta de la vida real:

*...Por cierto, ¿*conoces a alguien* que esté (describe sus problemas a resolver) buscando (resultado soñado) en (tiempo de espera)? Estoy aceptando cinco casos de estudio gratis, porque es todo lo que puedo manejar. Sólo quiero conseguir testimonios de mi servicio/producto. Les ayudo a (resultado soñado) sin (esfuerzo y sacrificio). Funciona. Incluso garantizo que la gente consiga (resultado soñado) o trabajo con ellos hasta que lo logren. Acabo de hacer que una chica llamada XXX trabaje conmigo (resultado soñado) a pesar de que (describe la misma lucha o problema que tiene tu contacto). También tuve otro chico que (resultado soñado) y fue su primera vez. Me gustaría tener más testimonios que demuestren que funciona en diferentes escenarios. ¿Te viene a la mente alguien que te caiga bien a quien le pueda interesar?*

(Pausa si es por teléfono) *...y si dicen que no... jaja, bueno... ¿te viene a la cabeza alguien a quien* detestes*?* (jaja) Esto ayuda a romper con cualquier incomodidad.

Consejo profesional: Probabilidad de éxito percibida implícita

Habrás notado que *además de la garantía*, no hemos hecho referencia a la "probabilidad de éxito percibida". Pero la forma en que explicamos los testimonios satisface esa necesidad. Al fin y al cabo, no vamos a decir "¡eh! es obvio que puedo ayudarte porque he ayudado a alguien *exactamente* igual que tú". Pero lo *damos a entender* seleccionando un testimonio lo más parecido posible a su situación. Y cuanto más tiempo lleves en el negocio, más testimonios "perfectos" tendrás. Así que será más fácil mostrar testimonios que se ajusten *perfectamente* a la persona con la que estés hablando. Entonces, una vez que tengas para mostrar un testimonio perfecto, lo único mejor que eso es un *montón de ellos*.

Aquí hay una característica importante. No les estamos pidiendo que compren nada. Les preguntamos si conocen a alguien. Y de las personas que dicen que sí, la mayoría dicen que ellos están interesados. Todo esto está diseñado para aumentar *su* percepción de la probabilidad de éxito. Por eso les mostramos luchas y resultados de gente como ellos, que tiene luchas como las suyas. Pero les dejamos a *ellos* que conecten los puntos. Como no les pediste que compraran nada, no pareces insistente. Algunas personas mostrarán interés por tus ofertas. Algunas te recomendarán a otras que podrían hacerlo. Algunos harán ambas cosas. En los tres casos, tú ganas. Y ganas *sin presionar nada ni a nadie*.

Si tienes incluso poco tiempo o espacio para entregarlo, simplemente utiliza los elementos de valor uno tras uno:

Ayudo a (cliente ideal) a *conseguir* (resultado soñado) *en* (periodo de tiempo) *sin* (esfuerzo y sacrificio) *y* (aumento la probabilidad percibida de éxito -mira el consejo profesional que figura más abajo).

Nota: Estos consejos funcionan bien con correos electrónicos, mensajes de texto, mensajes directos, llamadas y en persona. Basta con rellenar los espacios en blanco.

Consejo profesional: 11 maneras de aumentar la probabilidad percibida de éxito

A continuación te explico cómo aumentar la probabilidad percibida de éxito para que más gente acepte tu oferta. Incluye uno o más de los siguientes puntos:

1. Mostrar pruebas de que hemos conseguido lo que querían lograr (nuestra propia historia).

2. Mostrar pruebas de que personas *como ellos* han conseguido lo que querían (piensa en testimonios).

3. Mostrar el gran volumen de opiniones positivas que hemos recibido (piensa en un montón de reseñas 5 estrellas).

   a. Si aún no tienes reseñas, incluso el número de personas a las que has ayudado sirve.

4. Certificaciones/Títulos/Acreditaciones de terceros de que somos de fiar.

5. Números, estadísticas, investigaciones que apoyen el resultado que quieres que crean

6. Expertos que nos avalan

7. Alguna característica nueva/única que te distinga con la que no hayan fallado antes (para que esta vez sepan que va a funcionar).

8. Famosos que nos han avalado ("si ellos confiaron, yo también debería hacerlo").

9. Garantizar que lo conseguirán (así nosotros también ponemos algo de nuestra parte).

10. Descríbelos minuciosamente a ellos o al dolor que están experimentando. Cuanto más específico, mejor. (Pensarán: "me entiende de verdad, debe saber cómo ayudarme").

11. Si es posible, demuestra el resultado en directo. O muestra una grabación del mismo.

    a. Ejemplo: la agencia de publicidad pone una grabación de una llamada que el dueño de un gimnasio tiene que hacer a un cliente potencial en la llamada de ventas. "¿Podrías soportar hacer una llamada así a un cliente potencial si te los conseguimos?". Esto demuestra el resultado de los servicios publicitarios: la gente no quiere "clientes potenciales", quiere clientes. Simplemente no conocen una forma mejor de captarlos.

(Paso 7) "¿Cómo consigo que digan que sí?". → Facilítales que digan que sí. Hazlo gratis.

Después de que la gente muestre interés, haz que sea fácil decir que sí a tu oferta A mí me gusta empezar con el potenciador más fácil del mundo: GRATIS.

Y no intentes parecer un experto si no lo eres. <u>La gente no es tonta.</u> Solo se honesto y mantenlo simple:

Ya que sólo atiendo a cinco personas, puedo darte toda la atención que necesitas para obtener resultados dignos de presumir. Y te lo daré todo gratis siempre y cuando prometas..: 1) Usarlo 2) Darme tu feedback y 3) Dejar una buena reseña si crees que se lo merece. ¿Te parece justo?

Esto establece expectativas razonables por adelantado. ¡Y boom! Ahora estás ayudando a la gente gratis. Ganando.

> ## Consejo profesional: Acumula "síes" para tomar impulso desde el principio.
>
> Al principio, me aterraba pedir dinero a cambio. Así que, si recuerdas la historia anterior, le dije a la gente que trabajaría con ellos de forma gratuita siempre y cuando hicieran una donación a una organización benéfica de su elección. Seguía consiguiendo que invirtieran en sus resultados, pero pedirles una contribución para una causa noble me parecía una forma mucho más segura de hacerlo. Por cierto, esto fue lo primero que vendí. Mirando hacia atrás, yo quería acumular "síes" fáciles y que me generaran poca presión. Y esos primeros "síes" construyeron mi primer negocio. Y pueden construir el tuyo también.

Mi recomendación: cada vez que lances un nuevo producto o servicio, <u>haz que los primeros cinco sean gratuitos</u>. La cantidad exacta importa menos que saber por qué te beneficias de esto. Aquí tienes las razones:

1) Adquirirás práctica y te sentirás cómodo haciendo ofertas a la gente. Te calmará los nervios saber que sólo estás ayudando... gratis... por ahora (carita de guiño).

2) Probablemente apestes (al principio). La gente es mucho más indulgente cuando no les has cobrado nada.

3) Como probablemente no seas muy bueno, tienes que aprender a ser menos malo. <u>Mejorarás con la práctica</u>. Es mejor tener unos cuantos conejillos de indias para pulir los detalles. Aprenderás un montón de la gente a la que ayudes gratis, te lo prometo. Aunque ahora no lo parezca, te llevas la mejor parte del trato.

4) Si la gente obtiene valor, especialmente de forma gratuita, es mucho más probable que:

   a) Dejen reseñas y testimonios positivos.

   b) Te den retroalimentación.

   c) Envíen a sus amigos y familiares.

Y por si esto no fuera suficiente, los clientes gratuitos pueden hacerte ganar dinero de otras tres maneras:

1) Se convierten en clientes que pagan.

2) Te envían clientes que pagan, a través de referencias.

3) Sus testimonios atraen a clientes que pagan.

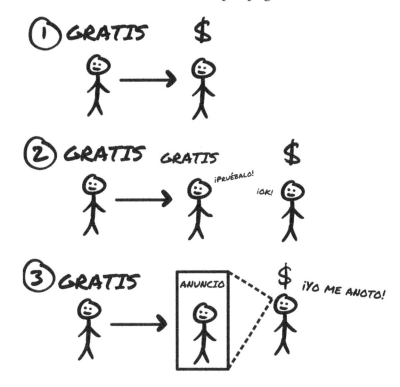

Así que, pase lo que pase, tú ganas.

Consejo profesional: Aplicar el "método bisagra" a las referencias

Si pides una recomendación, haz una presentación a tres vías. Mi forma favorita de hacerlo cuando es en persona es tomar el teléfono del cliente, hacernos una foto a los dos y luego enviar esa foto por SMS al referido y a tu propio número. Si es una reunión virtual, hago una captura de pantalla de una videollamada y hago lo mismo. Si no puedes hacerlo, al menos inicia una comunicación a tres vías con *el cliente* como iniciador.

¿Y si dicen que no?

A menudo, lo más caro de lo que vendes no es el precio, sino **los costos ocultos**. Los costos ocultos son el tiempo, el esfuerzo y el sacrificio necesarios para obtener resultados de lo que vendes. En otras palabras, la parte inferior de la ecuación de valor. Si tienes dificultades para ofrecer tu producto o servicio de forma gratuita, significa que la gente no lo quiere (resultado soñado), que no te creen (probabilidad de éxito percibida) *o* que los costos ocultos (tiempo, esfuerzo y sacrificio) son demasiado elevados. En pocas palabras, tu producto "gratuito" es *demasiado caro*. Así que calcula los costos ocultos. Una vez que lo hagas, descubrirás aún más valor, por el que eventualmente podrás cobrar.

Para comprender mejor los costos ocultos… *pregunta*. Entonces, cuando alguien te diga "no", pregúntale "¿por qué?":

"¿Qué tendría que hacer para que valga la pena que continúes?".

Sus respuestas te darán la oportunidad de resolver su problema. Y si resuelves ese problema, probablemente te compren. E incluso si no te compran, te darán la clave para conseguir que la siguiente persona lo haga.

Y recuerda, el fracaso es un requisito para el éxito. Forma parte del proceso. Así que acumula fracasos tan rápido como puedas. Quítatelos del medio para empezar a pagar tu "impuesto del no". Una vez que hayas conseguido miles de "no", conseguirás tus "síes", te lo prometo. Yo siempre me lo digo: los "síes" me dan oportunidades. Los "no" me dan retroalimentación. En ambos casos, yo gano.

Nota del autor: Warren Buffet y Benjamin Graham

Antes de que Warren Buffet se convirtiera en el mayor inversor de nuestro tiempo, se ofreció a trabajar gratis para su héroe, Ben Graham. ¿Quieres saber la respuesta de Graham? "Estás sobrevalorado". Graham sabía lo que pasaba. Lo más caro de contratar a Buffet no era el sueldo, sino el tiempo para entrenarlo. En realidad, ¡Graham tendría que trabajar para Buffet! Y del mismo modo, tus primeros clientes trabajarán para ti. Te están formando, ¡gratis! Y tú querrás minimizar ese costo para ellos. Conoce *tus costos ocultos*.

PD: Buffet finalmente consiguió que Graham aceptara su oferta gratuita. El resto es historia.

Consejo profesional: Aprende o gana

Si alguien te dice que no "te infravalores" ofreciendo tus servicios gratis al principio, dile que cierre el pico. Claro que eres único y especial. Pero lo que vendes no lo es. *Todavía* no es valioso. Apenas has empezado. El objetivo ahora es *aprender* no *ganar*. Llegaremos a la ganancia una vez que hayamos aprendido más. Pero debemos gatear antes de correr. No confundas los objetivos. Las ganancias llegarán, *te lo prometo*.

(Paso 8) "¿Qué hago una vez que me he comunicado con todos?" → Comienza de nuevo desde el principio.

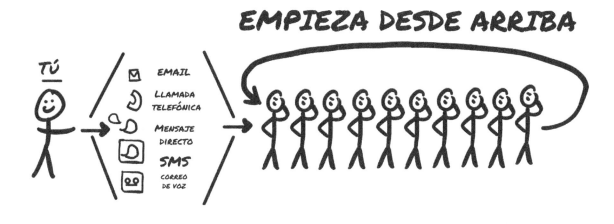

Después de llegar a todos los clientes potenciales de una plataforma, cambia a la plataforma en la que tengas el segundo mayor número de clientes potenciales. Después de llegar a esos clientes potenciales, ve a la plataforma en la que tengas el tercer mayor número de clientes potenciales, y así sucesivamente.

Digamos que sigues esto al pie de la letra porque ser pobre apesta más que ayudar a la gente de forma gratuita. Si entre todas las plataformas, tienes 1.000 clientes potenciales, eso te da diez días completos de trabajo. Un mes de trabajo incluyendo el seguimiento. En este punto, te prometo que *cinco o más personas habrán aceptado tu oferta gratuita*. Y algunos se habrán convertido en clientes que paguen. Si has hecho un buen trabajo, te enviarán amigos que también se convertirán en clientes que paguen.

Así que hagamos nuestro primer dólar.

(Paso 9) "Pero no puedo trabajar gratis para siempre..." → Empieza a cobrar

Esto es importante. Es tu prueba de fuego para saber cuándo eres lo "suficientemente bueno" como para cobrar. <u>Cuando la gente empiece a recomendarte, empieza a cobrar.</u> Cuando eso ocurra, cambia '... gratis...' en el guion anterior por *'80% de descuento para los próximos cinco'*. Luego *'60% de descuento para los próximos cinco.'* Luego *'40% de descuento para los próximos cinco'*, y así sucesivamente. La regla de "Aumento mis precios cada cinco" también añade urgencia porque los precios suben *de verdad*. Y si tienes curiosidad, no tienes por qué dejar de subir el precio. No dudes en subirlo un 20% cada cinco días hasta que encuentres tu punto óptimo. Es tu negocio. Puedes hacer lo que quieras. Cobrar más a medida que adquieras experiencia es una buena recompensa.

Consejo profesional: Consigue más dinero por adelantado y más síes → Pago por adelantado + Garantía

Ofrecer una garantía hace que más gente compre porque invierte el riesgo. Aquí tienes un buen enfoque para una garantía que te dará más "síes" y más dinero.

Puedes ofrecer una garantía sólo a las personas que paguen por adelantado. ¿Porque? *La gente que invierte por adelantado está más comprometida. Y como resultado, podemos garantizar sus resultados. Así que si quieres nuestra garantía, puedes pagar por adelantado nuestro servicio.*

Otra versión de la formulación que me dio mi buen amigo el Dr. Kashey: después de que la persona acepte comprar, le dices "¿prefieres pagar menos hoy o recuperar todo tu dinero?". Pagar menos hoy = plan de pago, así que menos dinero inicial. Recuperar todo tu dinero = pagar por adelantado y obtener una garantía de que obtendrás el resultado que deseas.

Ejemplo: "Paga menos" = $2.000/mes durante 3 meses = $6.000 (sin garantía)

O

"Recupera todo tu dinero" = $6.000 por adelantado *con* garantía.

Presentado de esta manera, la mayoría de la gente elige la opción de pago por adelantado con la garantía. Así que, si planeas ofrecerla de todos modos, puedes usarla como arma para incentivar a más gente a pagar por adelantado.

(Paso 10) "Pero, ¿qué hago a partir de aquí?". →Mantén tu lista caliente.

Ofrece regularmente valor a tu lista a través del correo electrónico, las redes sociales, etc. para mantenerla caliente. Una lista caliente se mantiene preparada para tus contactos calientes en el futuro. En el próximo capítulo veremos exactamente cómo dar ese valor. Una vez que hayas brindado valor por un tiempo, o detectes quién quiere valor, sondea tu lista con la plantilla atemporal de "unas pocas palabras por correo electrónico" de Dean Jackson:

¿Sigues buscando [palabras que hablen del deseo]?

Sin imágenes. Sin adornos. Sin enlaces. Sólo una pregunta. Nada más. Este mensaje es oro para captar clientes potenciales. Y es una de las primeras cosas que hago cuando invierto en un nuevo negocio. Aquí tienes algunos ejemplos:

¿Sigues buscando

... la casa de tus sueños?

...conseguir más clientes potenciales?

...tonificar tus brazos?

...abrir una tienda online?

... crear un canal de YouTube?

Ya te haces una idea. Copia y aplica. Haces la pregunta para ver quién responde, es decir, clientes potenciales comprometidos. *Y estas respuestas deben ser tu prioridad para llegar a ellos.*

Termino aquí con el paso 10 porque en el próximo capítulo desglosaré este proceso de "dar-pedir". El punto principal es que una lista caliente es un activo enorme porque es una fuente constante y *creciente* de clientes potenciales comprometidos. Si los tratas bien, tu audiencia te alimentará para siempre.

Resumen de la lista de control de publicidad

Lista de comprobación diaria de los contactos calientes	
Quién:	Tú mismo
Qué:	Los primeros 5 gratis
Dónde:	Teléfono/Email/Correo físico/SMS/Etc.
A quién:	Tus contactos
Cuándo:	Las primeras 4 horas de tu día
Por qué:	Quieres conseguir clientes o referencias
Cómo:	Mensajes personalizados utilizando el marco REF
Cuánto:	100 intentos al día
Cuántas:	Seguimiento dos veces más después del primer contacto
Hasta cuándo:	Hasta que consigas clientes

Ahora veamos esto en diez líneas porque nos llevó unas diez páginas llegar hasta aquí.

Puntos de referencia: ¿Cómo lo estoy haciendo?

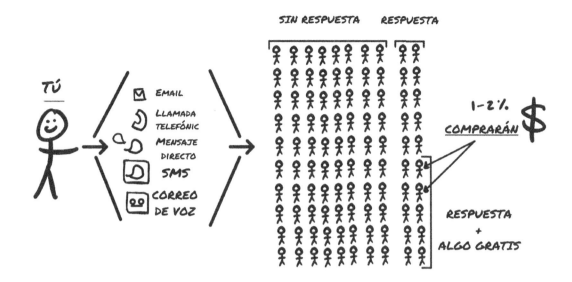

Las interacciones calientes deberían conseguir que uno de cada cinco contactos responda. Por lo tanto, cien "contactos calientes" deberían recibir unas veinte respuestas. De los veinte que respondan, *uno de cada cinco* aceptará tu oferta gratuita. Entonces, serían cuatro personas. De las cuatro que acepten tu oferta gratuita ahora, deberías poder convertir a *una* en algún tipo de oferta paga más adelante. Hurra: dinero.

Este marco te permite predecir cuántos clientes consigues por cada 100 contactos en caliente. En el ejemplo, se obtendría un cliente por cada 100 captaciones. Estas cifras varían en función del valor de tu oferta y de cuánto confíen en ti. Pero, pase lo que pase, con un volumen suficiente, *conseguirás un cliente*. Y cuanto más lo hagas, mejores serán tus cifras. Sólo hace falta esfuerzo. También aprenderás mucho sobre lo que engancha a tu público: qué valoran y cómo ofrecerles tus ofertas. Estos conocimientos pueden hacerte ganar millones. Aprendes mientras ganas: ¡punto!

Sólo este proceso puede llevarte a ganar más de 100.000 dólares al año sin nada más. Una locura, lo sé.

Aquí está la cuenta de los montos:

Esto supone que el 1% de tu lista compra una oferta de $400 usando sólo "contactos calientes". 500 contactos por semana = 5 clientes por semana

Producto de $400 → 5 clientes por semana x $400 cada uno = $2.000/semana

$2.000/semana x 52 semanas = $104.000...bingo.

Que, al momento de escribir esto, sigue siendo dos veces el ingreso familiar promedio en los EE.UU. Nada mal.

Consejo profesional: Únete a comunidades

Para aprender aún más rápido, únete a comunidades de personas que utilicen el mismo método publicitario que tú. Son ideales para obtener apoyo de los compañeros, así como trucos y consejos actualizados. Además, no hagas nada sospechoso. Hay mucha gente que se enorgullece de sobrepasar los límites legales. No seas esa persona. Siempre se vuelve en tu contra. Hazlo bien y te alimentarás de por vida.

Alex Hormozi ✔
@AlexHormozi

Puedes llegar a ser lo "suficientemente bueno" en casi cualquier cosa en 20 horas de esfuerzo focalizado.

El problema es que la mayoría de la gente se pasa años postergando la

Aprenderás más en los primeros diez días haciendo 100 contactos que con todo lo que puedas haber leído o visto. Aprende tan rápido como puedas. Recuerda, *queremos hacernos ricos, no sólo "subsistir".*

¿Qué sigue?

Los contactos en caliente tienen dos limitaciones.

La primera es el tiempo. Cuando estás empezando, conseguir nuevos clientes debería ocupar la mayor parte de tu tiempo. Piensa en cuatro horas al día, como mínimo. Debe ser lo primero que hagas al levantarte. Y no debes parar hasta que consigas tu objetivo. Asume la responsabilidad de este trabajo. Algún día formará parte de tu historia. Lo ha sido para mí.

La segunda limitación es el número de personas que te conocen. Eventualmente "se agotarán". Pero no te preocupes. Podemos conseguir más. Muchas más. Ahora *añadiremos* la segunda de las cuatro actividades publicitarias fundamentales: publicar contenidos gratuitos.

UN REGALO PARA TI: Capacitación extra - Contactos calientes.

Si te gusta este material, voy a profundizar en un desglose sin restricciones de las muchas y diferentes estrategias que puedes utilizar dentro de los contactos calientes para conseguir tu primer o millonésimo cliente. Si te parece interesante, visita Acquisition.com/training/leads. Y, por si necesitabas otra razón, es gratis. Espero que lo utilices para conseguir tantos clientes potenciales como necesites. También puedes escanear el código QR de aquí abajo si detestas teclear.

---

2. Publica contenido gratuito. Parte I

Cómo crear una audiencia para conseguir clientes potenciales comprometidos

Nadie se ha quejado nunca por recibir demasiado valor.

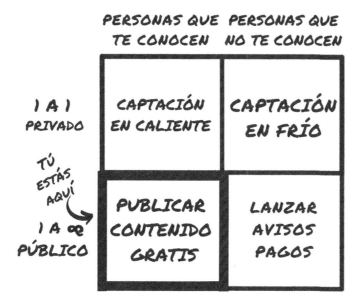

Enero 2020

"¿Te enteraste de lo de Kylie Jenner?", preguntó Leila.

"No, ¿por qué?" le contesté.

"Ahora es la mujer multimillonaria más joven por cuenta propia".

"Espera, ¿qué?"

"Sí, tiene veinte años. Forbes acaba de ponerla en portada".

Yo tenía diez años más que ella y *no* era billonario. ¿Por qué apesto tanto? ¿Cómo podía ganar tanto más que yo? Pensaba que era bastante bueno en los negocios. Hicimos $13M en ingresos personales el año anterior. Pero estaba claro que me faltaba algo. Y me sentía fatal por ello.

Mi ego me protegió... *Bueno, Kris Jenner es su madre y debe haber organizado todo esto.* Lo tomé como un caso de "padres ricos…" y seguí adelante.

Unos meses después...

Leila levantó la vista de su computadora.

"Mira esto - Huda acaba de vender una participación minoritaria en su empresa por un valor de $600M". "¿Huda, la chica del maquillaje?" Le respondí.

"Sí."

"Santo cielo". *¿Otra vez? ¿Cómo había metido tanto la pata? ¿Cómo alguien tan joven ganaba mucho más dinero que yo?*

... Ella está en el mundo de la belleza, ella puede hacer eso, yo no puedo. Me dije, y seguí adelante.

Unos meses más tarde...

Un titular me llamó la atención:

"El whisky Proper 12 de Conor McGregor alcanza una valoración de 600 millones de dólares a los 12 meses de su lanzamiento".

¿¡En serio!? - Otra persona haciendo montones de dinero en lo que parecía segundos.

Algunos meses más tarde...

Vi otro titular. *"Con un valor demencial de 3.500 millones de dólares, 'Teremana' de Dwayne Johnson arrasa con 'Proper 12' de Conor McGregor".*

Dwayne "La Roca" Johnson era ahora multimillonario. ¡Y ni siquiera se dedicaba a los negocios! ¿Qué estoy haciendo mal?

Alex Hormozi ✓
@AlexHormozi

Si alguien gana más dinero que tú,
significa que es más hábil en los
negocios.

Unos meses después... en casa de un amigo famoso...

Hasta este punto, me mantuve detrás de escena en su mayor parte. Yo no quería ser famoso. Quería ser rico. Y tuve éxito en eso. Pero ver estos éxitos minó mis creencias. ¿Podría ser *tan* poderosa la creación de una marca personal? Respuesta sencilla: sí. Pero, yo quería mi privacidad...

Nos sentamos alrededor de la mesa de su cocina y le pregunté: "Recibes todos esos mensajes raros de desconocidos. La gente amenaza a tu familia. ¿Sigues contento de haberte hecho famoso?". Me respondió algo que cambió mi vida para siempre:

"Si recibir mensajes raros y el odio de gente que no conozco es el precio que tengo que pagar para tener el impacto que quiero tener, pagaría ese precio cualquier día de la semana".

Me sentí expuesto. Estaba siendo un cobarde. Decía que quería causar impacto, pero no estaba dispuesto a pagar el precio por ello. Después de aquella conversación, Leila y yo nos dedicamos de lleno a crear marcas personales.

***

Tengo una creencia fundamental que me gustaría transmitirte. <u>Si alguien está ganando más dinero que tú, significa que es mejor en el juego de los negocios de alguna manera.</u> Tómatelo como una buena noticia. Significa que puedes aprender de ellos. No pienses que lo han tenido fácil. No pienses que han tomado un atajo. No te digas que han infringido algún código moral. Aunque sea verdad, ninguna de esas creencias te sirve. Ninguna de esas creencias *te hará mejor*.

Hace algunos años, me expresaba en contra de "crear contenido". No le veía sentido. ¿Por qué iba a perder mi tiempo haciendo algo que desaparecería en unos días? Pensaba que era una estúpida pérdida de tiempo y se lo hice saber a todo el mundo. Me equivocaba. En realidad no se trataba del contenido, sino de la audiencia. Lo que no entendía era que el contenido que creas no es el activo que genera, *sino la audiencia*. Así que aunque el contenido desaparezca con el tiempo, tu audiencia sigue creciendo.

Esta fue una lección que mi ego me impidió aprender durante demasiado tiempo. Tuvo que pasar un año entero para que me dieran en la cara con pruebas sólidas antes de que cambiara mi forma de actuar. *Construir una audiencia es lo más valioso que he hecho en mi vida.*

Vi a Kylie Jenner, Huda Kattan, Connor McGregor y La Roca hacerse multimillonarios "de la noche a la mañana". Mi amigo famoso dijo que una audiencia masiva era crucial para su éxito. La abrumadora evidencia hizo quebrantar mis creencias, así que las reformulé. Ahora veía el poder de tener una audiencia. Pero no sabía por dónde empezar. Así que hice lo que siempre hago. *Pagué por conocimiento.* Comprar la experiencia de otra persona te ahorra el tiempo que tardarías en descubrirlo todo por ti mismo. Leila me contrató cuatro llamadas con una persona influyente que tenía el tipo de audiencia que yo quería crear. Pagó 120.000 dólares.

En mi primera llamada, me dijo que publicara regularmente en todas las plataformas. Eso es lo que hice. Doce meses después, mi audiencia había aumentado en más de 200.000 personas. En mi segunda llamada, tomó nota de los progresos. Pero yo quería más: "¿Tienes un plan para tu marca personal? ¿Cómo publicas todo ese contenido?".

Me dijo: "Hermano, cualquiera que te diga que hay un secreto está intentando venderte algo. Simplemente publicamos todo lo que podemos. Mira tu Instagram y mira mi Instagram... Observa. Hoy has publicado una sola vez. Yo he publicado tres veces. Mira tu LinkedIn... Observa. Has publicado una vez esta semana. Yo publiqué cinco veces el día de *hoy*". Fue plataforma por plataforma. Me sentía más avergonzado con cada comparación.

"Sólo tienes que hacer más hermano".

Es simple, pero no es fácil. En seis meses multipliqué por *diez* mi contenido. Y durante los siguientes seis meses, añadí 1,2 millones de personas a mi audiencia. Además, al publicar diez veces más contenido, mi audiencia creció diez veces más rápido. El volumen funciona. El contenido funciona. El resultado es una audiencia creciente. Y en este capítulo, te voy a explicar cómo lo hice para que tú también puedas hacerlo.

Cómo funciona la construcción de una audiencia - Publica un gran contenido gratuito

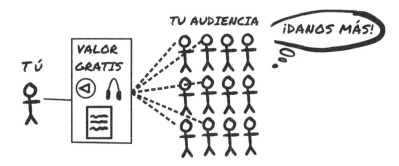

Los contactos en caliente no consiguen muchos clientes potenciales comprometidos por el tiempo que invertimos. Si queremos llegar a diez personas, tenemos que repetirlo diez veces. Mucho esfuerzo. Al publicar contenido gratuito, podemos decirlo una vez y llegar a las diez personas. Por lo tanto, publicando contenido gratuito podemos conseguir muchos más contactos comprometidos por el tiempo que invertimos. ¡Hurra!

Las personas que creen que es valioso, pasan a formar parte de tu audiencia caliente. Si creen que otras personas lo encontrarán valioso, lo compartirán. Y si a las personas con las que lo comparten les gusta, también pasan a formar parte de tu audiencia activa. Y así sucesivamente. El intercambio puede continuar indefinidamente. Cuanto más compartan tu material, mayor será tu audiencia. Y de vez en cuando, les harás una oferta. Si tu oferta tiene suficiente valor, la aceptarán. Al hacerlo, ganarás dinero. Y cuanto mayor sea tu audiencia, más dinero ganarás. Míralo de esta manera:

- Publicar contenido gratuito aumenta tu audiencia.

- Así que publicar constantemente contenido gratuito significa que tendrás una audiencia en constante crecimiento de personas más propensas a comprar tus productos.

- El contenido gratuito hace que el resto de la publicidad sea más eficaz. Si te diriges a alguien y no encuentra contenidos relacionados con tus servicios, es menos probable que compre. En cambio, si encuentra muchos contenidos valiosos, es más probable que compre.

Esto es lo que mi ego me impidió aprender. Ahora los titulares con Jenner, Huda, McGregor y La Roca tenían todo el sentido del mundo.

Pero, publicar contenido gratuito no es todo color de rosas. Tiene sus contrapartidas. En primer lugar, es más difícil personalizar el mensaje. Por eso responde menos gente. En segundo lugar, compites con todos los demás que publican contenidos gratuitos, por lo que es más difícil destacarte. En tercer lugar, si destacas, la gente te copiará. Esto significa que tienes que innovar constantemente.

Dicho esto, una mayor audiencia significa más clientes potenciales comprometidos. Más clientes potenciales comprometidos significan más dinero. Más dinero significa que serás más feliz. Es broma - no va a hacer eso. Pero te dará los recursos para eliminar lo que odias. De todos modos...

Este capítulo abarca sólo dos temas. En primer lugar, desmitificamos el contenido para hacer crecer la audiencia mostrando que todo está hecho de las mismas unidades básicas. Una unidad de contenido tiene tres componentes: enganchar, retener y recompensar. En segundo lugar, veremos cómo la vinculación de las unidades básicas permite crear contenidos que aumenten la audiencia para cualquier plataforma o tipo de medio. El próximo capítulo ("Publicar contenido gratuito, parte II") te mostrará cómo convertir este contenido en un arma para ganar dinero. Pero por ahora, no puedes monetizar el contenido hasta que sepas cómo crearlo.

La Unidad de Contenidos - Tres componentes

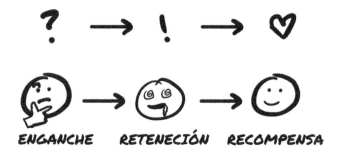

Todos los contenidos que aumentan la audiencia hacen una cosa: recompensan a las personas que los consumen. Y una persona sólo puede ser recompensada por el contenido si:

1) Tiene una razón para consumirlo y

2) Presta atención el tiempo suficiente para

3) Satisfacer esa razón.

Afortunadamente, podemos convertir esos tres resultados en las tres cosas que tenemos que hacer para crear contenidos que aumenten la audiencia. Esto significa que tenemos que

a) **Enganchar:** hacer que presten atención al contenido.

b) **Retener la atención:** hacer que lo consuman.

c) **Recompensar la atención:** satisfacer la razón por la que lo consumieron para empezar.

La mínima cantidad de material necesaria para captar, retener y recompensar la atención es una **unidad de contenido**. Puede ser tan pequeña como una imagen, un meme o una frase. Es decir, puede enganchar, retener y recompensar *al mismo tiempo*. Así es como los tweets cortos, los memes o incluso un jingle pueden hacerse virales. Hacen las tres cosas. Los separaré para que podamos hablar de ellos con más claridad, pero pueden darse todos a la vez.

Vamos a sumergirnos en cada una de las cosas que hacemos para crear una unidad de contenido. Así podrás crear contenido efectivo que haga crecer tu audiencia.

1) Enganchar: No se les puede recompensar a menos que primero captemos su atención.

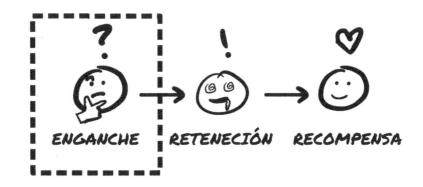

El objetivo: Les damos una razón para redirigir su atención de lo que estén haciendo hacia nosotros. Si lo conseguimos, les habremos enganchado. La efectividad de tu gancho se mide por el porcentaje de personas que empiezan a consumir tu contenido. Así que si consigues captar correctamente la atención, *muchas* personas tendrán un motivo para consumir tu contenido. Si lo haces mal, *pocas* personas tendrán una razón para consumir tu contenido. Recuerda que se trata de una competición por la atención. Hay que vencer todas las alternativas que tengan para ganar su atención. Conviértete en la mejor opción.

Aumentamos el porcentaje de personas que eligen nuestros contenidos eligiendo *tópicos* que les resulten interesantes, *titulares* que les den una razón y ajustándonos al *formato* de otros contenidos que les gusten. Profundicemos en cada uno de ellos.

Tópicos. Los tópicos son los temas sobre los que trata el contenido. Yo prefiero utilizar experiencias personales. Aquí está el motivo: tú eres único. La forma más fácil de diferenciarse es decir algo que nadie más pueda decir. Y nadie más que tú ha vivido tu vida. Divido los temas en cinco categorías: Pasado lejano, Pasado reciente, Presente, Tendencias y Producir experiencias.

a) <u>Pasado lejano:</u> Las lecciones importantes de tu vida. Conecta esa sabiduría con tu producto o servicio para aportar un enorme valor a tu audiencia. Dales la historia sin la cicatriz. *Por eso escribo estos libros.*

   i) Ejemplo: Una lección personal en la que rompí mi creencia de que "no tengo tiempo suficiente":

      1) Gancho: Me quejé a un amigo de que no tenía tiempo suficiente para hacer algo por estar *pegado al teléfono.*

      2) Retención: Me lo arrancó de las manos y miró su uso. Mostraba que pasaba tres horas *al día* en las redes sociales.

      3) Recompensa: Me miró y me dijo: "Oye, te he encontrado algo de tiempo".

      Es una historia sencilla con la que otras personas pueden identificarse. Esto hace que sea un tema interesante para más gente. Y conecta lo que yo hago, hacer crecer negocios, con una lucha que mucha gente experimenta: no tener suficiente tiempo. La epifanía que comparto hace que esta lección sea valiosa *para mi audiencia*: personas que están empezando, haciendo crecer y vendiendo sus negocios.

b) <u>Pasado reciente:</u> Haz algo, luego habla de lo que hiciste (o de lo que pasó). Cada vez que hables con alguien, existe la posibilidad de que tu audiencia obtenga valor de ello. Estudia tu calendario de la última semana. Mira todas tus reuniones. Analiza todas tus interacciones sociales. Fíjate en todas tus conversaciones con tus contactos calientes. *Hay oro en estas conversaciones.* Cuenta historias a partir de ellas que puedan servir a tu audiencia. Por ejemplo:

Alex Hormozi 🖤 ✔
@AlexHormozi

Como regla general de marketing:

Si todo el mundo lo está haciendo,
no lo hagas.

i) Este tuit surgió de una reunión que mantuve con el CEO de una cartera que se limitaba a copiar la misma estrategia que todos los demás en su mercado y estaba obteniendo resultados mediocres.

ii) Esto significa tomar notas, grabaciones y otros registros para que sea fácil acceder a este material. Pero también significa un alijo de contenido gratuito, fácil y valioso.

iii) Los testimonios y los estudios de casos entran en esta categoría. Si puedes contar una historia interesante de un cliente *de forma que aporte valor a tu audiencia*, promocionarás tus servicios y aportarás valor. Todos salen ganando.

c) <u>Presente:</u> anota las ideas *en el momento exacto en que se te ocurran*. Ten siempre a mano una forma de anotar tus ideas. Yo incluso hago pausas en las reuniones para anotar, enviar por mensaje de texto o por correo electrónico las ideas que se me ocurren. De todos modos, a la gente no le importa que le pidas para tomar notas, no es algo tan raro. Luego, cuando creas contenido, tienes un montón de historias frescas con las que trabajar.

i) *Tomo nota de mis ideas públicamente:* antes me guardaba las ideas para mí. Ahora, las tuiteo públicamente a medida que surgen. Si un post tiene más éxito de lo normal, sé que la gente lo encuentra interesante. Entonces, escribo más sobre ese tema.

d) <u>Tendencias:</u> Ve donde está la atención. Fíjate en las tendencias del momento y escribe sobre ellas. Añade tus propias experiencias. Si tienes comentarios relevantes o toca de alguna manera tu experiencia, habla de ello. Hablar de lo que está de moda es muy eficaz para captar la atención de un público más amplio.

e) <u>Producir experiencias:</u> Convierte tus ideas en realidad. Elige un tema que le interese a la gente. Luego, aprende sobre él, créalo o realízalo. A continuación, muéstraselo al mundo. Esto es lo que más tiempo y dinero cuesta, ya que tienes que crear la experiencia en lugar de hablar de una que ya has vivido. Pero puede ser la más rentable.

i) Ejemplo de experiencia producida: *viví con 100 dólares durante un mes*. Te cuento cómo lo hice. Ahora no vivo de esa manera, pero podría crear esa experiencia y luego hacer contenido sobre ella.

PARTE III: CONSIGUE PROSPECTOS

Nota del autor: Producción frente a documentación

El contenido producido tiene un mayor potencial para hacer crecer y monetizar una audiencia, _por lejos_. Esto se debe a que los creadores de contenidos calificados pueden obtener la máxima recompensa por cada unidad de contenido. Para que te hagas una idea, en el momento de escribir estas líneas, los diez videos más vistos en la plataforma de video más popular son videos musicales. Y han acumulado unos 60.000 millones de visitas. Ver o escuchar... ¡eso es _mucha_ atención! Pero para nosotros los mortales, el menor costo de documentar nuestras experiencias (frente al de producirlas) nos permite mantener un volumen alto de publicaciones. Y creo que es más sostenible a lo largo de la vida. Una cita que escuché de un famoso creador de contenidos "No quiero estar llenando mi living de arena cuando tenga 50 años". Y, personalmente, prefiero que los emprendedores publiquen más contenidos, más a menudo y en más sitios. Pero esta es tan solo mi opinión.

Paso a seguir: La vida sucede-saca provecho de ello compartiendo la tuya.

Titulares. Un titular es una frase u oración corta que se utiliza para captar la atención de la audiencia. Comunica la razón por la que deberían consumir el contenido. Lo utilizan para sopesar la probabilidad de obtener una recompensa por consumir tu contenido en lugar de otro.

En lugar de darte un montón de plantillas, prefiero darte los principios atemporales que hacen grandes titulares. Y no hay mejor creador de titulares que "las noticias". Así que estudiémoslas.

Un metaanálisis de las noticias reveló los componentes de los titulares que despertaban más interés en las historias. Éstos son los siguientes. Intenta incluir al menos dos en tu titular.

a) <u>Actualidad</u> - Lo más reciente posible, literalmente lo "nuevo".

    i) Ejemplo: La gente presta más atención a algo que ha ocurrido hace una hora que hace un año.

b) <u>Relevancia</u> - Personalmente significativo

    i) Ejemplo: Las enfermeras prestan más atención a las cosas que afectan a enfermeras en comparación con otros temas que podrían afectar a contadores por ejemplo.

c) <u>Celebridades</u> - Incluidas las personas destacadas (famosos, autoridades, etc.).

   i) Ejemplo: Normalmente, no nos importaría lo que otro ser humano desayuna cada día. Pero si se trata de Jeff Bezos, sí nos importa. Como es una celebridad, a mucha gente le importa.

d) <u>Proximidad</u> - Cerca de casa - geográficamente.

   i) Ejemplo: Una casa en llamas al otro lado del país no llama tu atención. Si es la de tu vecino, seguro que sí. Haz que esté lo más cerca posible de casa.

e) <u>Conflicto</u> - de ideas opuestas, personas opuestas, naturaleza, etc.

   i) Ejemplo: ¿Piña vs no piña en la pizza? ¡Conflicto!

   ii) Ejemplo: El bien contra el mal. Héroe contra villano. Izquierda vs Derecha.

   iii) Ejemplo: Libertad vs Seguridad. Justicia frente a piedad. Se entiende la idea.

f) <u>Inusual</u> - extraño, único, raro, bizarro

   i) Ejemplo: piensa en un hombre de seis dedos en los circos antiguos. Si se sale de la norma, la gente presta más atención.

g) <u>En curso</u> - Las historias aún en curso son dinámicas, evolucionan y tienen giros argumentales.

   i) Ejemplo: Si una mujer entra en trabajo de parto, la gente quiere actualizaciones cada diez minutos porque *podría pasar cualquier cosa.*

Paso a seguir: Incluye uno o más de estos componentes para conseguir titulares más sustanciosos y que llamen la atención.

Formato. Una vez que tenemos un buen tema y lo comunicamos con un titular utilizando uno o más componentes, tenemos que adaptar nuestro formato al mejor contenido de la plataforma. La gente consume contenidos porque son similares a otros que les han gustado en el pasado. Y al coincidir con el formato más popular de la plataforma consigue que el mayor número de personas interactúen con él. Por lo tanto, queremos que nuestro contenido se parezca al que les ha gustado anteriormente.

Ejemplo de formato:

Este meme lo explica mejor que yo con palabras. Las cuatro imágenes de arriba son... bueno... imágenes. Pero tienen un aspecto diferente. Esto se debe a que el formato depende del público al que quieras enganchar *y* de la plataforma en la que se encuentre tu público.

Conclusión: tienes que hacer que tu contenido se parezca a *lo que ellos esperan que les recompense.* De lo contrario, no importa lo bueno que sea, un contenido con mejor aspecto les enganchará antes de que el tuyo tenga siquiera una oportunidad.

Paso a seguir: Formatea tu contenido para la plataforma en primera instancia. Luego, modifícalo para que enganche a tu público ideal. Utiliza como guía el mejor contenido de la plataforma que se dirija a tu mercado.

Con esto concluye el paso del "gancho" de nuestra unidad de contenidos. Si sigues *siempre* estos principios básicos, ya estarás en el 1% de los mejores. Al menos, así ha sido para mí.

2) Retener

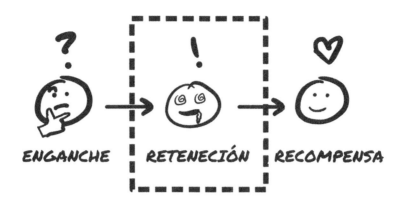

Mi factor de retención favorito es la *curiosidad*. Es mi favorito porque, si se hace correctamente, la gente esperará *años*. La gente quiere saber qué pasará... *a continuación*. Por ejemplo, recibo mensajes a diario, desde hace años, sobre cuándo publicaré un libro sobre ventas.

Mi forma favorita de despertar la curiosidad del público es insertar preguntas en sus mentes. Las preguntas sin resolver pueden ser explícitas o implícitas. Puedes hacer la pregunta directamente. O la pregunta puede estar implícita. Mis tres formas favoritas de insertar preguntas son: listados, pasos e historias.

a) Listados: Son cosas, hechos, consejos, opiniones, ideas, etc. que se presentan uno tras otro. Los buenos listados en los contenidos gratuitos también siguen un tema. Piensa en "Los 10 errores más comunes" o "Las 5 personas más ricas", etc. Indicar el número de elementos de la lista en el titular o en los primeros segundos del contenido indica a la gente lo que puede esperar. Y, según mi experiencia, esto retiene más la atención de la audiencia durante más tiempo.

    i) Ejemplo: "7 maneras en las que invertí 1.000 dólares a los 20 años que me reportaron grandes beneficios".

    ii) Ejemplo: "28 maneras de seguir siendo pobre"

    iii) Ejemplo: "Una unidad de contenido consta de tres piezas...",

b) <u>Pasos:</u> Los pasos son acciones que ocurren en orden y logran un objetivo cuando se completan. Siempre que los primeros pasos hayan sido claros y valiosos, la persona querrá saber cómo realizarlos todos para lograr el objetivo general.

    i) Ejemplo: "3 pasos para crear un gran gancho"

    ii) Ejemplo: "Cómo creo un titular en 7 pasos"

    iii) Ejemplo: "La rutina matutina que aumenta mi productividad"

Nota: Aquí está la diferencia entre pasos y listados. Los pasos son *acciones* que deben realizarse en *un orden específico* para obtener un resultado. Por lo tanto, los pasos son menos flexibles pero tienen una recompensa más explícita. Los listados pueden contener cualquier cosa en el orden que se desee. Por lo tanto, son más flexibles, pero tienen una recompensa menos explícita.

c) <u>Historias:</u> Las historias describen hechos reales o imaginarios. Y las historias que merece la pena contar suelen tener alguna lección para el oyente. Se pueden contar historias sobre cosas que *han sucedido, que podrían suceder o que nunca sucederán.* Las tres cosas despiertan curiosidad porque la gente quiere saber qué va a pasar a continuación.

    i) Ejemplo: casi todos los capítulos de este libro tienen una historia.

    ii) Ejemplo: "Mi editor me obligó a hacer 19 borradores de este libro; esto es lo que le hice".

    iii) Ejemplo: "Mi recorrido desde dormir en el piso de abajo de un gimnasio hasta el piso de arriba de un hotel 5 estrellas".

Puedes utilizar listados, pasos e historias por separado o entrelazarlos. Por ejemplo, puedes incluir listados dentro de los pasos y una historia sobre cada elemento del listado. Las historias pueden reforzar el valor de un paso. Puedes tener una lista de historias o muchas historias continuas, etc. Tu creatividad es el único límite aquí. Es por eso que las personas que hacen un montón de contenido se llaman a sí mismos *creadores* de contenido. Este capítulo, por ejemplo, tiene listados dentro de los pasos e historias que los entrelazan.

Paso a seguir: utiliza listas, pasos e historias para mantener la curiosidad de tu audiencia. Inserta preguntas en sus mentes para que quieran saber qué ocurre *a continuación.*

3) Recompensar

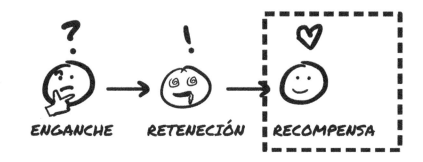

Cualquiera puede pensar en ganchos interesantes y organizar su contenido mediante listados, pasos o historias. Pero la verdadera pregunta es: ¿es bueno? ¿Satisface la razón por la que lo vieron? ¿Hace que la gente quiera compartirlo? <u>La calidad de tu contenido depende de la frecuencia con la que recompensa a tu audiencia en el tiempo que tarda en consumirlo.</u> Piensa en el *valor por segundo*. Por ejemplo, la misma persona que se aburre a los tres segundos de un video de diez segundos puede que se enganche con un libro de 900 páginas. Y esa misma persona puede darse un atracón de una serie de televisión durante ocho horas seguidas. Así que no existe la palabra demasiado largo, sino *demasiado aburrido*.

Ahora bien, no podemos garantizar una recompensa específica. Pero podemos aumentar la probabilidad de que se produzca:

- Atrayendo a la audiencia *adecuada* con temas, titulares y formatos apropiados.

- Reteniéndolos con listados, pasos e historias que despierten su curiosidad y les dejen con ganas de más.

- Satisfaciendo claramente la razón por la que el contenido les enganchó para empezar.

Ejemplo: si tu gancho promete "7 maneras de reconciliarte con tu cónyuge" y proporcionas:

(A) cuatro maneras, (B) siete maneras que apestan (o las han oído todas antes), (C) estás hablándole a una audiencia de solteros que no tienen cónyuge, *hiciste un mal trabajo de recompensa.* La gente no querrá volver a verlo y, desde luego, no lo compartirá.

Ejemplo: si tu gancho promete "4 estrategias de marketing para dentistas" y los dentistas no las encuentran útiles, no lo compartirán ni verán tu contenido en el futuro. *Has hecho un mal trabajo de recompensa.*

<u>Conclusión:</u> He tenido toneladas de contenidos con los que pensé que rompería récords, pero la audiencia rompió el botón de "siguiente" en su lugar. Así que no importa lo bueno

que creas que es tu contenido, la audiencia decide. Recompensar a tu audiencia significa *igualar o superar sus expectativas cuando deciden consumir tu contenido*. Así sabrás si has tenido éxito: *tu audiencia crecerá*. Si no crece, tu contenido no es tan bueno. Practica y mejorarás.

Paso a seguir: Aporta más valor que nadie. Cumple tus promesas. Satisface claramente el gancho que utilizaste para captar su atención. En otras palabras, responde por completo a las preguntas sin resolver que les has instalado en sus mentes.

Entonces, ¿cuál es la diferencia entre un formato de contenido corto y uno largo? Respuesta: no mucha.

Si recuerdas lo que hemos mencionado antes, la menor cantidad de material que se necesita para captar, retener y recompensar la atención es una **unidad de contenido**. Por lo tanto, para crear un contenido más largo, simplemente enlazamos unidades de contenido.

Por ejemplo, un solo paso de una lista de cinco pasos puede ser una unidad de contenido. Cuando enlazamos los cinco, tenemos un contenido más largo. Aquí tienes una representación visual para entenderlo.

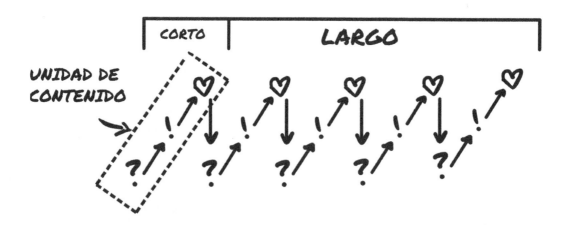

LARGO = MÁS UNIDADES DE CONTENIDO

Los contenidos cortos enganchan, retienen y recompensan menos veces. Los contenidos más largos lo hacen más veces. Y hacerlo más veces requiere más habilidad porque hay que encadenar más unidades de contenido "bueno" seguidas. Por ejemplo, un comediante principiante sólo suele disponer de unos minutos en el escenario para interpretar su "performance". Sólo un comediante experto dispone de una hora. Se necesita práctica para recompensar la atención con la frecuencia suficiente para mantenerla durante tanto tiempo. Por lo tanto, empieza poco a poco y ve creciendo a partir de ahí. Incluso si empiezas con contenidos más largos, lo cual está bien, te sugiero que empieces con versiones más cortas. Te resultará más fácil. Muchos autores de éxito con novelas épicas empezaron escribiendo... lo has adivinado... relatos cortos.

Consejo profesional: Haz que todo tu contenido sea para desconocidos:

Esto es importante. Presta atención. Si quieres hacer *crecer* tu audiencia caliente, entonces necesitas hacer contenido asumiendo que la gente que lo consume nunca ha oído hablar de ti antes. Si lo haces para desconocidos, a los desconocidos les gustará porque... *lo has hecho para ellos.* Y lo compartirán. Y tu audiencia crecerá mucho más rápido. Considera la alternativa de llenar tu contenido con "chistes internos" que nadie más que tu audiencia entiende. Genial para ustedes, pero nadie más se sentirá bien recibido. Y el crecimiento de tu audiencia se ralentizará. Este es uno de los errores más comunes que veo cometer a los creadores de contenido, así que no lo cometas. Haz cada pieza de contenido asumiendo que la persona nunca ha oído hablar de ti antes. Y a los que ya te conocen no les importará. Apreciarán los recordatorios.

Una vez que comprendas cómo hacer una unidad de contenido, todo lo que tienes que hacer es crear más. Entonces, tu audiencia crecerá. Y una vez que tu audiencia crezca lo suficiente, es posible que desees monetizarla. Tenía demasiado que decir para contarlo en un sólo capítulo, así que hablaremos de cómo monetizar la audiencia en el próximo.

Nos vemos ahí.

2. Publica contenido gratuito. Parte II

Monetiza tu audiencia

"Dar-dar-dar, dar-dar-dar, hasta que lo pidan"

CUATRO PILARES BÁSICOS

	PERSONAS QUE TE CONOCEN	PERSONAS QUE NO TE CONOCEN
1 A 1 PRIVADO	CAPTACIÓN EN CALIENTE	CAPTACIÓN EN FRÍO
1 A ∞ PÚBLICO (TÚ ESTÁS AQUÍ →)	PUBLICAR CONTENIDO GRATIS	LANZAR AVISOS PAGOS

El objetivo de este capítulo es mostrarte cómo monetizar tu audiencia. En primer lugar, hablaremos de cómo podemos hacer ofertas sin convertirnos en un monstruo del spam - dominar la relación dar : pedir. Luego hablaremos de las dos estrategias para realizar ofertas para monetizar la audiencia. Después de eso, voy a hablar de cómo escalar tu producción para hacer crecer tu audiencia más rápido y ganar aún más dinero. A continuación, voy a compartir un montón de lecciones que he aprendido en la creación de mi propia audiencia que me gustaría haber sabido antes. Por último, voy a concluir con la forma en que puedes pasar a la acción sobre todo esto *hoy mismo*.

Dominar la relación Dar : Pedir

Gary Vaynerchuk popularizó el "jab, jab, jab, gancho de derecha". Simplifica la idea de dar a tu audiencia muchas veces antes de pedirles algo. Depositas buena voluntad con contenidos gratificantes y luego te retiras realizando ofertas. Cuando ofreces contenido valioso, tu público te presta más atención. Al darles algo de valor, tu audiencia estará más dispuesta a hacer lo que le pides. Por eso intento "pedir menos" a mi público y crear la mayor cantidad de contenido valioso posible.

Por suerte, la relación "dar: pedir" ha sido ampliamente estudiada. La televisión dedica un promedio de 13 minutos de publicidad por cada 60 minutos de emisión. Esto significa que se dedican 47 minutos a "dar" y 13 minutos a "pedir". Es decir, una proporción de 3,5:1 entre dar y pedir. En Facebook, por cada anuncio en la sección de noticias, se publican 4 contenidos. Esto nos da una idea de la relación mínima entre dar y pedir que podemos mantener. Al fin y al cabo, la televisión y Facebook son plataformas maduras. Les importa menos aumentar su audiencia y más ganar dinero con ella. Así que dan menos y piden más. Lo que significa que "dar, dar, dar, pedir" es la proporción que nos acerca a la *máxima monetización* de una audiencia sin reducirla. Pero, la mayoría de nosotros queremos hacer crecer nuestra audiencia, por lo que no deberíamos tomar estos ejemplos como modelo. Deberíamos tomar como modelo plataformas en crecimiento.

¿Qué hacen las plataformas en crecimiento? Muestran mucho contenido sin muchos anuncios. En resumen, dan, dan, dan… dan, dan, dan… dan, dan, dan… dan, dan, dan… quizás piden. Dan de más y piden de menos. ¿Por qué? Porque cuanto más recompensas a tu audiencia, más grande se hace. Así que si quieres aumentar tu audiencia, debes dar mucho más de lo que pides.

La mayoría de las personas no ganan dinero porque no pueden esperar 12 meses.

Y ahora que tengo algo de experiencia con esto, he realizado un pequeño ajuste a la estrategia tradicional de dar pedir que la lleva al siguiente nivel: *Dar hasta que te pidan.*

La gente siempre está esperando que le pidas dinero. Y cuando no lo haces, confían más en ti. Comparten más tu contenido. Creces más rápido, etc. Pero yo no soy un santo altruista. Estoy aquí para ganar dinero. Después de todo, no sería un buen hombre de negocios si no estuviera ganando nada.

Entonces, es sencillo. Si das lo suficiente, *la gente empieza a pedirte*. A la gente le incomoda seguir recibiendo sin dar nada a cambio. Forma parte de nuestra cultura y de nuestro ADN. Irán a tu sitio web, te enviarán un DM, un correo electrónico, etc., para pedirte más. Y no sólo eso, cuando utilizas esta estrategia, consigues los mejores clientes. Son los que más "dan". Son aquellos que, incluso siendo clientes que pagan, aún sienten que reciben la mejor parte del trato. Y lo mejor de todo es que, si haces publicidad de esta forma, tu crecimiento nunca se detendrá. Con esta estrategia, *das en público y pides en privado*. Dejas que el público decida por sí mismo cuándo está dispuesto a darte dinero. Por eso, en mi opinión, *dar hasta que pidan* es la mejor estrategia. Pero, si sientes la necesidad de pedir, lo entiendo. Así que hablemos de cómo pedir. Si vas a hacerlo, más vale que lo hagas bien.

Resumiendo: el momento en que empiezas a pedir dinero es el momento en que decides frenar tu crecimiento. Así que cuanto más paciente seas, más obtendrás cuando finalmente hagas tu petición.

Paso a seguir: Dar, dar, dar, dar, dar hasta que te pidan.

Consejo profesional: Da en público, pide en privado.

Si sigues dando en público, la gente te pedirá en privado que les vendas tus productos o servicios. No lo dudes. Lo mejor de ambos mundos es no dejar nunca de dar en público y conseguir que cada vez más gente te pida en privado que compren tus productos. Da, da, da y recibirás, sin perder la confianza ni frenar el crecimiento de tu audiencia.

Cómo ganar dinero con tus contenidos: Pide

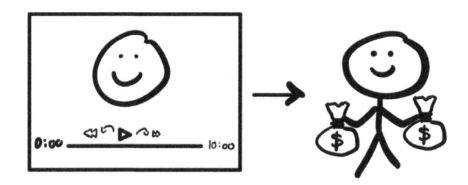

Para que quede claro, creo que deberías utilizar la estrategia de *dar hasta que te pidan*. Pero, si necesitas pagar el alquiler, alimentar a tu familia, etc., lo entiendo. A veces hay que pedir. Así que hablemos de cómo hacerlo sin parecer un tonto.

Piensa en las "peticiones" como anuncios. *Interrumpes el programa con un mensaje muy importante.* Como eres tú quien aporta el valor, interrumpes tu propio contenido con anuncios sobre los productos que vendes. Pero, como se trata de tu audiencia, pagas el costo de la pérdida potencial de confianza, la desaceleración del crecimiento y, por supuesto, el tiempo que te llevó reunir a la audiencia en primer lugar. Pero desde el punto de vista económico, es gratis. Ahora, yo uso dos estrategias para incorporar promociones al contenido: ofertas integradas y ofertas intermitentes. Analicemos ambas.

INTEGRADAS

CONTENIDO ÚNICO

Integradas: Puedes insertar publicidad en cada pieza de contenido siempre que mantengas una proporción alta de "dar:pedir". Seguirá aumentando tu audiencia y obtendrás clientes potenciales comprometidos. Todos ganan.

Por ejemplo, si hago un podcast de una hora, tener 3 anuncios de 30 segundos significa que tendría 58,5 minutos de dar y 1,5 minutos de pedir. Muy por encima de la proporción 3:1.

Por otro lado, tenía un amigo que tenía un podcast que se volvió muy popular rápidamente. Deseoso de monetizar su nueva audiencia, empezó a hacer ofertas (pedir) con demasiada frecuencia -dentro- del contenido. Su podcast no sólo dejó de crecer, ¡en realidad se redujo! No seas así. No mates a tu gallina de los huevos de oro. Es un acto de equilibrio. Da de más para proteger tu activo más valioso: la buena voluntad y la confianza de tu audiencia.

Paso a seguir: Normalmente integro las "peticiones", también conocidas como llamadas a la acción o "CTA" (por sus siglas en inglés: Call To Action), después de un momento valioso o al final de la pieza de contenido. Considera la posibilidad de probar primero en uno de esos lugares y asegúrate de que el crecimiento de tu audiencia no se desacelere. A continuación, añade la segunda y así sucesivamente.

Consejo profesional: El pedido en la posdata

La declaración de "PD" es una de las partes más leídas de cualquier contenido. A menudo, porque resume lo principal que el autor quiere que haga la audiencia. Por eso, intento incluirlas en todo lo que escribo. También es uno de mis lugares favoritos para incluir las peticiones.

PD: ¿ves?, todo el mundo las lee.

INTERMITENTES

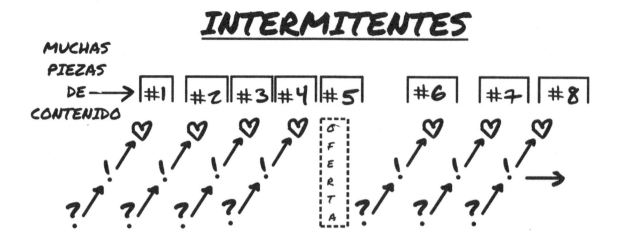

<u>Intermitentes</u>: La segunda forma de monetizar es a través de peticiones intermitentes. Así es como funciona. Haces muchas piezas de contenido de puro 'dar' y luego de vez en cuando haces una pieza de 'pedir'. Ejemplo: Haces 10 posts de 'dar', y en el 11, promocionas tu producto o servicio.

La diferencia entre la primera y la segunda forma depende de la plataforma. En las plataformas cortas, predominará la forma intermitente. En las plataformas largas, las integraciones suelen ser la mejor opción.

Cuando hagas tu petición, o bien anuncias *tu oferta principal*, o *anuncias tu imán de prospectos*.

Eso es todo. No lo compliques demasiado.

<u>Ejemplo de imán de prospectos</u>: si acabo de hablar sobre una forma de conseguir más clientes potenciales en un post/video/podcast/etc., entonces diría: "Tengo 11 consejos más que me han ayudado a hacer esto. Ve a mi sitio y consigue un material bastante ilustrativo acerca de ellos". Y mientras tenga una audiencia que quiera conseguir más clientes potenciales, esto hará que algunos de ellos se comprometan. Entonces, la página de agradecimiento después de la página de registro para mi imán de clientes potenciales mostraría mi oferta de pago con algún video explicando cómo funciona. Puntos extra si tu imán de clientes potenciales es relevante para tu contenido al publicitarlo.

<u>Ejemplo de oferta</u>: también puedes "tirarte a la yugular" con tu oferta principal e ir directo a la venta. El camino directo al dinero. Tomaremos como modelo nuestra oferta del último capítulo.

"Busco 5 (avatar específico) que me ayuden a conseguir (resultado soñado) en (plazo de tiempo). Lo mejor es que no tienes que (esfuerzo y sacrificio). Y si no consigues (resultado soñado), haré dos cosas (aumentar la probabilidad percibida de logro): 1) Te devolveré el dinero 2) Trabajaré contigo hasta que lo consigas. Hago esto porque quiero que todo el mundo tenga una ex-

2. PUBLICA CONTENIDO GRATUITO. PARTE II

periencia increíble con nosotros y porque confío ciegamente en que puedo cumplir mi promesa. Si te parece justo, envíame un DM/reserva una llamada/comenta a continuación/responde a este correo electrónico/etc.".

Después de hacer tu petición, vuelve a aportar valor.

Consejo profesional: Ofertas de 100 millones de dólares

Mi primer libro, Ofertas de $100M, desglosa paso a paso el proceso de creación de una oferta. Si quieres saber cómo crear una oferta valiosa con la que la persona *correcta* se sentiría estúpida si dijera que no... échale un vistazo a ese libro (la versión kindle se vende tan barata como la plataforma me permite venderla, por si andas corto de dinero). Si te ayuda a sentirte más confiado, más de 10.000 personas le han dado cinco estrellas en los primeros quince meses desde su publicación. Y ha ocupado el primer puesto en las listas de best sellers de marketing, publicidad y ventas durante más de 100 semanas. Si no sabes qué vender, lee ese libro para hacerlo bien desde el principio.

---

*^Este recuadro es un ejemplo de integración.

Paso a seguir uno: elige si harás peticiones integradas o intermitentes. Luego, elige si vas a anunciar tu oferta principal o tu imán de prospectos. Si no estás seguro, opta por el imán de prospectos. El riesgo es menor.

Cómo aplicarlo y hacerlo crecer

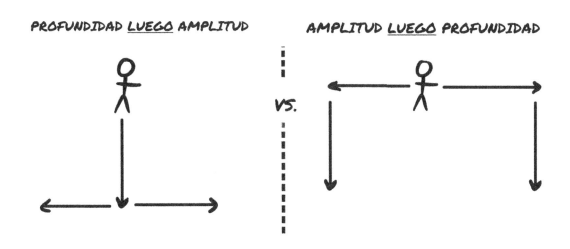

PROFUNDIDAD LUEGO AMPLITUD   VS.   AMPLITUD LUEGO PROFUNDIDAD

Cuando empieces a pedir, empezarás a conseguir clientes potenciales y a ganar dinero. Pero no quieres parar ahí, ¿verdad? No lo creo. Genial, entonces hablemos de escalabilidad.

Hay dos estrategias opuestas para escalar tu audiencia caliente. Ambas siguen pasos progresivos. Primero, tienes el enfoque profundidad-luego-amplitud. Luego, tienes el enfoque amplitud-luego-profundidad. Ambos son correctos. A continuación te explico cómo funcionan:

Profundidad y luego amplitud: aprovecha al máximo una plataforma y luego pasa a la siguiente.

> Paso 1: Publica contenido en una plataforma relevante.

> Paso 2: Publica contenidos con regularidad en esa plataforma.

> Paso 3: Maximiza la calidad y la cantidad del contenido en esa plataforma. En formatos cortos, a veces puedes llegar a publicar hasta diez veces al día por plataforma. En formatos largos, puede que tengas que hacerlo hasta cinco días a la semana (véase telenovelas).

> Paso 4: Añade otra plataforma manteniendo la calidad y la cantidad en la primera.

> Paso 5: Repite los pasos 1-4 hasta maximizar todas las plataformas relevantes.

Ventajas: Una vez que hayas dominado una plataforma, maximizarás el rendimiento de ese recurso. Las audiencias se acumulan más rápido cuanto más haces. Así se aprovecha esta capitalización. Necesitarás menos recursos para hacer que funcione.

Desventajas: Tienes menos oportunidades en nuevas plataformas y nuevas audiencias. No se consigue la sensación de "omnipresencia". Al principio, se corre el riesgo de que la empresa dependa de un único canal. Es un riesgo porque las plataformas cambian constantemente y a veces te bloquean sin motivo. Si sólo tienes una forma de conseguir clientes, puede acabar con tu negocio si te la cierran.

Amplitud y luego profundidad: Entra pronto en todas las plataformas y aprovéchalas al máximo.

> Paso 1: Publica contenido en una plataforma relevante.

> Paso 2: Publica contenido con regularidad en esa plataforma.

> Paso 3: *Aquí es donde esta estrategia difiere de la anterior.* En lugar de maximizar el contenido de la primera plataforma, pasa a la siguiente.

> Paso 4: Continúa hasta que estés en todas las plataformas relevantes.

Paso 5: Ahora, maximiza la creación de contenidos en todas las plataformas a la vez.

Ventajas: Llegas más rápido a un público más amplio. Y, puedes "reutilizar" tu contenido. Así, con un poco de trabajo extra, puedes lograr una alta eficiencia. Con cambios mínimos en el formato, puedes hacer que el mismo contenido se adapte a múltiples plataformas. Por ejemplo, se necesita poco esfuerzo extra para dar formato a un único video corto en todas las plataformas que distribuyen contenidos de video cortos.

Desventajas: Cuesta más trabajo, atención y tiempo hacerlo bien. A menudo, la gente termina con un montón de contenido malo en todas partes. Contenido sin sustancia. No es bueno.

Si ya tienes un negocio considerable, escala más rápido y cosecha las recompensas de un activo que sólo mejorará con el tiempo. Lo dije antes y lo diré de nuevo. El mejor día para empezar a publicar contenido fue el día en que naciste. El segundo mejor día es hoy. No esperes como lo hice yo.

Consejo profesional: Como lo llevo a la práctica

No soy un creador de contenidos a tiempo completo. Dirijo empresas. Pero la creación de contenidos forma parte de mis responsabilidades. Este es mi sencillo proceso de grabación:

1. Busco los temas de las cinco maneras descritas en la sección "Temas" de la Parte I de este capítulo. Esto me lleva aproximadamente una hora.

2. Me siento dos veces al mes y grabo una treintena de clips cortos basados en el paso 1.

3. El mismo día, grabo entre 2 y 4 videos más largos desarrollando tuits que contengan mucho contenido relevante. Así creo mi contenido más extenso.

Si esto suena simplista, es porque lo es. Solo tienes que empezar. Puedes añadir volumen con el tiempo.

Paso a seguir: Elige un enfoque. Empieza a publicar. Luego, ve subiendo escalones con el tiempo.

Consejo profesional: Sólo una llamada a la acción cada vez

"Una mente confusa no compra" es un dicho común en el mundo de las ventas y el marketing. Para aumentar el número de personas que hagan lo que quieres, sólo pídeles que hagan una cosa por llamada a la acción. Por ejemplo, no pidas a la gente que "comparta, le guste, se suscriba y comente" al mismo tiempo. Porque en lugar de hacerlas todas, no harán ninguna. En lugar de eso, si quieres que compartan, pídeles *sólo* que compartan. Y si quieres que compren, *sólo* pídeles que compren. Decide tú, para que ellos no tengan que hacerlo.

Por qué debes crear contenido (aunque no sea tu principal estrategia publicitaria)

Enero de 2020.

Convoqué a todos los departamentos principales a una reunión para responder a una pregunta importante: ¿Por qué nuestra publicidad paga no funciona como antes? Las opiniones inundaron la sala. "El creativo... el texto... la oferta... nuestras páginas... nuestro proceso de ventas... nuestro precio...". Se disparaban unos a otros, tan interesados como yo en resolver el problema.

Leila y yo nos sentamos en silencio mientras el equipo debatía. Cuando se calmó el alboroto, Leila, con su sabiduría, hizo una pregunta diferente: ¿Qué dejamos de hacer en los meses anteriores al declive?

Surgió un nuevo debate y surgió una respuesta unánime: Alex dejó de hacer contenidos de fitness y empezó a hablar de negocios en general. Yo no sabía hasta qué punto eso era importante, pero tenía que averiguarlo. Así que envié una encuesta a los propietarios de nuestros gimnasios. Les pregunté si habían consumido algún contenido mío *antes* de reservar una llamada. Los resultados me asombraron.

El 78% de los clientes habían consumido al menos DOS contenidos largos antes de reservar una llamada.

Había caído en mis viejos hábitos y le había dado todo el mérito a los anuncios de pago. Pero nuestro contenido gratuito estaba alimentando la demanda. No cometas el mismo error que yo. Tu contenido gratuito da a los desconocidos la oportunidad de encontrar, obtener valor y compartir tu trabajo. Y motiva a las personas indecisas que van y vienen de los métodos de audiencia fría, en los que ahondaremos a continuación. Así que, aunque sea difícil de medir, el contenido gratuito obtiene mejores resultados en todos los métodos publicitarios.

Conclusión: Empieza a crear contenido relevante para tu audiencia. Te hará ganar más dinero.

7 lecciones que he aprendido al crear contenidos

1) **Pasa del "Cómo" al "Cómo yo". De "Ésta es la mejor manera" a "Éstas son mis maneras favoritas", etc.** (sobre todo al empezar). Habla de lo que tú has hecho, no de lo que deberían hacer los demás. De lo que a ti te gusta, no de que esto es *lo* mejor. Al hablar de tu experiencia, nadie podrá cuestionarte. Esto te vuelve a prueba de balas.

   a) Yo hago mis copos de avena así vs. tú deberías hacer tus copos de avena así.

   b) Cómo construí mi agencia de 7 cifras vs. Cómo construir una agencia de 7 cifras.

   c) Mi forma favorita de generar clientes potenciales para mi negocio vs. Esta es la mejor forma de generar clientes potenciales para tu negocio.

   Es sutil. Pero cuando cuentas tu experiencia, estás compartiendo valor. Cuando le dices a un extraño lo que tiene que hacer, es difícil evitar parecer sermoneador o arrogante. Esto ayuda a evitarlo.

2) **Necesitamos recordatorios más que lecciones:** serías un tonto si creyeras que el 100% de tu audiencia te escucha el 100% de las veces. Por ejemplo, yo escribo sobre mi libro todos los días. Encuesté a mi audiencia y les pregunté si sabían que tenía un libro. Uno de cada cinco que vio el post dijo que no lo sabía. Repite lo mismo una y otra vez. Te aburrirás de tu contenido antes incluso de que toda tu audiencia lo vea.

3) **Charcos, estanques, lagos, océanos.** Limita el enfoque de tu contenido. Si tienes un pequeño negocio local, probablemente no deberías hacer contenido empresarial general. Al menos no al principio. ¿Por qué? El público escuchará a gente con mejor historial que tú. Pero puedes limitar tus temas a lo que haces y al lugar donde lo haces. Ejemplo: fontanería en una ciudad determinada. Si haces eso, puedes convertirte en el rey de ese charco. Con el tiempo, puedes ampliar tu charco de fontanería al estanque general de los negocios locales. A continuación, el lago de las cadenas de construcción y así sucesivamente. Y, finalmente, al océano de los negocios en general.

4) **El contenido crea herramientas para los vendedores.** Algunos contenidos funcionarán bien y conseguirán que más gente se interese por comprar tus productos.

Ese tipo de contenidos ayuda a tu equipo de ventas. Crea una lista maestra de tus "grandes éxitos". Etiqueta cada "éxito" con el problema que resuelve y el beneficio que proporciona. Luego, tu equipo de ventas puede enviarlo antes o después de las llamadas de ventas y ayudar a la gente a decidirse a comprar. Funcionan especialmente bien si el contenido resuelve problemas específicos que los clientes potenciales suelen tener.

5) **El contenido gratuito retiene a los clientes que pagan.** Cómo un cliente obtiene valor de ti importa menos que dónde lo obtuvo. Imagina que una persona paga por algo tuyo y luego consume tu contenido gratuito. Si tu contenido gratuito es valioso, les gustarás más y se mantendrán fieles a tu negocio durante más tiempo. Por otro lado, si consumen tu contenido gratuito, y es una mierda, les gustará menos tu producto pago. Esto es algo que quizá no sepas. Alguien que compra lo que vendes es *más probable* que consuma tu contenido gratuito. Por eso es tan importante que tu contenido gratuito sea bueno: tus clientes lo incluirán en cómo calculan su retorno de la inversión (ROI) de tu producto pago.

6) **La gente no tiene una capacidad de atención más corta, tiene estándares más altos.** Repito para enfatizar: *no hay nada demasiado largo, sólo demasiado aburrido.* Las plataformas de streaming han demostrado que la gente se pasa horas viendo contenidos largos *si les gustan.* Nuestra biología no ha cambiado, sino nuestras circunstancias. Tenemos más contenidos gratificantes entre los que elegir. Así que crea buenos contenidos que gusten a la gente y recoge las recompensas en lugar de quejarte de la "corta capacidad de atención" de la gente.

7) **Evita los posts programados de antemano.** Los posts que publico manualmente tienen mejor rendimiento que los que pre-programo. Esta es mi teoría. Cuando publicas manualmente, sabes que en cuestión de segundos serás recompensado o castigado por la calidad del contenido. Debido a ese estrecho bucle de retroalimentación, te esfuerzas *mucho más* para hacerlo mejor. Cuando programo mi contenido, no siento la misma presión. Por eso, siempre que publico algo, o cuando lo hace mi equipo, creemos firmemente en la necesidad de que alguien pulse el botón de "enviar", porque así se ejerce la última presión para hacerlo bien. Pruébalo.

Puntos de referencia: ¿cómo lo estoy haciendo?

Si nuestra audiencia crece, lo hemos hecho bien. Pero si nuestra audiencia crece rápido, lo habremos hecho *mejor.* Así que me gusta medir mensualmente el tamaño de mi audiencia y la velocidad de crecimiento.

Esto es lo que mido:

1) Número total de seguidores y alcance - *tamaño*

    a) Ejemplo de seguidores: si paso de 1.000 seguidores en todas las plataformas a 1.500, he aumentado mi audiencia en 500.

    b) Ejemplo de alcance: si paso de 10.000 personas viendo mi contenido a 15.000 personas viendo mi contenido, *creció* mi alcance en 5.000 personas.

2) Ritmo de obtención de seguidores y alcance: *rapidez*

    Se compara el crecimiento mensualmente:

    a) Ejemplo: Si ganara esos 500 seguidores en un mes, sería un mes de crecimiento del 50%. (500 Nuevos / 1.000 Iniciados = tasa de crecimiento del 50%).

    b) Ejemplo: Si llego a esas 5000 personas adicionales en un mes, eso lo convertiría en un mes de crecimiento del 50%. (5.000 Nuevos / 10.000 Iniciados = tasa de crecimiento del 50%)

Recuerda que sólo podemos controlar las entradas. Medir los resultados sólo es útil si somos coherentes con las entradas. Por lo tanto, elige la frecuencia de publicación que quieres mantener en una plataforma concreta. A continuación, elige tu frecuencia de "petición" en esa plataforma (cómo dirigirás a las personas para que se conviertan en clientes potenciales). A continuación, empieza y... Hazlo. ¡No te detengas!

Alex Hormozi ✔
@AlexHormozi

Es sorprendente lo que puedes lograr si no te detienes una vez que comienzas.

Como referencia, publiqué un nuevo podcast dos veces a la semana durante cuatro años antes de que me incluyeran en la lista de los 100 mejores. Como hice lo mismo cada semana durante años, sabía que podía confiar en los comentarios. Al principio, no crecía mucho.

Me llevó tiempo mejorar. Y sabía que tenía que hacer más, durante mucho tiempo, para que eso sucediera.

Así que si tu audiencia pasa de diez a quince en un mes, ¡eso es progreso! Incluso con números absolutos pequeños, ¡eso es un cuarenta por ciento de crecimiento mensual! Por eso me gusta medir tanto el crecimiento absoluto como el relativo y elegir el que me haga sentir mejor (¡ja!). Como dice mi amigo el Dr. Kashey: "Cuantas más formas de medir, más formas de ganar". Sé coherente. Mide mucho. Adáptate al feedback. Sé un ganador.

Para cerrar el círculo, en su quinto año, mi podcast "*The* Game" (El juego), se convirtió en uno de los 10 mejores podcasts de negocios de los Estados Unidos y en uno de los 500 mejores del mundo. *Esto sólo fue posible después de 5 años de múltiples podcasts por semana cada semana.* Recuerda, todo el mundo empieza desde cero. Sólo tienes que darle tiempo al tiempo.

Tu primera publicación

Probablemente lleves tiempo aportando valor a otros seres humanos a sabiendas o sin saberlo. Así que en el primer post que hagas, *puedes hacer una petición*. Mi esperanza es que consigas tu primer prospecto comprometido. Si no sucede, deberás dar durante un tiempo, y luego pedir cuando te hayas ganado el derecho a hacerlo. Para que veas que no estoy inventando nada, a continuación encontrarás mi primer post sobre negocios. ¿Es ideal? No. No tenía ni idea de lo que estaba haciendo. ¿Deberías copiarlo? Probablemente no. Punto principal: no tengas miedo de lo que piensen los demás. Si alguien no hablará en tu funeral, no debería importarte su opinión mientras estés vivo. Honra a los pocos que creen en ti siendo valiente.

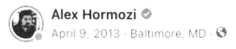

Alex Hormozi ✓
April 9, 2013 · Baltimore, MD · 🌐

Hola a todos:

Para aquellos que me conocen, saben dos cosas:

1) Soy terrible con todo lo tecnológico. Por ejemplo, apenas escuché acerca de Spotify hace unas semanas, en serio.

2) Amo el entrenamiento/nutrición y el "fitness" más que, bueno, muchísimas cosas. Entonces, hoy es un poco especial porque marca el día en el que mi amor por el entrenamiento venció mi miedo a la tecnología.

¿A qué me refiero?

Durante la mayor parte de un año, he estado participando en un proyecto gratuito de entrenamiento personal con la idea de ofrecer entrenamiento personal gratuito a cualquiera que estuviera dispuesto a donar entre $500 y $1.000 a una causa benéfica de su elección. De esta manera, no tendrían que estar motivados por lo mismo que yo, sino estar motivados para dar a su propia causa y beneficiarse a sí mismos. Cuando presenté la idea por primera vez, me sorprendió gratamente la cantidad de apoyo positivo que recibí.

Así que, casi un año después de mi primer cliente, ¡AHORA TENGO UN SITIO WEB! para mostrar formalmente algunas de las transformaciones que se han llevado a cabo utilizando mi programación y como un medio formal para que puedan ponerse en contacto conmigo e inscribirse.

ACTUALMENTE TENGO ALGUNOS ESPACIOS DISPONIBLES EN MI LISTA, ¡ASÍ QUE DÉJAME UNA NOTA RÁPIDAMENTE SI ESTÁS INTERESADO! ¡MUCHAS GRACIAS!

Tómate un segundo para ver algunas de las increíbles transformaciones en tiempo récord. ÉCHALES UN VISTAZO."

Cada vez que leo esto, pienso "tonto". Pero bueno, lo intentaba. Y por eso, estoy orgulloso.

Recapitulemos

Hemos cubierto ocho puntos:

1) La unidad de contenido - hecho

2) Contenido corto vs. Contenido largo - hecho

3) Dominar la relación Dar : Pedir - hecho

4) Cómo pedir - hecho

5) Cómo escalar - hecho

6) Lecciones de contenido - hecho

7) Puntos de referencia - hecho

8) Tu primera publicación - hecho

Ahora ya lo sabes. Que nada te detenga.

Entonces, ¿qué hago ahora?

La publicación de contenidos gratuitos es menos predecible que los alcances en caliente, pero los complementa. Por lo tanto, *continúa haciendo alcances en caliente*. Además, publicar contenido gratuito aumenta tu audiencia. Y un público más numeroso significa más personas para las captaciones en caliente. Así que el contenido gratuito genera clientes potenciales comprometidos por sí mismo y *sigue generando* clientes potenciales a través de las difusiones en caliente. En lugar de abandonar uno por el otro, te recomiendo que publiques contenido gratuito *además de* llegar a tu audiencia caliente.

Vamos a completar nuestro compromiso de acción diaria para nuestra primera plataforma.

Lista de comprobación de Publicación de Contenidos	
Quién:	Tú mismo
Qué:	Valor: Dar, dar, dar hasta que te pidan
Dónde:	Cualquier plataforma
A quién:	Personas que ya te siguen
Cuándo:	Todas las mañanas, 7 días a la semana
Por qué:	Genera confianza. Obtienes prospectos comprometidos
Cómo:	Publicaciones escritas, imágenes, videos, audios.
Cuánto:	100 minutos al día
Cuántas:	Tantas veces como la plataforma lo muestre.
Hasta cuándo:	El tiempo que sea necesario.

Próximos pasos

En primer lugar, empezamos con un contacto directo en caliente. Llegamos a todas las personas con las que tenemos permiso para contactar. En segundo lugar, publicamos los éxitos y las lecciones que hemos aprendido de nuestros primeros clientes. Publicamos testimonios. Aportamos valor. Y, de vez en cuando, pedimos. Nos comprometemos a realizar estas dos actividades todos los días.

Sólo con estos dos métodos puedes llegar a construir un negocio de seis o siete cifras. Pero es posible que desees ir más rápido. Así que pasamos de audiencias cálidas que nos conocen a audiencias frías que no nos conocen. Empezamos a *llegar a desconocidos*. Así comienza el tercer paso de nuestro viaje publicitario: el contacto en frío.

UN REGALO PARA TI: Todo lo que he aprendido publicando contenidos

Tuve que recortar mucho material para hacer este libro llevadero. Si quieres saber la manera rápida y fácil de hacer contenido que genere confianza en una audiencia - ve a Acquisition.com/training/leads. Y, si necesitabas otra razón además de "te hará ganar dinero"..., no te costará nada. Es gratis. Que lo disfrutes. Y como siempre, también puedes escanear el código QR de abajo si detestas teclear.

Un acto de generosidad

Las personas que dan sin esperar nada a cambio viven más tiempo, son más felices *y* ganan más dinero.

Así que si tenemos una oportunidad para eso durante nuestro tiempo juntos, maldita sea, voy a intentarlo.

Para ello, tengo una pregunta para ti...

<u>¿Ayudarías a alguien que nunca has conocido si no te costara nada, pero no obtuvieras crédito por ello?</u>

Te estarás preguntando, ¿quién es esa persona? Es alguien como tú. O, al menos, como eras tú. Con menos experiencia, queriendo marcar la diferencia y necesitando ayuda, pero sin saber dónde buscar.

La misión de Acquisition.com es *poner los negocios al alcance de todo el mundo*. Todo lo que hacemos se deriva de esa misión. Y la única forma de cumplirla es llegando a... bueno... *todo el mundo*.

Aquí es donde entras tú en juego. De hecho, la mayoría de la gente juzga un libro por su portada (y sus reseñas). Te lo pido en nombre de un empresario en apuros al que no conoces:

Por favor, ayúdale dejando una reseña de este libro.

Tu regalo no cuesta dinero y tardarás menos de 60 segundos en hacerlo realidad, pero puede cambiar la vida de otro empresario *para siempre*. Tu reseña podría ayudar...

...a que una pequeña empresa más provea a su comunidad.

...que un empresario más mantenga a su familia.

...que un empleado más consiga un trabajo significativo.

...a que un cliente más transforme su vida.

...un sueño más hecho realidad.

Para tener esa sensación de "gratificación" y ayudar a esa persona de verdad, todo lo que tienes que hacer es... y te llevará menos de 60 segundos... dejar una reseña.

Si estás en Audible, pulsa los tres puntos de la parte superior derecha de tu dispositivo, haz clic en " Valorar y reseñar" y escribe unas frases sobre el libro junto con una calificación con estrellas.

Si lo lees en Kindle o en un lector electrónico, desplázate hasta la parte inferior del libro, desliza el dedo hacia arriba y te pedirá que dejes una reseña.

Si por alguna razón esto ha cambiado, puedes ir a Amazon (o donde lo hayas comprado) y dejar una reseña directamente en la página del libro.

Si te sientes bien ayudando a un empresario sin rostro, eres mi tipo de persona.

Bienvenido a #mozination. Eres uno de los nuestros.

Estoy más emocionado por ayudarte a conseguir más clientes potenciales de lo que puedas imaginar. Te encantarán las tácticas que voy a compartir en los próximos capítulos. Gracias desde el fondo de mi corazón. Ahora, volvamos a nuestra programación regular.

- Tu mayor fan, Alex

PD - Dato curioso: Si proporcionas algo de valor a otra persona, te vuelves más valioso para ella. Si quieres que otro emprendedor te aprecie, y crees que este libro le ayudará, hazle saber de él.

3. Captación en frío

Cómo llegar a desconocidos para conseguir clientes potenciales comprometidos

"La cantidad tiene calidad propia" - Napoleón Bonaparte

Julio de 2020.

El COVID-19 arrasaba. En cuestión de meses, el treinta por ciento de mis clientes quebraron. Los manifestantes llenaron todas las plataformas de odio e ira. Los políticos hicieron promesas. Las pequeñas empresas sufrieron en silencio. El desempleo se disparó. Se acercaban las elecciones más tumultuosas de la historia. Y aquí estábamos, tratando de generar clientes potenciales para pagar nuestras facturas. Los empleados y sus familias dependían de ello.

Mis tres empresas de entonces (Gym Launch, Prestige Labs y ALAN) dependían de que los negocios físicos siguieran abiertos. Y... estaban cerrados. *Brillante estrategia Alex.* Para empeorar las cosas, Apple hizo una actualización de software que paralizó nuestros anuncios. El mercado era una mierda. Nuestros anuncios pagos eran una mierda. Y yo llevé toda la carga.

Analicé los peores escenarios. ¿Cuánto dinero se necesitaría para mantenernos a flote? ¿Cuánto tiempo debo seguir pagando a la gente cuando no hay un final a la vista? ¿Debo echar mano de mis cuentas *personales? ¿Renunciar a un tercio de mis ahorros? ¿La mitad? ¿Todos? ¿Qué diría eso de mí?* No tenía ni idea de qué hacer.

Ese sábado por la mañana temprano...

Traté de dormir lo suficiente hasta que mi alarma me despertara, pero fue inútil. Me dirigí a mi oficina y revisé Instagram. Tenía un nuevo mensaje esperándome:

"Hola Alex - Cale me ha dicho que ya no necesitan vendedores, así que han suspendido la oferta que me habían hecho. Dejé mi trabajo para aceptarla. Me siento muy honrado de que me hayan tenido en cuenta. Espero que me consideren la próxima vez que tengan vacantes".

En busca de contexto, me desplacé hacia arriba. Al leer nuestros mensajes anteriores sentí una punzada de culpabilidad. *Fui yo quien le dijo que se presentara. Se tomó bien el rechazo. Señal de que era un buen vendedor.* Me sentí obligado a responder.

"¿Quieres intentarlo?" Le mandé un mensaje.

"Sí", respondió. "

¿Tienes 5 minutos?"

"Sí"

Nos comunicamos por teléfono. Sonaba un poco nervioso, pero me di cuenta de que era bueno en lo suyo. *Es una mierda que no tengamos suficientes prospectos para este tipo...*

"He querido trabajar para ti desde hace un tiempo. Leí tu libro y usé los guiones para convertirme en el mejor vendedor de mi empresa", dijo.

"Eso es impresionante. Me alegro mucho de oírlo. ¿Qué tipo de empresa?" le pregunté.

"Una empresa de software para gimnasios".

No había oído hablar de ellos. "Oh interesante. ¿Cómo consiguen clientes potenciales?"

"Hacemos un 100% de contactos en frío".

"¿Llaman en frío y envían correos electrónicos en frío a los gimnasios, y luego les venden el software?"

"Sí, algo así".

"¿Qué tan grande es el equipo?"

"Tenemos unos treinta chicos."

¿¡Un equipo de 30!? "¿Cuáles son sus ingresos?, si puedes compartir eso conmigo". "Estamos haciendo alrededor de $10.000.000 al mes actualmente".

Una locura. "¿Sólo de contactos en frío?"

"Sí, tenemos algunos anuncios, pero no hemos llegado a eso todavía".

"¿Y hacen esto con una oferta de retención? ¿Ni siquiera hacen que los gimnasios ganen más dinero?"

"Sí, definitivamente no es tan fácil de vender como lo que tú haces por los gimnasios".

"¿Crees que podrías usar el mismo sistema de acercamiento en frío aquí?".

"Nunca he creado un equipo, pero apuesto a que podría hacerlo".

"Muy bien. ¿Cuál fue la oferta que Cale retiró?"

"Yo iba a ser un cerrador de ventas, pero él dijo que ustedes ya no necesitaban uno".

Pensé por un momento. "Bueno, dado nuestro actual volumen de prospectos, probablemente tenga razón. Pero, *si puedes conseguir tus propios clientes potenciales*, te habilitaré la pista para poner en marcha el alcance en frío. ¿Qué te parece?

"Llevará un tiempo ponerse en marcha. Tendré que diseñar los guiones para tu oferta".

"Sí, tiene sentido. ¿Cuánto tiempo crees?"

"Estoy seguro de que podría hacerlo viable en doce semanas".

"De acuerdo, trato hecho. Le haré saber el plan a Cale. Para ser claros, se espera que tú resuelvas todo esto. El software. Las listas. Todo. Te daré el tiempo, pero no podremos apoyarte mucho más allá de eso".

"Entendido".

Esto es lo que pasó durante los meses siguientes:

Octubre: 0 Ventas. Zero. Nada. Zilch. Nothing.

Noviembre: 2 ventas ($32.000 en ingresos) El equipo me pide que suspenda la captación en frío.

Diciembre: 4 ventas ($64.000 en ingresos) El equipo me pide que suspenda, otra vez.

Enero: 6 ventas ($96.000 en ingresos)

Febrero: 10 ventas ($160.000 en ingresos)

Marzo: 14 ventas ($224.000 en ingresos)

Abril: 20 ventas ($320.000 en ingresos)

Mayo: 30 ventas ($480.000 en ingresos)

Hoy en día: La captación en frío genera millones al mes para nuestras empresas.

Para que esto funcionara, utilizamos todos los métodos (legales) de captación en frío que conocíamos. Llamadas en frío... Correos electrónicos en frío... Mensajes directos en frío... Correos electrónicos de voz. Todo. Pero, pieza a pieza, construimos una máquina fiable de captar clientes. Quería algo que *perdurara*.

Y eso es lo que te voy a mostrar cómo construir.

De esta experiencia aprendí cinco lecciones importantes:

1) Había otra empresa en mi sector que ganaba *mucho más* dinero que la mía. Eso me hizo cambiar de opinión sobre el tamaño real del mercado.

2) Ganaban todo su dinero con publicidad *privada*. No tenía forma de saber que existían a menos que se pusieran en contacto conmigo primero. Así que operaban en secreto.

3) Construyeron una máquina de alcance en frío muy rentable en *mi* espacio. Si ellos podían hacerlo, yo también.

4) Es bueno tener expectativas adecuadas. Los veteranos de la captación en frío me dijeron que tardaría un año en crecer. Yo pensé que podríamos hacerlo en doce semanas. Me equivoqué. Tardamos casi un año. La captación en frío lleva mucho tiempo. Al menos, a mí me llevó mucho tiempo.

5) Lo habíamos intentado dos veces y fracasamos. Trabajar con una persona que lo había hecho todo antes fue inmensamente útil para poner esto en marcha. Espero ser esa persona para ti ahora.

Cómo funciona la captación en frío

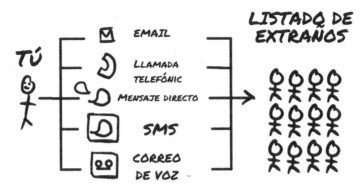

En algún momento, querrás una de estas dos cosas. O bien, querrás crecer más rápido de lo que lo haces actualmente, o querrás aumentar la previsibilidad de tu flujo de clientes potenciales...

Así es como podemos hacerlo. Nos dirigimos a gente que no nos conoce. Audiencias frías. Y, como antes, podemos contactar con ellos de forma pública o privada. En este capítulo, nos centraremos en la comunicación privada uno a uno con el alcance en frío. Para mayor contexto, el alcance en frío se asienta sobre la base del alcance en caliente. Considéralo como el primo más avanzado de la captación en caliente, que ya no está limitado por tu audiencia caliente.

Si puedes encontrar el modo de contactar con alguien de forma individual, puedes utilizarlo para la captación en frío. Llamas a 100 puertas. Realizas 100 llamadas telefónicas. Envías 100 mensajes directos. Envías 100 mensajes de voz. Todos estos son ejemplos de contactos en frío que han hecho ganar millones a las empresas. Funcionó hace 100 años. Funciona hoy. Y cuando las plataformas cambien, funcionará mañana.

La captación en frío tiene una diferencia clave con la captación en caliente: la confianza. Los desconocidos no confían en ti.

Y en comparación con la gente que nos conoce, los desconocidos presentan <u>tres</u> nuevos problemas.

1) En primer lugar, no tienes una forma determinada de ponerte en contacto con ellos. Por supuesto.

2) Segundo, aunque puedas contactar con ellos, te ignoran.

3) Tercero, aunque te presten atención, no les interesas.

Permíteme describirte cómo se ven estos problemas en el mundo real.

<u>Si estás llamando a las puertas</u>, no tienes las direcciones. Y aunque las tengas, no abren la puerta cuando llamas. Y si abren, te mandan a pasear.

<u>Si haces llamadas en frío</u>, no tienes sus números de teléfono. Aunque los tengas, no contestan. Si lo hacen, te cuelgan.

<u>Si envías correos electrónicos en frío</u>, no tienes sus direcciones. Aunque las tengas, no los abren. Y si lo hacen, no responden.

<u>Si envías mensajes directos</u>, no tienes dónde enviarlos. Aunque lo hagas, no los leen. Aunque lo lean, no responden.

<u>Si envías notas de voz o mensajes de texto</u>, no tienes sus números. Aunque los tengas, no los leen ni los escuchan. Incluso si lo leen o escuchan, no responden.

Ahora que ya nos hemos quitado eso de encima, el orden para resolver estos problemas es el siguiente:

1) Conseguir una forma de contactar con ellos

2) Averiguar qué decirles

3) Ponerse en contacto con ellos hasta que estén preparados y puedan escuchar.

El resultado. Encontramos muchas formas de contactar con los desconocidos más calificados. Llegamos a muchos de ellos de muchas maneras y muchas veces. Luego, les abrumamos con valor por adelantado para que muestren suficiente interés como para seguir adelante.

Nota del autor: Llevará unos pasos más de lo normal

Como regla general, yo vendo cosas caras. Vendo mejor los productos caros cuando lo hago en varios pasos (en lugar de en el primer contacto). Así que mi prioridad es conseguir que el prospecto muestre interés por el producto que vendo. Cuando muestran interés, programo un momento para venderles. Si mi imán de clientes potenciales requiere un segundo intercambio para entregarlo, lo hago entonces. Si mi imán de clientes potenciales proporciona valor por sí mismo, entonces la siguiente llamada es para hablar sobre el valor que recibieron. Cualquiera de las dos formas funciona.

La captación en frío es un juego de números. Cuantas más personas contactes, más clientes potenciales captarás. Una vez que hemos calculado cuánta captación se necesita para atraer a un cliente potencial, sólo nos queda una cosa por hacer... *más*. ¡A la caza!

Como hay tres nuevos problemas que los desconocidos introducen, he dividido este capítulo en tres pasos. Un paso por problema. En primer lugar, obtenemos una lista de clientes potenciales. Luego, tenemos que saber qué decir para que respondan. En tercer lugar, compensamos una menor tasa de respuesta aumentando el volumen y el tipo de intentos de contacto.

Problema Nº 1: "¿Pero cómo me pongo en contacto con ellos?". →Elabora una lista

Hasta ahora, gracias a la difusión de contenido gratuito y a las campañas de captación de clientes potenciales, has tenido que aceptar los clientes potenciales que te llegaban de tu audiencia caliente. Se acabó. Con el alcance en frío, a diferencia de cualquier otra forma de publicidad, podemos ser tan específicos como queramos. ¿Sólo quieres hablar con gestores de fondos de cobertura que gestionen más de 1.000 millones de dólares? Hecho. Puedes hacerlo. ¿Sólo quieres hablar con propietarios de tiendas minoristas de ropa de golf que vendan más de 3 millones de dólares? Hecho. ¿Sólo quieres hablar con influencers que reciben más de 50.000 visitas al mes? Hecho. Ahora *nosotros* podemos elegir a nuestros objetivos en lugar de que ellos nos elijan a nosotros.

Ahora, probablemente no tengas forma de llegar a 1.000 extraños perfectos para tu nicho. Y si vamos a hacer que nos compren, primero tenemos que encontrar una manera de contactarlos, *obviamente*. Así que resolvamos ese problema primero.

Tengo tres maneras diferentes de obtener mis listas de clientes potenciales. En primer lugar, utilizo un programa informático para obtener una lista de nombres. En segundo lugar, pago a intermediarios para que me confeccionen una lista de clientes potenciales. Y si ninguna de las dos cosas funciona, yo mismo elaboro manualmente una lista de nombres. Este es el proceso.

- o <u>Paso Nº 1. Programas informáticos:</u> me suscribo a tantos softwares como puedo que recogen prospectos de diferentes fuentes. Los busco en función de mis criterios. El software me proporciona nombres, cargos, información de contacto, etc. Pruebo con una muestra representativa, unos cientos de cada programa que utilizo. Entonces, si la información de contacto está actualizada, los clientes potenciales responden y son el tipo de persona que el programa dice que son, ¡bingo! Entonces consigo tantos contactos como el programa me da. Pero si no consigo encontrar al público adecuado, avanzo al segundo paso.

- o <u>Paso Nº 2.</u> Corredores: acudo a varios corredores de listas y les pido que me hagan una lista basada en mis criterios de audiencia. A continuación, me envían una muestra. Pruebo las listas de muestra de cada uno de los corredores. Si obtengo buenos resultados con uno o varios de ellos, me quedo con sus listas. Y si sigo sin encontrar a quien busco, avanzo hacia el tercer paso.

- o <u>Paso Nº 3.</u> Meter la mano en la masa: me uno a grupos y comunidades que creo que tienen mi público. Cuando encuentro personas que cumplen mis requisitos, compruebo si hay formas de contactar con ellas en el directorio del grupo, como enlaces a sus perfiles en redes sociales, etc. Si las hay, las añado a mi lista de contactos. Si no, puedo ponerme en contacto con ellos en la plataforma que aloja el grupo. Prefiero encontrar la información de contacto fuera del grupo para no parecer alguien que sólo intenta sacar provecho del grupo, *pero lo hago si es necesario.*

Así que voy de los contactos más accesibles a los menos accesibles. Aquí hay un punto importante. Si puedes buscar en la base de datos, todos los demás también pueden. Pero si tú mismo elaboras una lista de nombres, es menos probable que esa persona ya haya recibido muchas llamadas de otras empresas. Por lo tanto, son los más frescos. El inconveniente: es que lleva más tiempo. Por supuesto, puedes pagar a alguien para que lo haga por ti una vez que lo hayas resuelto por ti mismo, pero en este capítulo sólo estamos hablando de empezar. Hablaremos de la escalabilidad en la Parte IV.

Paso a seguir: Encuentra tu herramienta de rastreo buscando en la web "herramientas de captación de clientes potenciales" o "bases de datos de captación de prospectos". Busca corredores de la misma manera. Con unos pocos clics, encontrarás lo que buscas. Reúne tus primeros 1.000 nombres. Si tienes más tiempo que dinero, puedes empezar por el tercer paso, ya que sólo cuesta tiempo.

122

3. CAPTACIÓN EN FRÍO

> **Consejo profesional: Los grupos de interés son la audiencia fría más cálida que puedes conseguir**
>
> Los grupos de interés contienen los clientes potenciales de mayor calidad porque son grupos concentrados de personas que buscan una solución. Bríndales una. Hoy en día, existen softwares que pueden extraer información de estos grupos. Utilízalos. Son uno de mis lugares favoritos para pescar.

Problema Nº 2: "Tengo mi lista, pero ¿qué les digo?" → Personaliza, luego brinda un gran valor rápidamente

Ahora que tienes tu lista de clientes potenciales, tienes que averiguar qué decirles. Hablé mucho sobre la creación de guiones en la sección de contactos en caliente, y esta sección se basa en ella. Al final de este capítulo, también incluyo tres guiones de muestra que puedes tomar como modelo para llamadas en frío, correos electrónicos en frío y mensajes de chat en frío. Dicho esto, hay dos factores importantes que enfatizo para conseguir que los desconocidos se comprometan: la *personalización* y entregar un *gran valor rápidamente*. Esto es importante porque no nos conocen y no confían en nosotros. Tenemos que superar ambos problemas en cuestión de segundos.

a) No nos conocen → Personaliza (actuar como si los conociéramos).

Para conseguir que más clientes potenciales se comprometan, queremos que el mensaje *parezca* que viene de alguien a quien conocen. La mejor manera de conseguirlo es saber algo sobre la persona con la que nos ponemos en contacto. En esencia, queremos que nuestro contacto *frío* parezca un contacto *cálido*.

…Imagina que suena el teléfono de un número y un prefijo desconocidos. ¿Atenderías la llamada? Probablemente no. ¿Y si el número pertenece a tu prefijo? Es un poco más probable. ¿Por qué? Porque *podría ser alguien que conoces*. Para llevar este concepto más lejos, imagina que contestas el teléfono…

…La persona dice "<¿Tu nombre?>" y luego hace una pausa (como una persona normal). Tú dirías: "sí… ¿quién es?". Ahora bien, si esa persona entonces continúa diciendo: "Soy Alex…*luego hace una pausa…*He visto algunos de tus videos y he leído esa reciente entrada de blog que escribiste sobre adiestramiento canino. Estuvo genial. Realmente me ayudó con mi dóberman. Es una bestia. El truco de la mantequilla de cacahuete me ayudó mucho. Gracias por eso".

Todavía te estarías preguntando qué está pasando. ¿Pero sabes lo que no estarías haciendo?... *colgar.* Entonces escuchas: "Oh sí, lo siento, me he adelantado. Trabajo para una empresa que ayuda a los adiestradores de perros a llenar sus agendas. Nos gusta asociarnos con los mejores de la zona. Así que siempre estoy pendiente. Trabajamos con una empresa que está a una hora al norte de la tuya... John's Doggy Daycare... ¿has oído hablar de ella?"

Tú responderías que sí o que no (da igual), y ellos dirían: "Sí, acabamos consiguiéndoles 100 citas en 30 días utilizando una combinación de correo electrónico de texto y algunos anuncios". ¿Ofreces servicios similares a los suyos?". A lo que probablemente responderías que sí. Y ellos dirían: "Perfecto. Entonces podríamos usar esa misma campaña en tu mercado y captar clientes potenciales para ti". Si consiguieras un montón de nuevos clientes para el adiestramiento de perros, no te enfadarías conmigo, ¿verdad?". Te reirías ligeramente. "Vale, genial. Bueno... te diré algo... puedo guiarte a través de todo el asunto más tarde hoy. ¿Estarás por aquí a las 4?" Y tú dirías: "Claro", o lo que fuera. La cuestión es que si esa persona hubiera empezado la llamada con un "oye tío, ¿quieres comprar servicios de marketing?", probablemente habrías colgado.

La personalización es lo que te pone el pie en la puerta para conseguir la venta. Básicamente, podemos encontrar entre uno y tres datos que un amigo podría saber sobre el cliente potencial. A continuación, querremos elogiarlos por eso e, idealmente, mostrarles cómo nos ha beneficiado a nosotros. A las personas les gustan las personas que gustan de ellas. Aunque alguien no te conozca, te dedicará más tiempo si sabes algo de él.

Esto resulta muy útil en los asuntos personales de los correos electrónicos, en los primeros mensajes del chat o en las primeras frases que alguien escucha. Incluso si alguien no te conoce, apreciará el tiempo que has dedicado a investigar sobre él antes de ponerte en contacto con él. Este pequeño esfuerzo llega muy lejos.

Paso a seguir: Investiga un poco a cada cliente potencial antes de enviarle un mensaje. Podemos hacerlo nosotros mismos, pagar a alguien para que lo haga por nosotros o utilizar un software. Haz este trabajo por lotes. Después, utiliza tus notas para determinar qué es lo primero con lo que vas a abrir la conversación para que les *resulte más familiar y se sientan más cómodos.*

Consejo profesional: Aumento del 50% de la tasa de respuesta por correo electrónico

Tomé nuestra plantilla de contacto en frío y la reescribí a un nivel de lectura inferior al de tercer grado. Los resultados: *Respondieron un 50% más de clientes potenciales*. Recomiendo pasar todos los guiones y mensajes por una aplicación gratuita en línea que evalúe el nivel de lectura. No te voy a recomendar ninguna porque no paran de cerrar, pero te prometo que podrás encontrar una. Haz que tus mensajes sean más fáciles de entender y más gente responderá.

b) No confían en nosotros → Proporciona un gran valor rápidamente.

La diferencia clave entre la gente que te conoce y los desconocidos es... que los desconocidos te dan mucho menos tiempo para demostrar tu valía. Y, necesitan mucho más incentivo para acercarse a ti. Así que hazte la vida más fácil "tirando la casa por la ventana". No se trata de despertar su interés, sino de <u>hacerles volar su mente en menos de treinta segundos.</u>

Al igual que los contactos calientes, puedes presentar directamente tu oferta, o tu imán de prospectos, o ambos.

Da a la persona una razón de peso para responder.

Específicamente destaco que debe ser un "gran valor rápido" en lugar de "tu imán de clientes potenciales" como recordatorio de que tiene que ser un GRAN VALOR RÁPIDO. Si no lo es, o es mediocre, te mezclarás con el océano de gente que intenta captar su atención. Y te tratarán igual: te ignorarán. Esto es lo que importa:

Los primeros cuatro meses de contacto en frío fueron una tortura. Ofrecimos una sesión de planificación de juegos como imán de clientes potenciales. Algunos gimnasios lo aceptaron, pero la mayoría no. Necesitábamos algo mejor. Probé muchas partes de nuestro proceso, pero el cambio del imán principal hizo que todo lo demás saliera volando. Pasamos de la "planificación del juego", (código para "llamada de ventas") a darles todo el servicio gratuito posible. Nuestros índices de captación se triplicaron y la captación en frío se convirtió en un canal monstruoso para nosotros.

Si tu imán de ofertas no te funciona, sube la apuesta. Sigue ofreciendo más hasta que lo hagas tan bueno que *se sientan estúpidos si dicen que no*. O te compran, o tienen cosas buenas que decir de ti. Todos salen ganando.

Si te olvidas de todo lo dicho en este capítulo, recuerda una sola cosa: <u>*el objetivo es demostrar un gran valor lo más rápido posible*</u>. Date una batalla cuesta abajo regalando algo loco. Regala algo por lo que la gente realmente pagaría y lo querrán. Nota: no he dicho "tan bueno que deberían pagar por él", he dicho "algo por lo que realmente pagarían". Gran diferencia. Tómate esto a pecho y tus resultados lo demostrarán.

Paso a seguir: Proporciona el mayor valor lo más rápido que puedas con tu imán de prospectos o tu oferta. A continuación, escribe tus guiones. Y no te preocupes, estoy aquí para ayudarte. Para darte una ventaja, te proporcionaré ejemplos de guiones de teléfono, correo electrónico y mensaje directo al final del capítulo. Nota: los guiones de teléfono y chat nunca deben tener más de una o dos páginas, y los correos electrónicos en frío rara vez más de media página. Así que no lo pienses demasiado. No hay premios para el guion más bonito. Realiza tus primeras 100 conversaciones o 10.000 correos electrónicos antes de ajustarlos. Haz pruebas. Después, modifícalo a medida que vayas aprendiendo.

Problema Nº 3: "No tengo suficientes oportunidades para hablar a la gente de mi increíble producto, ¿qué hago?" → Volumen

Una vez que tenemos nuestra lista de nombres, información personal, y nuestro atractivo imán de prospectos, tenemos que conseguir que más desconocidos lo vean. Esto lo hacemos de tres maneras. En primer lugar, automatizamos la entrega en la mayor medida posible. A continuación, automatizamos la distribución en la mayor medida posible. Por último, hacemos el seguimiento más veces y de más formas.

a) Entrega automatizada. En la medida de lo posible, la automatización de la entrega abre enormes posibilidades, ya que no es necesario que alguien comunique literalmente el mensaje al cliente potencial. Esto significa que se consiguen más clientes potenciales comprometidos por unidad de tiempo (aunque el porcentaje global de compromiso sea menor). Recuerda que hay mucha más gente que no te conoce que gente que sí. Así que no tienes que preocuparte *tanto* por "agotar tu audiencia". Esta es la diferencia entre la difusión manual y la automatizada.

Ejemplos manuales: una persona en vivo puede transmitir un guion a alguien por teléfono. Puede enviar una nota de voz personal a cada cliente potencial. Puede escribir una carta manuscrita a cada persona de la lista. Si una persona tarda tiempo en transmitir el mensaje cada vez que lo hace, es manual.

Ejemplos automatizados: Podemos enviar una nota de voz pregrabada a los mensajes directos de alguien. Podemos enviar una nota de voz pregrabada al buzón de voz de alguien. Podemos enviar correos electrónicos pregrabados a una bandeja de entrada o un texto pregrabado al teléfono de alguien. Podemos enviar un video pregrabado. etc. Grabas tu mensaje una vez y luego envías el mismo mensaje a todo el mundo.

Consejo profesional: utiliza tecnología que te proporcione clientes potenciales más comprometidos por tu tiempo

Cada día, la inteligencia artificial, las falsificaciones profundas y otras tecnologías avanzan. Cada vez son más difíciles de distinguir de la comunicación humana. Esto significa que podremos automatizar elementos a los que actualmente nos vemos obligados a dedicar tiempo. Adopta la tecnología a medida que vaya avanzando para cosechar sus frutos. En última instancia, la tecnología sirve a un único propósito: obtener más rendimiento por unidad de tiempo. Úsala.

MANUAL AUTOMATIZADO

 VS.

b) <u>Automatizar la distribución.</u> Una vez que tenemos nuestros mensajes preparados, hay que distribuirlos. Y no hay premio para quien trabaje más, sino para quien obtiene mejores resultados. Aunque una cosa lleva a la otra. Y a medida que desarrolles tus habilidades, encontrarás formas de automatizar partes del trabajo. Anímate a automatizar cuando sea ético y esté disponible.

<u>Ejemplos manuales:</u> Marcar cada número de teléfono. Hacer clic en enviar en cada correo electrónico, mensaje directo, texto, etc.

<u>Ejemplos automatizados:</u> Utilizar un robot para marcar varios números a la vez. Enviar una ráfaga de 1.000 correos electrónicos, mensajes de texto, mensajes de voz a la vez, etc.

En general, se sacrifica la personalización por la escala. Los mensajes personalizados tienen un mayor índice de respuesta. *Cuantos menos clientes potenciales tengas, menos automatización deberías utilizar.*

Por ejemplo, si sólo hay 1.000 gestores de fondos de cobertura que cumplan tus criterios, vas a querer personalizar a cada uno de ellos. Por otro lado, si te diriges a mujeres de 25 a 45 años que quieren perder peso, hay decenas de millones de ellas. Así que puedes personalizar menos. Pero... si personalizas... conseguirás aún más (guiño).

Consejo profesional: Tecnología de personalización

La combinación perfecta para conseguir el máximo número de clientes potenciales es la máxima personalización con el máximo volumen. Y con la tecnología, no siempre se sacrifica la personalización por la escala. Cada día, los datos son más accesibles para encontrar datos personales. Si puedes configurar la tecnología para lograr ambas cosas (personalización y volumen), crearás una combinación letal y eficaz para conseguir clientes potenciales.

Paso a seguir: Adopta las nuevas tecnologías. Dedica entre un diez y un veinte por ciento de tu inversión a nuevas tecnologías no probadas. Por ejemplo, si realizas llamadas telefónicas cinco días a la semana, prueba un nuevo marcador o tecnología uno de los días y comprueba cómo funciona en comparación con tu marcador estándar.

c) <u>Seguimiento. Más veces. Más formas.</u> Hay dos formas adicionales de obtener más rendimiento de tu lista de nombres.

Primero, intenta ponerte en contacto con ellos más de una vez. Sorprendente, ¿verdad? Pero ¿quieres saber algo loco? la mayoría de la gente no lo hace. Aquí tienes otra forma de verlo. Imagina que necesitas ponerte en contacto con tus padres porque ha surgido algo importante. ¿Qué harías? Probablemente les llamarías, les enviarías un mensaje de texto, les dejarías un mensaje de voz, etc. Y si siguen sin responderte, ¿qué harías? Les volverías a llamar y a enviar mensajes de texto (probablemente poco después). Lo mismo ocurre con los clientes potenciales. Corren el riesgo de vivir sin tu solución. Conviértete en su héroe. ¡Sálvalos!

Cuantas más formas intentes de contactar con alguien, más probabilidades tendrás de dar con él. La gente responde a métodos diferentes. Por ejemplo, yo nunca respondo a las llamadas telefónicas. Pero respondo mucho más a los mensajes directos.

Ponerte en contacto con alguien varias veces y de varias formas le demuestra que te lo tomas en serio. Y hacerlo rápidamente les transmite que tienes algo importante que discutir. La curiosidad aumenta porque temen perderse de algo.

Personalmente, me gusta enviar primero un correo electrónico. ¿Sabes por qué? Porque la mayoría de la gente no responde. Si alguien no responde a uno de tus métodos de contacto, úsalo como motivo para seguir con otro método. *"Oye, te estoy llamando para hacer un seguimiento de mi correo electrónico".* O conseguimos una respuesta o una razón real para volver a contactarlos. Ganamos de cualquier manera.

129

Y una vez que consigas concertar una cita, espera más de una conversación. Recuerda que estamos contactando con completos desconocidos. La difusión requiere más puntos de contacto con personas que no te conocen. Así que espera de dos a tres conversaciones antes de una venta de mayor valor. Aspira a menos, pero espera más cuando empieces.

Conclusión: Actúa como si *realmente* estuvieras tratando de ponerte en contacto con estas personas, en lugar de seguir el procedimiento, y probablemente lo consigas.

Paso a seguir: Ponte en contacto con cada cliente potencial varias veces y de distintas formas.

Consejo profesional: No seas necio

Si alguien te pide que no lo contactes, no vuelvas a hacerlo. No porque no exista la posibilidad de que funcione. Sino porque por el mismo esfuerzo, podrías contactar con alguien que no esté ya mentalizado negativamente. Es más eficiente convertir neutrales en SÍ que a los NO en SÍ. Además, no querrás tener mala reputación. Ese tipo de cosas te siguen. Esfuérzate porque tienes un auténtico deseo de resolver sus problemas, pero sé respetuoso.

En segundo lugar, una vez que hayas terminado de contactar con tu lista, vuelve a empezar por el principio. Esto realmente funciona por tres razones.

Primero, porque es posible que no hayan visto tu primera serie de mensajes. Sólo un tonto pensaría que el cien por ciento de la gente ve lo que envías el cien por ciento de las veces. Así que compensamos esa discrepancia con el seguimiento.

Segundo, aunque lo vean, puede que no haya sido un buen momento para responder. La agenda de la gente cambia todos los días. Y hay veces en que no pueden responderte aunque quisieran. Por eso, cuantas más oportunidades les des de responder, más probabilidades tendrás de que lo hagan.

Tercero, sus circunstancias pueden haber cambiado. Puede que entonces no te necesitaran, pero que ahora te necesiten desesperadamente. Imagina a una persona a la que envías un mensaje para que pierda peso antes de las vacaciones. En ese momento, le quedan bien sus jeans "ajustados", por lo que no siente dolor. Probablemente no respondería. Pero después de engordar cinco kilos durante las vacaciones, puede que de repente necesite desesperadamente lo que le ofreces. Y ahora, responden a tu intento de llegar a ellos. Lo único que ha cambiado son sus circunstancias. Vuelve a intentarlo dentro de tres o seis meses y consigue un grupo completamente nuevo de clientes potenciales comprometidos *de la misma lista.*

Puede que todo sea correcto excepto el momento. Así que cuantas más veces nos pongamos en contacto con ellos, más probabilidades tendremos de captarlos en el momento en que estén listos para comprometerse.

Paso a seguir: una vez que hayas intentado ponerte en contacto con ellos varias veces y de varias formas, espera de tres a seis meses. Después, vuelve a hacerlo.

Consejo profesional: si eres nuevo en un equipo de captación, sigue al mejor del equipo.

Luego, duplica sus esfuerzos. Si hace 200 llamadas, haz 400. Si eso significa que trabajarás más... claramente. Apestarás antes de ser bueno. Puedes compensar tu falta de habilidad con volumen. El volumen anula la suerte. Y cuando hagas el doble, serás bueno en la mitad de tiempo. Una vez que superes sus números, entonces podrás animarte y probar cosas nuevas. Replica antes de innovar.

Tres problemas que los desconocidos generan→Resueltos

Estructuré el libro en este orden para que cada sección se construya sobre la anterior. Empieza con alcance en caliente. Consigue algunas respuestas. Publica algo de contenido para hacer crecer tu audiencia cálida. Obtén aún más respuestas. Entonces, estarás listo para los alcances fríos.

Y ahora, hemos resuelto los tres problemas principales que generan las audiencias frías: encontrar la lista adecuada de personas, conseguir que te presten atención y lograr que se comprometan. ¡Victoria!

Nota del autor: Para personas con productos de bajo costo

Experimenté dificultades para hacer que la captación en frío sea rentable cuando vendía para mi negocio de venta directa al consumidor. Los equipos de alcance en frío son caros, y el promedio de precios de venta no era lo suficientemente alto. Pero aprendí que podía hacer de un producto de bajo costo→un producto de alto costo, si vendía en grandes cantidades. Así que pasé de usar la captación en frío para conseguir clientes, a usar la captación en frío para conseguir afiliados que consiguieran clientes para mí. Eso funcionaba de dos maneras. O bien vendía a los afiliados muchos productos al por mayor por adelantado, y luego ellos vendían mis productos a sus clientes. O bien, yo usaría el alcance frío para reclutarlos, luego conseguir que vendan mis productos a sus clientes, y recibir una comisión después de la venta. Una venta de afiliados puede valer miles de clientes. Ambas formas transformaron mi venta de "bajo costo" en una venta de "alto costo" vendiendo muchos productos a la vez. Así que los números cuadran. Si tienes problemas para utilizar la captación en frío en tu negocio de venta directa al consumidor, considera la posibilidad de ir en busca de afiliados. Más adelante hablaremos de ello en el capítulo dedicado a los afiliados.

Puntos de referencia: ¿cómo lo estoy haciendo?

Las dos veces que fracasé en la captación en frío contraté a personas que nunca hicieron un buen seguimiento de las métricas. La tercera persona sí lo hizo. Y las captaciones en frío tuvieron éxito. La persona que lo dirige (tal vez tú) tiene que conocer las métricas del proceso de ventas como la palma de su mano. Todas y cada una de las estadísticas.

Vamos a desglosar las cifras con un par de ejemplos de plataformas. No puedo dar un ejemplo para cada plataforma porque llevaría demasiado tiempo. Espero que puedas generalizar el concepto a cualquier plataforma que utilices.

Ejemplo de llamadas telefónicas

Supongamos que hago 100 llamadas en frío al día. Y digamos que obtengo una tasa de captación del veinte por ciento. A partir de ahí, soy capaz de conseguir un veinticinco por ciento de personas que quieren recibir mi imán de prospectos. Eso significa que tengo cuatro clientes potenciales comprometidos. Si me tomó cuatro horas para hacer esas llamadas, significa que tengo un cliente potencial por hora. Puedo hacer esto al principio. Una vez que la cantidad de clientes potenciales comprometidos que se convierten en clientes me da más de lo que cuesta pagar a un representante de captación en frío, enseño a otra persona a hacerlo por mí (más información sobre esto en la Parte IV). Así que sabrás que lo estás haciendo bien cuando ganes al menos *tres veces* el beneficio de por vida de un cliente en comparación con lo que te cuesta conseguirlo.

Ejemplo de correos electrónicos

Supongamos que envías 100 correos electrónicos personalizados al día. De ellos, un treinta por ciento abre el correo. De ahí, un 10% responde mostrando interés. Eso significa que tendríamos tres clientes potenciales comprometidos (30% x 10% = 3%). Las cifras pueden variar, pero intenta que el 3% de tu lista se convierta en clientes potenciales comprometidos. Aquí tienes un ejemplo de una nueva campaña para una empresa de servicios de alto valor muy específico de nuestra cartera. Muestra una tasa de captación de clientes potenciales del 4%. Y presumiblemente, un tercio de ellos se convierten en ventas. Eso nos daría un nuevo cliente por cada cien intentos de contacto.

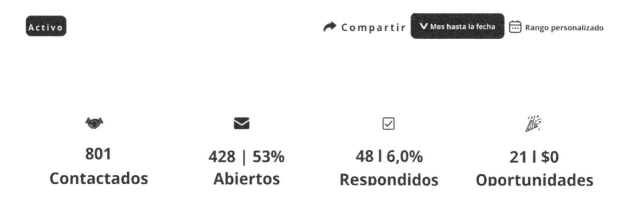

| Activo | | Compartir | V Mes hasta la fecha | Rango personalizado |

| 801 Contactados | 428 \| 53% Abiertos | 48 \| 6,0% Respondidos | 21 \| $0 Oportunidades |

Ejemplo de mensajes directos

Supongamos que hago un video personal o grabo una nota de voz personal para cien personas. Digo su nombre y añado una línea personal antes de transmitir mi mensaje estándar. A partir de ahí, el veinte por ciento de las personas responden. Ahora tenemos veinte clientes potenciales comprometidos. A partir de ahí, utilizamos el mismo formato A-C-A de la sección de captación en caliente para calificarlos para una llamada y así sucesivamente. Como en el ejemplo del teléfono, sabremos que lo estamos haciendo bien cuando el costo de la captación en frío sea menos de tres veces el beneficio que obtenemos de un cliente. Nota: se puede hacer MUCHO mejor que tres veces, eso es lo mínimo. Para contextualizar, la empresa de la cartera anterior obtiene un rendimiento de más de 30:1 de sus campañas de captación.

Costos

Este método requiere mucha mano de obra. Casi todos los costos son en forma de mano de obra. Para calcular el retorno de la publicidad, sumamos todos los costos de mano de obra y software asociados con los pasos uno a tres de la anteúltima sección.

Imaginemos que tenemos un equipo que hace llamadas en frío:

- Les pagamos $15 por hora y $50 por cita concertada.

- Tenemos $3600 en ganancias por venta.

- Los clientes potenciales nos cuestan 10 centavos.

- Llaman a 200 clientes potenciales al día.

- Lo más probable es que un representante consiga dos citas al día.

- Si trabajaran ocho horas al día, pagaríamos 120 dólares en mano de obra y 100 dólares en comisiones por cita por cada representante y 20 dólares por los clientes potenciales.

- Esto significa que pagaríamos 240 dólares por dos citas concertadas o 120 dólares por cita.

- Si cerramos el 33% de las presentaciones en las citas, nuestro costo para conseguir un cliente (excluyendo las comisiones) sería de 360 dólares.

- Como obtenemos $3600 de ganancia por cliente nuevo, obtendríamos un rendimiento de 10:1.

Así es como funciona la captación en frío. Luego, sólo hay que añadir personal. Es aburrido y tedioso, pero brutalmente efectivo.

Consejo profesional: Asigna a cada representante un número explícito de clientes potenciales para trabajar cada semana.

Deben cuidar de estos clientes potenciales como si fueran sus hijos. Si le das a un representante demasiados, los desperdiciará. Si alguien puede trabajar cien clientes potenciales a pleno rendimiento, yo le daré unos setenta. De ese modo, tendrán tiempo y energía para exprimir todo lo que puedan de los clientes potenciales que tienen. Y como todos los representantes reciben la misma cantidad de clientes potenciales cada semana, puedes establecer cuotas absolutas para las transacciones. Por ejemplo: Te doy setenta clientes potenciales. Tú me devuelves siete citas. Te pago. Ningún cliente potencial será abandonado.

Esto suena difícil, ¿por qué molestarme?

La mayoría de la gente subestima drásticamente la cantidad de volumen que se necesita para utilizar la difusión en frío. También subestiman el tiempo que lleva. Pero hay siete enormes beneficios en el uso de la captación en frío:

1) <u>No es necesario crear muchos contenidos ni anuncios.</u> Te centras únicamente en un mensaje perfectamente elaborado que transmites a todos tus clientes potenciales. Tu único objetivo será mejorar ese mensaje cada día. No hay "fatiga publicitaria" ni "ceguera de banners", ya que tus clientes potenciales nunca han visto nada tuyo. Por lo tanto, no hace falta ser un genio del marketing para que esto funcione.

2) <u>Tu competencia no sabrá lo que estás haciendo.</u> Todo es privado. Sólo por este hecho, puedes seguir operando en secreto. No estás instruyendo a tus competidores sobre cómo adquieres tus clientes. Ellos no saben lo que estás haciendo, o incluso, que existes.

3) <u>Es increíblemente confiable.</u> Todo lo que tienes que hacer para conseguir más es hacer más. Una cierta cantidad de contactos crea un cierto número de respuestas. Se convierte en un mecanismo de relojería, que trae un flujo fiable de nuevos clientes potenciales comprometidos a tu mundo. Puedes aplicar ingeniería inversa al número de ventas que quieres realizar con respecto al número de contactos en la parte superior de tu ruta de contactos. Al final tendrás una ecuación: por cada X personas contactadas, obtendrás Y clientes. Entonces, basta con resolver X.

Por ejemplo: digamos que por cada 100 correos electrónicos consigo un cliente. Si quiero 100 clientes, tengo que enviar 10.000 correos electrónicos. Es decir, 333 al día. Una persona puede enviar 111 correos electrónicos al día. Por lo tanto, necesito tres personas enviando emails cada día para conseguir 100 clientes al mes.

4) <u>Menos cambios de plataforma.</u> La comunicación privada rara vez está sujeta a cambios de plataforma. Las plataformas públicas cambian reglas y algoritmos todos los días. Tienes que estar al tanto de los cambios de reglas para seguir siendo efectivo. En cambio, las normas sobre llamadas en frío, llamadas a la puerta y correo electrónico en frío apenas han cambiado en treinta años.

5) <u>El cumplimiento es menos doloroso.</u> Muchas plataformas tienen normas estrictas sobre las afirmaciones que se pueden hacer sobre los productos que se venden. Algunas también prohíben determinados sectores (tabaco, armas, cannabis, pérdida de peso, etc.). Con la divulgación en frío, no tienes que enfrentarte a nada de esto. Sigues teniendo que cumplir con la Comisión Federal de Comercio, pero no tienes que preocuparte por las normas de las plataformas. Esto facilita las cosas. Si tienes un teléfono, puedes ganar dinero. Si tienes una cuenta de correo electrónico, puedes conseguir clientes potenciales. Esto te hace muy difícil de parar.

6) <u>Sin portavoz = Negocio vendible.</u> Si un inversor puede comprártelo sin preocuparse de que tu negocio deje de conseguir clientes si tú te vas..., tu negocio es mucho más valioso. Teniendo un equipo de proyección establecido es como pudimos vender Gym Launch. El negocio pudo crecer sin que yo bailara delante de la cámara o dependiera de que fuera súper ridículamente guapo (¡ja!). No creo que hubieran querido comprarnos sin eso, o al menos, no por tanto dinero.

7) <u>Difícil de copiar.</u> Incluso si alguien quiere copiar todo tu sistema de captación en frío, tendrá que aprender cómo realizar cada paso. Y muchos pasos son invisibles. Ellos no saben cómo rastreas tus listas. No saben cómo personalizas tus mensajes. No saben qué programas utilizas para distribuir los mensajes, etc. Además, todavía tienen que aprender a contratar, formar y dirigir un equipo de personas que puedan realizar cada paso. Una vez que se tiene una ventaja, ésta aumenta con el tiempo. Resultará muy difícil alcanzarte.

Nota del Autor: Volumen de ruptura de creencias - Escalando a 60.000 emails al mes

Para romper tus creencias sobre lo que es posible, he aquí un ejemplo. Para superar el 1.000.000 de dólares al mes, automatizamos todo el proceso de recopilación, elaboración y envío de correos electrónicos para una de nuestras empresas de cartera. Un asistente virtual envía 2.000 correos electrónicos al día utilizando varios programas informáticos. Esto genera a la empresa 40 clientes potenciales comprometidos al día. Ten en cuenta que la tasa de respuesta disminuyó porque eliminamos mucha personalización. A partir de ahí, son capaces de obtener el 10 por ciento de los clientes potenciales comprometidos vendidos. Es decir, consiguen cuatro nuevos clientes al día. Esto les permitió superar la barrera de los 100 clientes al mes. Datos curiosos: Empezaron con nosotros con 250.000 dólares al mes (nuestro requisito mínimo de inversión en aquel momento). La empresa gana 20.000 dólares por cliente. Con cuatro clientes nuevos al día, saca la cuenta de lo grandes que son ahora :)

Tu turno

Si recuerdas nuestra lista de comprobación de publicidad, este es el comienzo de tu viaje para conseguir más clientes potenciales comprometidos con la captación en frío. Empiezas esto cuando te quedas sin gente a la que hacer publicidad, o, porque simplemente quieres más. Aquí tienes un ejemplo.

Lista de comprobación de Contactos en frío	
Quién:	Tú mismo
Qué:	Gancho + Imán de prospectos/Oferta principal
Dónde:	Cualquier plataforma privada de comunicación
A quién:	Listados: recopilados, comprados o software utilizado
Cuándo:	Todos los días, 7 días a la semana
Por qué:	Obtener prospectos comprometidos para lograr venderles
Cómo:	Llamadas en vivo, envío de mensajes de voz, envío masivo de correos electrónicos, envío masivo de mensajes de texto, mensajes directos de texto, mensajes de video, mensajes de voz, envío directo por correo, tarjetas escritas a mano, etc.
Cuánto:	100 al día
Cuántas:	Día 1 .- 2x, Día 2 - 2x, Día 7 - 1x
Hasta cuándo:	El tiempo que sea necesario.

Consejo profesional: Contar de 100 en 100

Este es un juego de volumen. Necesitarás hacer mucho volumen, de manera eficiente, para obtener los resultados que deseas. No te pongas un objetivo diario por debajo de 100. Y no pares durante 100 días como mínimo. Si estableces 100 contactos durante 100 días seguidos, te prometo que empezarás a conseguir nuevos prospectos comprometidos.

Próximo paso

Ahora que has establecido tu compromiso con este método de captación en frío, pasamos a lo último que puede hacer una persona para publicitarse: publicar anuncios pagos.

UN REGALO PARA TI: Ejemplos de guiones de captación en frío

He tenido que recortar guiones para que este libro tenga una extensión manejable. Si quieres tomar mis guiones como modelo para los tuyos, ve a: Acquisition.com/training/leads. Y, si necesitabas otra razón además de 'te hará ganar dinero', no te costará nada. Es gratis. ¡Que lo disfrutes! Y como siempre, también puedes escanear el código QR de abajo si odias teclear.

4. Ejecutar anuncios pagos Parte I: Cómo crear un anuncio

Cómo publicitar públicamente a desconocidos

La publicidad es el único casino en el que, con suficiente habilidad, te conviertes en la casa.

CUATRO PILARES BÁSICOS

	PERSONAS QUE TE CONOCEN	PERSONAS QUE NO TE CONOCEN
1 A 1 PRIVADO	CAPTACIÓN EN CALIENTE	CAPTACIÓN EN FRÍO
1 A ∞ PÚBLICO	PUBLICAR CONTENIDO GRATIS	LANZAR AVISOS PAGOS

TÚ ESTÁS AQUÍ ←

Junio de 2013.

"Vamos a probar unos anuncios en Facebook para el gimnasio". Dije.

Sam arqueó una ceja. "No funcionan. Ya lo intenté".

Este fue el breve período entre dejar mi "trabajo real" y comenzar mi primer gimnasio. Quería algo de experiencia. Así que envié un correo electrónico a más de 40 propietarios de gimnasios para tener la oportunidad de "ser su sombra" para aprender de ellos. Sam fue el único que respondió a mis peticiones de tutoría. Me dejó trabajar en su gimnasio, *con él*, por el salario mínimo. Le estaré eternamente agradecido por esa oportunidad.

"Te lo prometo, realmente creo que van a funcionar." Le dije. "Déjame intentarlo con lo que aprendí en ese taller el fin de semana pasado. Lo haré todo". *Ese taller se llevó la mayor parte de mis insignificantes ahorros.*

Sam se echó hacia atrás en su silla, cruzando los brazos. "Te diré una cosa. Te daré mil dólares para que juegues. Si los pierdes, tendrás que dejar de hablar de Facebook. Si ganas más, dividiré las ganancias contigo".

"Trato hecho".

Trabajé con un freelance para ponerlo todo en marcha. Fuimos y vinimos hasta que quedó "perfecto". Unos días después, entré en la oficina de Sam para enseñarle lo que había hecho.

"Está listo." Le dije.

Giró su portátil para mirarme. "Muy bien, Hormozi. Enséñame lo que tienes".

Publiqué el anuncio más feo que jamás hayas visto:

BUSCO A 5 RESIDENTES DE CHINO HILLS PARA PARTICIPAR EN UN RETO GRATUITO DE 6 SEMANAS. DEBES PERMITIRNOS USAR TUS FOTOS DE ANTES Y DESPUÉS EN NUESTRO MARKETING A CAMBIO DEL PROGRAMA. HAZ CLIC EN EL ENLACE PARA INSCRIBIRTE:

[ENLACE]

Sin imágenes. Sin videos. Sin adornos. →Sólo palabras. TODO EN MAYÚSCULAS.

El anuncio se publicó.

Obtuvimos clientes potenciales en cuestión de horas. Los llamé a todos y reservé citas lo más rápido que pude. También les envié un mensaje de texto una hora antes para recordarles nuestra cita. Y en cuanto entraron, empecé a hablarles de nuestro reto de seis semanas. No tenía ninguna habilidad para las ventas. *Mi convicción compensó mi falta de habilidad.* Compraron.

Vendí a 19 personas a 299 dólares cada una. Hicimos un poco menos de $ 5700 de una inversión de $ 1000. Fiel a su palabra, Sam me dio un cheque y me lo entregó. Lo hizo por $ 2500. Más que mi parte.

"Sam, esto es..."

Me cortó. "Buen trabajo, Hormozi. *Hazlo de nuevo.*"

***

El "Desafío de 6 semanas" se convirtió en la mayor promoción de la industria del gimnasio. *Durante siete años.* Impulsó al menos 1.5 mil millones de dólares en ingresos, más por ahora. Lo impartí a más de 4.500 gimnasios. Y apuesto a que más de 10.000 gimnasios utilizaron versiones de esta misma promoción sin licencia. Es probable que hayas visto anuncios de ella en tu ciudad. Y sí, si tienes curiosidad, se volvió más sofisticada con el paso del tiempo.

Cómo funcionan los anuncios pagos

Los anuncios publicitarios pagos son una forma de hacer publicidad de uno a muchos dirigida a audiencias frías. Personas que no te conocen. Los anuncios pagos funcionan pagando a otra persona o empresa para que ponga tu anuncio frente a *tu* audiencia. Piensa en ello como si alquilaras ojos u oídos. Y como no necesitas invertir tiempo en crear una audiencia, los anuncios pagos son la forma más rápida de conseguir que la mayor cantidad de gente vea lo que ofreces; intercambias dinero por alcance. *Es una ventaja considerable si sabes lo que haces.* Los anuncios son más arriesgados. Pero, si se hacen bien, pueden conseguir más clientes potenciales que cualquier otro método.

Con el alcance caliente y frío tenemos que crear más contenidos para llegar a más gente. Para llegar a más gente con contenido gratuito, dependemos de que la plataforma o la audiencia lo compartan si les gusta. Los anuncios pagos son diferentes. El alcance está garantizado. Pero recuperar el dinero no lo está. Así que es un juego de eficiencia más que de alcance. Permítame explicarlo:

En principio, si pagas lo suficiente, puedes conseguir que todas las personas del mundo vean tu anuncio. Y, si todas las personas del mundo vieran tu anuncio, alguien compraría. Aunque fuera por accidente (ja). Así que la pregunta no es "¿funcionan los anuncios?", sino "*¿hasta qué punto* puedes hacer que funcionen?". En otras palabras, es un tira y afloja entre cuánto gastas y cuánto compran.

Y al igual que la captación en frío, los anuncios de pago se dirigen a audiencias más frías y de menor confianza. Así que incluso con buenas ofertas, un porcentaje menor de personas responderá. Y al igual que la captación en frío, los anuncios pagados superan este obstáculo exponiendo tu oferta frente a más personas. Y si un anuncio no es rentable, la mayoría de las veces se debe a que *no lo han visto* las personas adecuadas. Para que un anuncio sea rentable, *tiene que verlo* la gente adecuada. Esto mantiene nuestros anuncios eficientes.

Este capítulo revela cómo creo anuncios de pago más eficientes encontrando agujas en el pajar. Empiezo con el mundo entero como audiencia (el pajar) y luego reduzco la audiencia para obtener un mayor porcentaje de clientes potenciales comprometidos (las agujas). En primer lugar, elijo una plataforma que contenga a mi público ideal. En segundo lugar, utilizo los métodos de segmentación que existan dentro de la plataforma para encontrarlos. Tercero, diseño mi anuncio de forma que <u>repela</u> a los demás. Por último, le digo a quien quede que dé el siguiente paso. La gente lo complica demasiado. Pero eso es todo. Eso es todo lo que hacemos- limitar quién ve nuestro anuncio para tener más posibilidades de que responda el tipo de gente adecuada.

Una vez que nos anunciamos de manera rentable en un pequeño charco de audiencia, nos expandimos a un estanque, luego a un lago, luego a un océano. Y a medida que aumenta la audiencia, aumenta el número de personas equivocadas, pero también aumenta el número de personas adecuadas. Así que los anuncios disminuyen en eficiencia, pero en ese punto puedes permitírtelo. En otras palabras, la proporción entre lo que gastas y lo que compran disminuye, pero la cantidad total de dinero que ganas aumenta. Así, en lugar de gastar $1.000 para ganar $10.000 con $9000 de ganancias, gastas $100.000 para ganar $300.000 con $200.000 de ganancias.

Tu ratio disminuye, pero ganas más dinero. Así que el riesgo es mayor porque gastas más. Pero también lo es la recompensa. Esto significa que queremos aumentar la audiencia tanto como sea posible sin dejar de obtener beneficios.

Los anuncios pagos nos dan cuatro nuevos problemas que resolver. Analicémoslos juntos:

1) Saber dónde anunciarse

2) Conseguir que lo vea el público adecuado

3) Crear el mejor anuncio para que lo vean.

4) Obtener permiso para contactar con ellos

Paso 1: "¿Pero dónde me anuncio?" → Encuentra una plataforma en la que se cumplan estas cuatro cosas

Las plataformas distribuyen contenidos a una audiencia. Si no estás familiarizado con ninguna de las plataformas disponibles, te invito a que vengas conmigo al planeta Tierra. Si alguna vez has consumido contenidos, lo que seguro has hecho, directa o indirectamente, has utilizado una plataforma y has sido miembro de su audiencia. Y allí donde hay una audiencia, normalmente puedes anunciarte. Así que si quieres convertirte en un gran emprendedor, tienes que aprender sobre ellas. Esto es lo que busco en una plataforma en la que quiero anunciarme:

- La he utilizado y le he sacado provecho como consumidor. Así que tengo una idea de cómo funciona.

- Puedo dirigirme a personas de la plataforma interesadas en lo que ofrezco.

- Sé cómo dar formato a los anuncios específicos de la plataforma (tema que trataré en el tercer paso).

- Tengo la cantidad mínima de dinero que gastar para publicar un anuncio.

...Y sí, las plataformas cambian todo el tiempo, pero estos principios siguen siendo los mismos.

> **Consejo profesional: Publica anuncios donde lo hacen tus competidores (para empezar)**
>
> Las plataformas suelen tener distintos tipos de anuncios. Por ejemplo, en LinkedIn, puedes enviar anuncios por mensaje o publicar anuncios en la sección de noticias. En Instagram, puedes publicar anuncios en las noticias o en las historias. En YouTube, puede publicar anuncios en la barra lateral, en medio de la transmisión o antes de la reproducción. ¿Cómo saber por dónde empezar? Fíjate en la publicidad que colocan otras personas en tu mismo espacio y empieza por ahí. Si a ellos les funciona, a ti también te funcionará. *Repite antes de iterar.*

Pasos a Seguir: Comienza con una plataforma que cumpla con los cuatro requisitos. Y comienza a observar, escuchar o leer anuncios en la plataforma como primer paso para aprender cómo hacer uno.

Paso 2: "Pero, ¿cómo consigo que lo vean las personas adecuadas?" → Dirígete a ellos

Así que si empezamos con el mundo entero, que es lo que haremos, tenemos que ser un poco más específicos. Por ejemplo, si eliges una plataforma con 100.000.000 de usuarios, ya has excluido al 99% del mundo. Y, si todos los que te compran hablan inglés, también querrás *excluir* a las audiencias de la plataforma que no lo hacen. Si se trata de la mitad de los usuarios de la plataforma, ya estás excluyendo al 99,5% del mundo. Lo específico es bueno.

El mensaje correcto para el público equivocado caerá en saco roto. No importa lo buenos que sean tus anuncios. Si quieres que los residentes de Florida conozcan un negocio local de Iowa, probablemente no funcione. Así que sólo tienes un objetivo al segmentar: conseguir que el mayor número de personas que crees que comprarán lo que vendes vean tu anuncio.

Hicimos nuestra primera ronda de segmentación seleccionando nuestra plataforma. La segunda ronda la haremos *dentro* de la propia plataforma. Las plataformas publicitarias modernas tienen dos formas de segmentar. Puedes utilizarlas por separado o combinarlas:

1) Dirigirte a un público similar. Las plataformas modernas pueden mostrar tu anuncio a un público similar y mucho mayor que el de una lista que tú proporciones. Los anunciantes lo denominan **audiencia similar**. Las plataformas modernas crearán audiencias similares para ti siempre que cargues una lista de un tamaño mínimo. Cuanto mayor sea la lista y de mayor calidad sean los contactos, más receptiva será la audiencia similar. Comienza con tu lista de clientes actuales y anteriores. Si tu lista de clientes es lo suficientemente grande como para cumplir el mínimo de la plataforma, utilízala. Si no es lo suficientemente grande, añade tu lista de contactos calientes. Si todavía no es lo suficientemente grande, añade tu lista de contactos en frío para alcanzar el mínimo. Esto es exactamente lo que yo hago. Forzar la lista al tamaño correcto a veces hace que la audiencia similar sea demasiado amplia. Y no pasa nada, porque puedes...

2) Segmentar con factores de tu elección. Las opciones de segmentación incluyen: edad, ingresos, sexo, intereses, tiempo, emplazamiento, etc. Por ejemplo, si sabes que nadie mayor de cuarenta y cinco años o menor de veinticinco ha comprado alguna vez tu producto, excluye a los que estén fuera de ese rango. Si vendes piezas de coches, muestra tu anuncio durante las exhibiciones o ferias de coches y en canales de coches. Si sólo la gente con mascotas compra tu producto, incluye a las mascotas entre tus intereses. Los filtros básicos sobre la audiencia similar generada por la plataforma son una forma sencilla de conseguir que un mayor número de las personas adecuadas vean tus anuncios. Resultado final: anuncios más eficientes.

> **Consejo profesional: Segmentación local**
>
> Como los mercados locales ya son *pequeños* en comparación con los nacionales, no querrás añadir muchos más filtros. Sé lo más específico posible, pero no más. El mercado local por sí solo ya representa el 0,1% de un país, así que ya es bastante limitado.

Cuantos más filtros uses, más específica será la lista. Cuanto más específica sea la lista, más eficientes serán tus anuncios, pero más rápido la "quemarás". Sin embargo, esta especificidad te permitirá obtener más victorias al principio. Las ganancias de audiencias específicas más pequeñas ahora, te dan el dinero para anunciarte a audiencias más grandes y más amplias más adelante. *Así es como se escala.*

Pasos a seguir: Reúne todas tus listas de clientes potenciales en un solo lugar. Divídelas por clientes pasados y anteriores, por captación en caliente y por captación en frío. Con el tiempo, tendrás una lista de personas que han interactuado con tus anuncios de pago dándote información de contacto pero que no han comprado. Eso te resultará útil. Luego, si la plataforma lo permite, utiliza estas listas por orden de calidad para crear tu audiencia similar. A continuación, si la plataforma también lo permite, añade filtros sobre tu audiencia similar para dirigirte a un porcentaje aún mayor de personas que interactúen con tu anuncio. Si no eres capaz de crear una audiencia similar, empieza por segmentar por intereses.

Paso 3: "Pero, ¿qué debe decir mi anuncio?" → Llamada de atención + Valor + Llamada a la acción (CTA).

Hasta el día de hoy, no cambio de canal cuando veo un anuncio. Rara vez silencio anuncios o me los salto. De hecho, tampoco tengo suscripciones premium que eliminen los anuncios en ninguna plataforma multimedia. Razón principal: *quiero* consumir los anuncios. *Quiero* ver cómo las empresas hacen tres cosas. 1) Cómo llaman la atención de sus clientes ideales. 2) Cómo presentan los elementos de valor. 3) Cómo llaman a la acción a su audiencia. Cuando veo los anuncios de esta manera, lo que antes era una molestia cotidiana (los anuncios) se convierte en una experiencia de aprendizaje continuo. Consumir anuncios a propósito, con los elementos fundamentales en mente, me convierte en un mejor anunciante. Y a ti también te hará mejor.

Utilicemos los tres componentes esenciales para crear un anuncio.

1) Llamada de atención: tengo que conseguir que se fijen en mi anuncio.

2) Valor: tengo que conseguir que se interesen por lo que ofrezco.

3) Llamadas a la acción: tengo que decirles qué hacer a continuación.

1) Llamada de atención: Que la gente se fije en tu anuncio es la parte más importante del mismo... y realmente hace la diferencia. El objetivo de cada segundo del anuncio es vender el siguiente segundo del anuncio. Y el titular es la primera venta. Como dice David Ogilvy: "Después de escribir el titular, has gastado ochenta centavos de tu inversión publicitaria". Enfoca tu esfuerzo de principio a fin. Aunque parezca una locura (y todos los profesionales estarán asintiendo con la cabeza), mi publicidad se volvió 20 veces más efectiva cuando centré la mayor parte de mi esfuerzo en los primeros cinco segundos. Necesitamos los ojos y los oídos del público el tiempo suficiente para que se den cuenta de que "esto es para mí, seguiré prestando atención". Esta "primera impresión" es la parte del anuncio que más evalúo.

Imagina que estás en un cóctel en un gran salón de baile. Mucha gente hablando en grupos. Música a todo volumen de fondo. En medio de todo ese ruido, un único sonido atraviesa todo y te das la vuelta. ¿Quieres saber cuál es ese sonido? Tu nombre. Lo oyes e inmediatamente buscas la fuente.

Los científicos lo llaman "el efecto de fiesta de cóctel". En pocas palabras, incluso cuando hay un montón de cosas en juego, una sola cosa puede captar y mantener nuestra atención. Así que nuestro objetivo con las llamadas de atención es aprovechar el efecto cóctel y atravesar todo el ruido. Al fin y al cabo, si no se fijan en tu anuncio, nada más importa.

Una **llamada de atención** *es lo que tú haces para llamar la atención de tu audiencia.* Las llamadas de atención van desde hiperespecíficas- para captar la atención de una persona, a no específicas en absoluto, para captar la atención de todo el mundo. Permíteme explicarlo. Si a alguien se le cae una bandeja de platos, *todo el mundo* mirará. Si un niño grita "¡MAMÁ!", las madres mirarán. Si alguien dice tu nombre, *solo tú* mirarás. Pero, nuevamente, todos llaman la atención. Y yo intento que mis llamadas sean lo bastante específicas como para captar a las personas adecuadas y lo bastante amplias como para captar a tantas como pueda. Así que presta mucha atención a cómo utilizan los anunciantes las llamadas de atención, sobre todo las que se dirigen a tu público.

Esto es lo que busco en las llamadas de atención verbales: *utilizar las palabras para captar la atención*:

1) Etiquetas: Una palabra o conjunto de palabras que *agrupen* a las personas. Incluyen características, rasgos, títulos, lugares y otros descriptores. Por ejemplo:

Madres del condado de Clark *Propietarios de gimnasios* *Trabajadores a distancia* *Busco a XYZ*, etc. Para ser más efectivo, *tus clientes ideales necesitan identificarse con la etiqueta.*

    a)   La gente se identifica automáticamente con su área local. Así que con los anuncios locales, cuanto más local, mejor. Un anuncio local con una llamada de atención como "ZONA LOCAL + TIPO DE PERSONA" *aún* sigue siendo una de mis formas favoritas de captar la atención de alguien. Funcionaba hace doscientos años, funciona hoy y funcionará mañana. Así que piensa: Estadounidenses < Tejanos < Residentes de Dallas < Residentes de Irving. Si vives en Irving, pensarás inmediatamente que este anuncio podría afectarte. Por lo tanto, te llama la atención.

2)   <u>Preguntas de "Sí"</u>: Preguntas en las que si la gente responde "sí, soy yo" inmediatamente se califican para la oferta. Por ejemplo: *¿Te levantas a orinar más de una vez por noche?* *¿Tienes problemas para atarte los zapatos?* *¿Tienes una casa que vale más de 400.000 dólares?*.

3)   <u>Enunciados "si - entonces"</u>: Si cumplen tus condiciones, *entonces* les ayudas a tomar una decisión. *Si gasta más de 100.000 dólares al mes en anuncios, podemos ahorrarle un 20% o más... *Si usted nació entre 1978 y 1986 en Muskogee Oklahoma, usted puede calificar para una demanda colectiva...*Si usted quiere XYZ, entonces preste atención...*.

4)   <u>Resultados ridículos</u>: Cosas bizarras, extrañas, o fuera de lo común que alguien quisiera. *Estudio de masajes reservado con dos años de antelación. Clientes furiosos* *Esta mujer ha perdido 15 kilos comiendo pizza y ha despedido a su entrenador* *El Gobierno reparte cheques de mil dólares a quien pueda responder a tres preguntas* Etc.

Las llamadas de atención no tienen por qué ser sólo palabras. También pueden ser ruidos o elementos visuales del entorno. Volvamos al efecto fiesta de cóctel. Seguro que una bandeja con platos caídos llamaría la atención de todo el mundo, pero también lo haría el chasquido de un cuchillo contra una copa de champán. Ambos captan la atención de todo el mundo por razones diferentes: uno indica un desastre embarazoso y el otro una noticia importante... *pero, en cualquier caso, todo el mundo quiere saber qué pasará a continuación.* Por eso, si la plataforma lo permite, los buenos anunciantes utilizan las llamadas de atención verbales y no verbales a la vez.

Esto es lo que busco en las llamadas de atención no verbales: *utilizar el escenario y el portavoz para llamar la atención:*

1) <u>Contraste:</u> Cualquier elemento que "destaque" en los primeros segundos. Los colores. Los sonidos. Los movimientos, etc. Fíjate en lo que te llama la atención. Ej:

    a) Una camisa brillante casi siempre llama más la atención que una camisa negra o apagada.

    b) Las personas atractivas casi siempre llaman más la atención que las de aspecto sencillo.

    c) Las cosas en movimiento casi siempre llaman más la atención que las cosas estáticas.

2) <u>Semejanza:</u> Piensa visualmente en *mostrar* etiquetas: características, rasgos, títulos, lugares y otros descriptores con los que la gente se identifique.

    a) La gente quiere trabajar con personas que tengan un aspecto, hablen y actúen de un modo que les resulte familiar (y puede que tú no tengas un aspecto, hables o actúes de un modo que les resulte familiar). Por lo tanto, si atiendes a una clientela amplia, utiliza más etnias, edades, géneros, personalidades, etc. en tus anuncios. Si atiendes a una cartera de clientes reducida (por ejemplo, dispositivos médicos para personas mayores), recurre a personas que se parezcan a ellos.

        i) Grazna como un pato. Si quieres atraer a los patos, parécete a ellos, camina como ellos y grazna cómo ellos. Si quieres atraer a los fontaneros, vístete como un fontanero, habla como un fontanero, sitúate en un entorno de fontanería. Incluso con el mismo mensaje, tu anuncio tendrá mucho más éxito si tienes ese aspecto (o si encuentras a gente que lo tenga).

        ii) Si ves un anuncio de médicos, fíjate en el portavoz. ¿Qué edad tiene? ¿Género? ¿Origen étnico? ¿Lleva bata? ¿Estetoscopio? ¿Están en un centro médico? Todas estas cosas consiguen que un tipo específico de persona interesada en productos y servicios relacionados con la salud preste más atención de la que habría prestado de otro modo.

        iii) Las mascotas también funcionan bien porque no envejecen, nunca piden más dinero y nunca se ausentan. Piensa en Micky Mouse para Disney. Geico Gecko. Tony el Tigre para Kellogg's. El hombre Michelin, etc. Una mascota es una forma estupenda de crear un portavoz duradero para tu empresa.

iv) <u>Avanzado</u>: Sea cual sea la imagen que decidas utilizar, si no eres tú, la empresa dependerá menos de ti y, por lo tanto, será más vendible. Además, es posible que seas un tipo realmente feo. De todas formas, en general, la gente guapa vende más. La buena noticia es que no cuesta mucho conseguir que una persona guapa diga cosas frente a una cámara.

3) <u>La escena</u>: Piensa en *mostrar* las preguntas Sí y las afirmaciones Si-Entonces.

Ej: Un anuncio con...

a) Una persona dando vueltas en la cama llama a las personas con problemas de sueño.

b) Una pera junto a un reloj de arena llama a las personas con cuerpo en forma de pera.

c) Una habitación llena de cosas apiladas hasta el techo atrae a las personas que acumulan cosas.

d) Una piedra que golpea una ventana llama a las personas con ventanas rotas.

e) Un punto de referencia local. Los lugareños piensan: *"¡Hey, conozco ese lugar!"* y prestan atención.

Ésta no es una lista exhaustiva. Ni mucho menos. Se las muestro para que puedan correr el telón de fondo. De este modo, puedes ver las formas infinitas en que los anunciantes se abren paso a través del ruido, para que tú también puedas hacerlo.

Consejo profesional: Anuncios Infinitos

Este es uno de los consejos con mayor retorno de la inversión que puedo darte sobre la creación de anuncios. Graba unos diez anuncios nuevos cada semana. Pero graba treinta o más primeras frases o preguntas para empezar el anuncio. Piensa en clips de cinco segundos. Son las llamadas de atención que la gente consume antes de decidirse a ver más. Con treinta llamadas de atención y diez anuncios principales puedes crear trescientas variaciones en cuestión de horas. Una vez que conozcas la mejor llamada, aplícala a todos los anuncios.

Paso a seguir: Siempre me impresionan las formas inteligentes e innovadoras que tienen los anunciantes de llamar la atención de sus clientes potenciales. Así que, en lugar de silenciar o pulsar "saltar anuncio", *busca las llamadas de atención*. Conviértete en un aprendiz del juego. Mi objetivo es que, cuando veas un anuncio, *subas el volumen durante el resto de tu vida*.

Ahora, una vez que se han fijado en nuestro anuncio, pasamos a la segunda parte del anuncio: tenemos que conseguir que se interesen...

2) Conseguir que se interesen. Si la gente piensa que una oferta o un imán de prospectos ofrece grandes beneficios y pequeños costos, lo valorarán. E intercambiarán dinero o información de contacto para conseguirlo. Pero si el costo es mayor que los beneficios, no lo valorarán y no lo tendrán en cuenta. *Por eso, los mejores anuncios hacen que los beneficios parezcan los mayores posibles y los costos los menores posibles.* Esto hace que una oferta o un imán de prospectos sea lo más valioso posible y consigue los clientes potenciales más comprometidos gracias a ello.

Un buen anuncio, pagado o no, utiliza formas claras y sencillas de responder a la pregunta: ¿por qué debería interesarme lo tuyo? Le dices a la gente por qué deberían querer tu imán de prospectos o tu oferta. Ahora, hay un millón de maneras de hacer esto, pero voy a compartir con ustedes mi Marco Qué-Quién-Cuándo. Este marco mental se basa en conocer la ecuación de valor al derecho y al revés. Todo lo que tienes que hacer es saber ocho cosas clave sobre tu propio producto o servicio: cómo satisface cada elemento de valor para tu cliente potencial y cómo le ayuda a evitar sus costos ocultos (¿los recuerdas?). Piensa en ellos como zanahorias vs. palos. Cómo tu oferta aporta más cosas buenas *y* menos cosas malas. Luego piensa en las perspectivas de las personas que los experimentarían (Quién). Y, por último, en qué periodo de tiempo (Cuándo) tendrían estas experiencias (positivas o negativas).

QUÉ - QUIÉN - CUÁNDO - MARCO

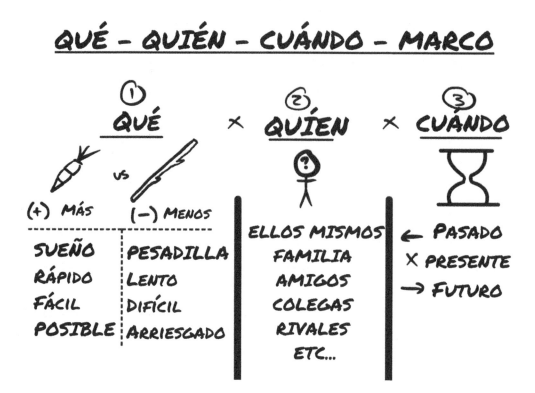

En palabras de David Ogilvy "El cliente no es un imbécil. Es tu mujer". ¿Sabes lo que eso significa? *Escríbele a ella.* Los anuncios hacen que el cliente potencial se haga preguntas. Y un buen anuncio responde a esas preguntas precisamente en el momento en que lo piensan. Así que si puedes responder a lo que están pensando con tu anuncio, utilizando las palabras que ellos utilizarían, habrás ganado.

Empecemos por El Qué: ocho elementos clave

- **Resultado soñado:** Un buen anuncio mostrará y contará el máximo beneficio que el cliente potencial podría conseguir utilizando lo que vendes. Debe coincidir con el resultado soñado por el cliente potencial ideal para ese tipo de producto o servicio. Estos son los resultados que experimentan después de comprar el producto.

  o **Lo opuesto - Pesadilla:** Un buen anuncio también les mostrará las peores molestias posibles, el dolor, etc. de prescindir de su solución. En pocas palabras: lo mal que lo pasarán si no compran.

- **Probabilidad percibida de éxito:** Debido a fracasos pasados, asumimos que incluso cuando compramos, existe el *riesgo* de no conseguir lo que queremos. Reduce el riesgo percibido minimizando o explicando los fracasos pasados, haciendo hincapié en el éxito de la gente como ellos, ofreciendo garantías, y cómo lo que tienes para ofrecer al menos les dará una mejor oportunidad de éxito que lo que hacen actualmente, etc.

152

o **Lo opuesto - Riesgo:** Un buen anuncio también les mostrará lo arriesgado que es no actuar. ¿Cómo será su vida si siguen como siempre? Muéstrales cómo repetirán sus fracasos pasados y cómo sus problemas serán cada vez mayores *y* peores...

- **Aplazamiento temporal:** Un buen anuncio también les mostrará lo lenta que es su trayectoria actual o que *nunca* conseguirán lo que quieren a su ritmo actual...

   o **Lo opuesto - Velocidad:** Para conseguir las cosas que queremos - sabemos que tenemos que dedicar tiempo a conseguirlas. Un buen anuncio *mostrará* y *dirá* cuánto más rápido conseguirán lo que quieren.

- **Esfuerzo y sacrificio:** Un buen anuncio también les mostrará la cantidad de trabajo y habilidad que necesitarán para obtener el resultado *sin* tu solución. Y, cómo se verán obligados a seguir renunciando a las cosas que aman y a seguir sufriendo por las que odian. O peor aún, les mostrará que trabajan duro y se sacrifican mucho en este momento... y no han llegado... *a ninguna parte*. En otras palabras, ¡pierden más tiempo y dinero haciendo lo que hacen actualmente que si simplemente compraran nuestra maldita solución!

   o **Lo opuesto - Facilidad:** Para conseguir lo que queremos, sabemos que tenemos que cambiar *algo*. Pero entonces asumimos que tenemos que hacer cosas que odiamos y renunciar a cosas que amamos. Y la facilidad viene de la falta de *trabajo* o *habilidad* necesarios. Un buen anuncio refuta la suposición. Dice y muestra cómo puedes evitar las cosas que odias hacer, hacer más de las cosas que amas hacer, sin trabajar duro, o tener mucha habilidad y aun así obtener el resultado soñado.

Estos son los 8 elementos clave. Ahora entendemos completamente El Qué - cómo entregamos los cuatro elementos de valor, y cómo evitamos sus cuatro opuestos. Ahora pasamos al siguiente elemento: El Quién.

Quién: Los humanos somos impulsados principalmente por el estatus. Y el estatus de un ser proviene de cómo le tratan los demás. Por lo tanto, si tu producto o servicio cambia la forma en que otras personas tratan a tu cliente, lo cual de alguna manera ocurre, vale la pena mostrar cómo. Y hablar de los elementos de valor desde la perspectiva de otra persona muestra todas las formas en que mejorará el estatus de tu cliente. Así que queremos esbozar dos grupos de personas. El primer grupo son las personas que ganan estatus, tus clientes. El segundo grupo son las personas que se lo dan: Cónyuge, hijos, padres, familia extensa, colegas, jefes, amigos, rivales, competidores, etc.

Todas estas perspectivas nos brindan distintas oportunidades para mostrar cómo puede mejorar la situación del cliente potencial. Y nos dan un *montón* de beneficios adicionales. Por ejemplo, si pierdes peso, ¿tus hijos tendrán un nuevo modelo a seguir? ¿Tu cónyuge también decidirá comenzar a comer sano y cuidarse? ¿Es más probable que te asciendan en el trabajo? La ciencia dice que sí. ¿Tu amigo-enemigo, ya no te juega esas pequeñas bromas durante la comida?

Pongamos ejemplos de negocios. Si dijera que algo no tiene riesgos, me gustaría explicarte que *tu cónyuge* no te va a reprochar la compra porque no existen riesgos. Hablaría de cómo tus hijos notarán que ya no estás tan estresado o distraído por el trabajo. De cómo tus competidores notarán que sus teléfonos no suenan tanto porque todos sus clientes están alabándote a ti. Cómo tus amigos empresarios piensan "el negocio debe ir muy bien" cuando llegas en tu nuevo coche al campo de golf. Ya te haces una idea. Todos estos son beneficios añadidos para el cliente potencial que nos perderíamos si *sólo* lo viéramos desde su propia perspectiva.

Y podemos aplicar cada nueva perspectiva del Quién a cada impulsor de valor. Así es como se consiguen tantas historias, ejemplos, ángulos, etc. diferentes para describir los beneficios (más zanahoria y menos palo).

Esto me lleva a la tercera óptica del marco qué-quién-cuándo: El Cuándo.

Cuándo: La gente solo suele pensar en cómo afectan sus decisiones al aquí y al ahora. Pero si queremos ser más convincentes (y lo queremos), también debemos explicar a qué condujeron sus decisiones en el pasado *y* a qué *podrían* conducir en el futuro. Para ello, hacemos que visualicen a través de su propia línea de tiempo (pasado-presente-futuro). De este modo, les ayudamos a ver las consecuencias de su decisión (o indecisión) *en este momento*.

Utilicemos el ejemplo anterior de la pérdida de peso *desde su perspectiva*. Les mostraríamos cómo se burlaban de ellos cuando eran niños (pasado), cómo luchan por abrocharse sus vaqueros favoritos (presente) o cómo deberán hacerle un agujero *extra* a su cinturón (futuro). ¿Qué aspecto tiene esa pesadilla para su cónyuge? ¿A sus rivales? ¡Qué vergüenza!

Recuerda que también podemos analizar la misma línea temporal desde la perspectiva de *otra persona*. Su hijo preguntando por qué otros niños se burlan de ellos (porque les transmitieron malos hábitos alimenticios) (pasado), o cómo sus hijos se quejan ahora de que los padres de los otros niños participan en los entrenamientos cuando ellos no lo hacen (presente), o cómo su médico le dijo que quizá no acompañe a su hija al altar en su boda (futuro). Nota: esto es todo *lo malo* que quieren evitar. Nuestros siguientes elementos de respuesta los contrastarían con las cosas buenas que podrían ocurrir (presentes y futuras) *si compran nuestro producto*.

Usamos tanto lo bueno como lo malo y lo combinamos con el pasado, el presente y el futuro de la vida del prospecto para crear *poderosos* motivadores en nuestro texto.

Juntando el Qué, el Quién y el Cuándo, respondemos al POR QUÉ *deberían estar interesados*.

Si sigo con el tema de la pérdida de peso, podría hablar del cómo:

Su cónyuge (QUIÉN) percibirá en el futuro (CUÁNDO) lo rápido (QUÉ) que te pones "ese traje que le encanta a tu mujer y que no te quedaba bien, pero que ahora sí". O cómo sus hijos (QUIÉNES), mes tras mes (CUÁNDO), se interesan más por comer sano y acompañarles en los entrenamientos (QUÉ). O cómo ellos (QUIÉNES) se miran en un reflejo en el centro comercial dentro de unos meses (CUÁNDO) y se dan cuenta de que "la ropa de esta tienda realmente me queda bien" (QUÉ).

155

Consejo profesional: Haz que tus anuncios sean tan específicos como puedas, pero no te pases.

Cuanto más específico sea su texto, más eficiente será, pero también tenderá a ser más largo. Y si es demasiado largo para la plataforma, disminuye su eficiencia. Así que haz que el anuncio sea lo más específico posible en el espacio más eficiente que tengas. Si dispones de elementos visuales y sonoros, utiliza el contraste, el parecido y la propia escena para que coincida con el texto. Y esto hará que tu anuncio sea aún más eficiente y rentable.

Cuando combinamos:

- todo lo que podemos para que el cliente potencial se dirija hacia los cuatro impulsores de valor, *alejándolos* al mismo tiempo de sus opuestos

- las múltiples perspectivas que podemos mostrarles para que ganen estatus, y

- diferentes plazos para cada uno...

...Todo esto se suma a *las razones* por las que deberían estar interesados. ¡Y ahora tenemos muchas maneras de despertar su interés! Y cuantos más ángulos cubramos, más interesados estarán.

Además, ya que lo preguntas, la única diferencia entre los anuncios largos y los cortos es el número de ángulos que tenemos tiempo de cubrir desde el punto de vista de la redacción. Los anuncios largos utilizan más. Los anuncios más cortos utilizan menos. Así que añade o quita según la plataforma, pero mantén siempre los llamados de atención (los primeros segundos) y las llamadas a la acción (qué hacer a continuación) igual.

Consejo profesional: Encuentra inspiración sin límites.

Muchas plataformas tienen una base de datos de anuncios pasados y presentes. A partir de este momento, si buscas "[PLATAFORMA] biblioteca de anuncios" en un buscador, en unos pocos clics los encontrarás. Si ves un anuncio que se mantiene durante mucho tiempo (un mes o más), da por hecho que es rentable. A continuación, toma nota de las llamadas de atención que utilizan, cómo ilustran los elementos de valor y sus llamadas a la acción (CTA). Busca las palabras que utilizan y cómo las demuestran. Desglosa unos cuantos anuncios y tendrás una gran ventaja a la hora de crear tus propios anuncios exitosos.

Pasos a seguir: Consigue tantos ángulos publicitarios con tu oferta como puedas con el marco Qué-Quién-Cuándo.

Qué: Conoce los ocho aspectos clave de tu producto o servicio. Cómo satisface cada elemento de valor y cómo ayuda a evitar sus opuestos.

Quién: Demuestra cómo los ocho aspectos clave de tu producto o servicio pueden cambiar el estatus de *tu cliente potencial*. Luego, muestra *cómo las personas que conocen* le dan estatus al cliente potencial cuando compra lo tuyo o le quitan estatus si no lo hace.

Cuándo: Haz que el cliente potencial vea las consecuencias de comprar o no comprar a través de su pasado, presente y futuro. Especialmente a través de su cambio de estatus con la gente que conoce. De este modo, les ayudamos a ver el valor de su decisión (o indecisión) en este preciso momento.

> **Nota del autor: No necesitas convertirte en un experto en redacción publicitaria.**
>
> Yo desde luego no lo soy. Y si pensara que la redacción es lo que limita a la mayoría, le habría dedicado más tiempo. Claro que los emprendedores de talla mundial saben redactar textos publicitarios. Pero los mejores redactores no tienen por qué tener aptitudes empresariales. *No sacrifiques una por la otra*. Si explicas tu negocio con claridad utilizando el marco Qué-Quién-Cuándo, tendrás la habilidad suficiente para eliminar la redacción publicitaria como limitador de tu crecimiento. Y eso es todo lo que tienes que hacer: mejorar lo suficiente para crecer. Al fin y al cabo, si llamas a las personas adecuadas y tienes una oferta increíble, apenas necesitarás textos publicitarios para empezar. *Solo tienes que explicar tu oferta*. Hazte lo suficientemente bueno como para que tus anuncios sean rentables, luego escala para ver que sucede después.

También he incluido algunos consejos y trucos publicitarios que me han sido útiles, en las lecciones del final del capítulo. Pero incluso si nunca los utilizaras, sólo hay una cosa más que necesitarás para convertir a estas personas interesadas en clientes potenciales comprometidos...

3) Llamado a la acción (CTA)- Diles qué hacer a continuación

Si tu anuncio consiguió que se interesaran, entonces tu audiencia tendrá una gran motivación... durante un tiempo minúsculo. Aprovéchalo. Diles *exactamente* qué hacer a continuación. E-X-P-O-N-L-O claramente: Haz clic en este botón. Llama a este número. Responde con un "SÍ". Ve a este sitio web. Escanea este código QR (guiño). Muchos anuncios siguen sin hacer esto. Tu público sólo puede saber qué hacer si tú se lo dices.

Haz que las llamadas a la acción sean rápidas y fáciles. Números de teléfono fáciles, botones obvios, sitios web sencillos. Por ejemplo, una llamada a la acción común es dirigir a la audiencia a un sitio web. Así que haz que tu dirección web sea corta y memorable:

En lugar de... alexsprivateequityfirm.com/free-book-and-course2782

Utiliza... acquisition.com/training

Nota: Esto viene de un tipo que gastó 370.000 dólares en un dominio de una sola palabra Adquisición.com. Así que puede que sobrevalore los dominios fáciles, pero no creo que sea así. Creo que todo el mundo los infravalora. Es sólo mi opinión.

Alex Hormozi ✓
@AlexHormozi

Asume que el público no tiene ni idea de quién eres, ni de lo que haces, ni de cómo funciona, que tiene prisa y que tiene una educación de 3er. grado.

Más allá de estos aspectos básicos, que la mayoría olvida, también puedes utilizar todas las tácticas como la urgencia, la escasez y las bonificaciones del "Paso 7" del capítulo "Compromete a tus clientes potenciales" para crear llamados a la acción aún más potentes. Se aplican aquí y en cualquier otro lugar donde le pidas a tu audiencia que haga algo.

Así que ya podemos elegir una plataforma en la que anunciarnos, segmentar a quién mostrar nuestros anuncios, crear los anuncios que verán y decirles qué hacer a continuación. Todo lo que tenemos que hacer ahora es obtener su información de contacto.

Paso 4: "¿Cómo consigo su información?". → Obtener permiso para ponerte en contacto con ellos

Después de que realicen la acción: Obtén. Su. Información. De. Contacto. Mi forma favorita de obtener información de contacto es una sencilla página de aterrizaje. No lo pienses demasiado. Cuanto más sencilla sea tu página de aterrizaje, más fácil será probarla. Céntrate en las palabras y la imagen. Aquí están mis tres plantillas favoritas. Elige una y empieza a probar.

PÁGINAS DE ATERRRIZAJE

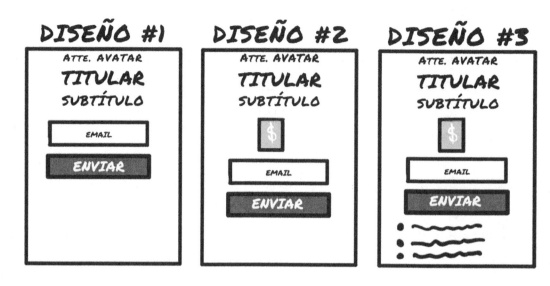

Y haz que tus páginas de destino coincidan con tus anuncios. La gente hace clic en un anuncio porque le has prometido algún beneficio. Así que traslada ese mismo aspecto y lenguaje a tu página de destino. Asegúrate de que lo que prometes en tu anuncio es lo que ofreces. Esto parece sencillo, pero mucha gente lo olvida y malgasta dinero hasta que lo recuerda. No querrás acabar con una experiencia Frankenstein en la que todo parezca diferente. Quieres una experiencia continua desde el "clic hasta el cierre".

Consigue que más gente pase por más pasos. En la obra seminal de Robert Cialdini, *"Influencia"*, se muestra que a las personas les gusta pensar que son coherentes. Por lo tanto, si les recuerdas la acción que acaban de realizar (CTA) y les muestras cómo la siguiente acción se alinea con ella, conseguirás que más personas realicen la segunda acción (Información de contacto). Por ejemplo: "Ahora que acabas de hacer A, necesitas hacer B para sacar el máximo partido de A". *O* "Hacer A te convierte en una persona del tipo 'hacer A'. Las personas que hacen A, hacen B".

Para que quede claro, no estamos vendiendo nada. Estamos preguntando si les interesa lo que vendemos. Y si están interesados, nos darán una forma de contarles más sobre ello. Y cuando lo hacen, se convierten en clientes potenciales comprometidos. ¡Guau!

Paso a seguir: Crea tu primera página de aterrizaje. Perdí cuatro años sintiendo demasiado miedo de hacer una página de destino. Cuando finalmente lo intenté, terminé antes del almuerzo. Hoy en día existen montones de herramientas de "arrastrar y soltar" para crear páginas web en cuestión de minutos. Y si todavía te preocupa puedes contratar a un freelancer para que construya el sitio por ti, probablemente con esas mismas herramientas, por poco dinero. Así que, simplemente hazlo.

→ **¡Ahora ya tienes clientes potenciales gracias a los anuncios pagos!**
¡Genial! ¡Lo hemos conseguido!

Ejecutar anuncios pagos Parte I Conclusión

¿Qué *debería* suceder para que la publicidad funcione? Bueno, tenemos que mostrar nuestro anuncio a las personas adecuadas. Por lo tanto, elegimos la plataforma adecuada y nos dirigimos a las personas de esa plataforma que tiene el mayor porcentaje de nuestra audiencia. Una vez hecho esto, tenemos que conseguir que se <u>fijen</u> en nuestro anuncio. Una vez que se fijan en él, tienen que consumirlo para obtener una <u>razón</u> para actuar ahora y no más tarde. Para ello utilizamos la ecuación del valor. Y lo demostraremos en el pasado, el presente y el futuro, desde su perspectiva y la de las personas que conocen. Y una vez que tienen una razón para pasar a la acción, tienen que tener <u>una forma de darnos permiso para ponernos en contacto con ellos.</u> *Esa acción los convierte en clientes potenciales comprometidos.* Y como esas cosas tienen que suceder, poco a poco se convirtieron en los tres elementos centrales de cada anuncio que creo:

1) Llamadas de atención (para que se fijen en él)

2) Elementos de valor (para darles una razón para hacer algo)

3) Llamadas a la acción (para darles una forma de hacerlo)

Ahora… sólo queda una pregunta… ¿qué tan eficientes somos? Hablemos acerca de dinero.

4. Ejecutar anuncios pagos Parte II: Cuestiones de dinero

"Sólo intento comprar un dólar y venderlo por dos" - Proposition Joe, The Wire

A lo largo de este capítulo y del anterior, nos hemos centrado en la eficiencia de los anuncios publicitarios pagos, *porque la eficiencia es más importante que la creatividad*. Toda la publicidad funciona. Lo único que difiere entre los anuncios, es qué tan *bien* funcionan. Es posible que la gente se vuelva loca por hacer anuncios pagos porque tienen palabras como "copy", "creativo" y "medios" y luego se hiperenfocan en conseguir que todo eso quede "perfecto" (como si se pudiera). Puedes retocar todo el día y toda la noche... ¡hasta que las vacas vuelvan a casa! La realidad es que los anuncios pagos, cualquier publicidad en realidad, se trata del *retorno de tu inversión*. Y con los anuncios pagos se pone claro como el día, porque tú inviertes X dólares para que la gente vea tu anuncio y obtener Y dólares si compran lo que vendes. Así que si quieres una máquina de *prospectos de $100M*, sólo tienes que conseguir que sea "lo suficientemente buena" como para escalar. ¿Por qué? Porque lo suficientemente bueno es suficientemente bueno.

Dado que la eficiencia es lo más importante, queremos ser lo más eficientes posible para poder escalar tanto como sea posible. De ese modo, conseguiremos tantos clientes potenciales como nuestro corazoncito desee.

Dicho esto, hay tantos matices para escalar dentro de los anuncios de pago que nos pareció mejor dividirlo en su propio capítulo. Este capítulo responde a cuatro grandes preguntas sobre los anuncios tal y como yo los entiendo:

- ¿Cuánto debo gastar? → Las tres fases del escalado de anuncios

- ¿Cómo sé qué tan bien lo estoy haciendo? → Costos y puntos de referencia

- Si mis anuncios no son rentables, ¿cómo los fijo? →Adquisiciones financiadas por los clientes.

- ¿Qué me gustaría haber sabido antes de publicar mi primer anuncio pago? →Lecciones

"Pero, ¿cuánto debo gastar en anuncios pagos?"→ Las tres fases del escalado de los anuncios pagos

Hay tres fases para gastar dinero en anuncios, tal y como yo lo veo.

<u>Primera fase:</u> Seguimiento del dinero

<u>Segunda fase</u>: Pérdida de dinero

<u>Tercera fase</u>: Impresión de dinero

Vamos a desglosarlas juntas.

Primera fase: *Seguimiento del dinero.* Antes de gastar un dólar en anuncios, organízalo todo para que puedas hacer un seguimiento preciso de tus ganancias. Si no haces un seguimiento, te van a desplumar. Sería como ir a un casino y jugar a tu juego favorito durante el tiempo que quieras en lugar de durante el tiempo que puedas permitírtelo. Pero, una vez que tienes un sistema de seguimiento, puedes hacer más de lo que te hace ganar dinero y menos de lo que no. Se inclina el juego a tu favor. Así que consigue un asesor, mira tutoriales y configúralo. Fin de la historia. Una vez que tengas el seguimiento, puedes empezar a perder dinero como un profesional (guiño).

Segunda fase: *Pérdida de dinero* (lo digo un poco en broma). Yo prefiero llamarlo "invertir en una máquina de imprimir dinero". Al fin y al cabo, cuando se publican anuncios pagos, primero hay que pagar. Así que tu cuenta bancaria tiene que bajar antes de subir.

Hago hincapié en esto porque prefiero prepararte: *vas a perder dinero*. De hecho, he perdido dinero más veces de las que he ganado con anuncios pagos. Pero cada vez que gano dinero con anuncios pagos, recupero todo lo que perdí, *y luego un montón más.* Así que el número de veces que pierdo es alto pero la cantidad que pierdo es baja porque sé cuándo cerrarlo. Y mi número de victorias es bajo pero la cantidad que gano es muy alta porque sé cuándo pisar el acelerador. Piénsalo así.

Imagina que gasto 100 dólares por anuncio y realizo diez anuncios, 1.000 dólares en total. Nueve de ellos pierden los $100. Luego, uno de ellos me devuelve $500 por los $100 que gasté. Todavía voy pierdo $500. Mucha gente se detiene aquí porque ven una pérdida de $500. Pero nosotros no. Tenemos un ganador. Así que ahora nos ajustamos el cinturón y multiplicamos por 100. Gastamos 10.000 dólares en el anuncio ganador y recuperamos 50.000 dólares.

Nota: Aun así perdí *nueve veces*, pero la única vez que gané, gané a lo grande. Y esto es importante, porque puedes perder nueve o noventa y nueve veces seguidas antes de ganar a lo grande. Pero, para ganar a lo grande, tienes que ver a los ganadores y *doblarlos, triplicarlos, cuadruplicarlos, multiplicarlos por diez.* Por eso la publicidad paga se parece tanto a un casino. Con frecuencia perderás al principio mientras aprendes el juego. Pero, con la habilidad suficiente, acabas convirtiéndote en la casa. Dicho esto, durante esta fase de "perder dinero", todavía se puede ser inteligente al respecto. Así es como lo hago yo.

Presupuesto el doble del dinero que recaudo de un nuevo cliente en treinta días (no BBPV) cuando pruebo nuevos anuncios. Desperdicié toneladas de dinero dejando que los anuncios funcionaran demasiado tiempo antes de darme cuenta de que apestaban. Pero por otro lado, he perdido aún más dinero por abandonar anuncios antes de darles una oportunidad. Con el tiempo, llegué a un buen punto presupuestando <u>dos veces</u> el dinero que recaudaba de un nuevo cliente en los primeros treinta días para probar un nuevo anuncio. Por ejemplo, si sé que obtengo 100 dólares de beneficios de un cliente en los primeros treinta días, dejaré que un anuncio alcance los 200 dólares de gasto antes de cerrarlo (siempre que consiga clientes potenciales). Si no obtengo ningún cliente potencial de un anuncio, lo cerraré antes de gastar el dinero de los primeros treinta días (100 dólares en el ejemplo).

Construir una máquina publicitaria cuesta dinero. Trabajé con una empresa que tardó un año en conseguir anuncios pagos rentables. Fue difícil. Pero otras empresas de su sector publicaban anuncios asequibles, lo que significaba que *nosotros también podíamos*. Una vez que fueron rentables, recuperaron el dinero "perdido" durante el año *al mes siguiente*. Construir una máquina publicitaria cuesta dinero... y eso es *normal*. Sólo asegúrate de medir los beneficios en un horizonte temporal amplio, no en una semana. ¿Se te ocurre algo más valioso que una máquina que imprime dinero? No sería razonable que fuera barata (o sencilla). Una vez que empiezas a ganar más dinero del que te cuesta producirlo, estás en la tercera fase.

<u>Tercera fase:</u> *Impresión de dinero*. Si recuperas más dinero del que gastas, la respuesta es sencilla: *gasta todo lo que puedas*. Después de todo, si tuvieras una máquina mágica que te diera $10 por cada $1 que pusieras en ella, ¿cuál sería tu presupuesto? Exacto. Todo tu dinero. Pero, siendo realistas, probablemente tengas alguna otra limitación en tu negocio que te impida la entrada ilimitada de clientes. Así que así es como escalo mi presupuesto.

En lugar de preguntarme "¿Cuánto dinero debo gastar en un anuncio?" Me pregunto "¿Cuántos clientes quiero conseguir?" o "¿Cuántos clientes puedo manejar?". Así que una vez que los anuncios alcanzan el punto de equilibrio o lo superan, invierto mi presupuesto a partir de mis objetivos de ventas. Si sólo puedo manejar 100 clientes el mes que viene, y los clientes me cuestan $100 conseguirlos, necesitaría gastar $10.000 para conseguirlos (100 x $100). Pero como los anuncios son menos eficientes a medida que aumentan, suelo aumentar el presupuesto en un veinte por ciento. Eso significa 12.000 dólares en treinta días, o 400 dólares al día en gasto publicitario. Invierto mi presupuesto publicitario diario a partir de mi objetivo de captación de clientes potenciales. Luego, *me comprometo a cumplirlo*. Si la cifra te asusta, es que lo estás haciendo bien. Confía en los datos. Así es como se escala. Y por eso la mayoría de la gente nunca lo hace.

"¿Qué tan bien lo estoy haciendo?" - Costo y rentabilidad
- Indicadores de eficiencia

Los anuncios pagos eficientes generan más dinero del que cuestan. Si eso suena dolorosamente obvio, perfecto. Ya has superado a la mayoría de la gente. Yo mido la eficiencia de los anuncios pagos comparando el beneficio bruto de por vida de un cliente (BBPV) con el costo de adquisición de un cliente (CAC). Expreso esta relación como BBPV a CAC.

<u>Mido el BBPV en lugar del "valor de por vida" o "VPV"</u>

El beneficio bruto de por vida es todo el dinero que un cliente gasta alguna vez en tu empresa menos todo el dinero que cuesta entregárselo. Por ejemplo, si un cliente compra algo por $15 y la entrega cuesta $5, la ganancia bruta es de $10. Así que si ese cliente compra diez cosas a lo largo de su vida, entonces compró un total de $150 en productos. Pero a ti te costó un total de $50 entregar esa mercadería. Eso hace que el beneficio bruto de por vida sea de $100.

El beneficio bruto es importante en general porque es el dinero real que utilizas para captar clientes, pagar el alquiler, cubrir las nóminas y... todo lo demás para hacer funcionar tu negocio.

Así que si alguna vez me has oído decir "estoy consiguiendo 3 a 1 en esto" me refiero a mi ratio BBPV-a-CAC. Comparo lo que he ganado con lo que he gastado. Así que si el BBPV es mayor que el CAC, tu publicidad es rentable. Si es inferior al CAC, estás perdiendo dinero.

¿Cuál es una buena relación LTGP/CAC? Todas las empresas en las que invierto que luchan por escalar tienen al menos una cosa en común: su relación BBPV/CAC era *inferior a* 3 a 1. En cuanto la supero (ya sea reduciendo el CAC o aumentando el BBPV), despegan. *Este es un patrón que he observado personalmente, no una regla.*

$$BBPV > CAC = \$ + \; \odot$$

$$BBPV < CAC = \$ - \; \odot$$

$$\frac{BBPV}{CAC} > 3 \quad \odot$$

Tienes dos grandes palancas para mejorar el ratio BBPV:CAC

- Reducir el CAC - Consiguiendo clientes más baratos. Esto se logra con anuncios más eficientes siguiendo los pasos que acabamos de describir.

- Aumentar el BBPV - Aumentando las ganancias por cliente. Hacemos esto con un mejor modelo de negocios.

Para obtener el máximo beneficio... *Yo prefiero hacer las dos cosas.*

Por ejemplo, si ganaras mil millones de dólares por cliente, entonces podrías gastar novecientos noventa y nueve millones de dólares para conseguir un cliente y *aún* te sobraría un millón de dólares. Podrías gastarte prácticamente lo que hiciera falta para conseguir un cliente. No importa lo malos que sean tus anuncios, probablemente seguirías ganando. Por otro lado, si ganaras un centavo por cliente, tendrías que conseguir cada cliente *por menos de un centavo* para que funcione. Incluso con los mejores anuncios, fracasarías.

Traigo esto a colación porque conversamos con cientos de empresarios cada mes. A menudo piensan que tienen anuncios malos (CAC alto) cuando, en realidad, tienen un modelo de negocio malo (BBPV bajo). Aquí tienes un hallazgo que probablemente te sorprenderá tanto como a mí. El costo de adquisición de clientes entre competidores del mismo sector está mucho más cerca de lo que piensas. La diferencia entre los ganadores y los perdedores es *cuánto ganan por cada cliente.*

Entonces, ¿cómo saber si lo que hay que mejorar son los anuncios o el modelo de negocios? Yo utilizo el CAC medio del sector como guía. Investiga los promedios de tu industria para el costo de adquirir clientes. Si tu CAC es inferior a 3 veces la media del sector (bueno), *céntrate en tu modelo de negocios* (BBPV). Si tu CAC es superior a 3 veces la media (malo), *céntrate en tu publicidad* (CAC).

Las cosas sólo pueden ser baratas hasta cierto punto. Al final tienes que ganar más. Piénsalo de esta manera: reducir el costo de conseguir un cliente en 100 dólares acabará costando más trabajo que ganar 100 dólares más con él. Así que una vez que tu costo sea lo suficientemente bajo, céntrate en tu modelo de negocios. Los costos sólo pueden acercarse a cero, pero las ganancias pueden llegar a la infinidad. Aumentar la eficiencia publicitaria más allá de un cierto punto es como intentar "ahorrar en tu camino" hacia los mil millones de dólares. Sientes que progresas, pero nunca llegarás allí.

"Mis anuncios no son rentables, ¿cómo puedo solucionarlo?" → Adquisición financiada por el cliente

Para muchas empresas, el BBPV es mayor que el CAC. Sí. Pero *no después de la primera compra*. ¡Buuu! El beneficio de *la primera compra* del cliente suele ser inferior al costo de conseguirlo. Pueden pasar muchos meses hasta que se recaude el BBPV completo. Por lo tanto, recibes tu dinero más tarde en lugar de ahora. Este problema de liquidez paraliza tu capacidad para expandir los anuncios y conseguir más clientes. Otra vez.

Pero... si tu cliente gasta más de lo que te cuesta conseguirlo <u>y</u> satisfacerlo -en los primeros 30 días-, entonces tienes los fondos para escalar *ahora* y *para siempre*. Yo llamo a esto **adquisición financiada por el cliente.**

Elijo treinta días porque cualquier empresa puede obtener dinero sin intereses durante treinta días en forma de tarjeta de crédito. Y si ganamos más de lo que cuesta conseguir y satisfacer al cliente en los primeros treinta días, cuadramos nuestro balance. Ahora tenemos una deuda cero y un nuevo cliente del que podemos seguir obteniendo beneficios para siempre. Luego, repetimos el proceso. El dinero ya no es tu cuello de botella. Esta es la clave para la escala ilimitada. *Repito la misma imagen de más arriba para que puedas consultarla.*

Veamos la adquisición financiada por el cliente en acción:

- Supongamos que tenemos una membresía de $15 al mes que nos cuesta $5 entregar. Eso nos deja un beneficio bruto de $10.

  ($15 de membresía) - ($5 de costo) = $10 de beneficio bruto por mes

- Y digamos que nuestro miembro promedio se queda diez meses. Esto hace que nuestro beneficio bruto de por vida sea de $100.

  ($10 de beneficio bruto al mes) x (10 meses) = $100 BBPV.

- Si el costo de conseguir un cliente es de $30 (CAC = $ 30), tenemos una relación BBPV:CAC de 3,3:1.

  ($100 de BBPV) / ($30 de CAC) = 3,3 BBPV / 1 CAC → 3,3:1

  ¡Nuestros anuncios generan ganancias! ¡Hurra!

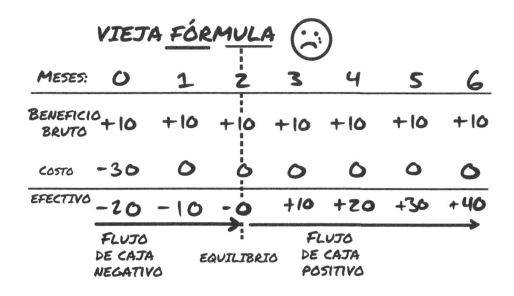

Pero espera... hay un problema. Gastaste 30 dólares en anuncios y sólo recuperaste 10. Diez dólares entran a cuentagotas, mes a mes, hasta que por fin alcanzas el punto de equilibrio... dos meses después. ¡Es difícil! No te equivoques, deberías hacer esa operación al 100%. Pero, ahora tenemos un problema de *flujo de efectivo.*

Así es como lo resuelvo: *inmediatamente les vendo más cosas.*

- Si ofrezco una venta adicional de 100 dólares (con márgenes del 100%) que uno de cada cinco nuevos clientes acepta. Eso añade 20 dólares de beneficio bruto por cliente.

  (100 dólares de venta adicional)/(5 clientes) = 20 dólares de venta adicional promedio por cliente.

- Esto nos lleva de 10 a 30 dólares en los primeros treinta días (nuestro umbral de rentabilidad). La primera compra es de 10 dólares. Pero ahora *el promedio de ventas adicionales añade 20 dólares.*

  $10 + $20 = $30 de ganancias brutas por cliente en menos de 30 días.

- Y como cuesta 30 dólares adquirirlos, alcanzamos el punto de equilibrio. ¡Excelente!

  $30 CAC - $30 en efectivo cobrados en treinta días = ¡clientes gratis!

Todos los $10 mensuales extra que lleguen después son "pura ganancia". Ahora, puedo ir a conseguir otro cliente mientras sigo cobrando esa ganancia de $10 al mes durante los próximos nueve meses. Así es como se gana dinero. Las cosas que puedes vender son ilimitadas.

Si cubro el costo de conseguir y satisfacer a un cliente en los primeros treinta días, puedo saldar mis deudas y volver a hacerlo. Así es como he conseguido que todas las empresas que he creado en los últimos siete años <u>superen el millón de dólares al mes en los primeros doce meses</u>, sin financiación externa. Con la rentabilidad fuera del camino, la creatividad es tu único límite.

<u>Conclusión</u>: Encuentra la forma de que tus clientes te amorticen el dinero en los primeros treinta días para poder hacerlo recircular y conseguir más clientes.

Lecciones personales de los anuncios pagos

1) **No confundamos los problemas de ventas con los de publicidad.** Por ejemplo, una empresa en la que invertí dedicó doce semanas y 150.000 dólares a publicar anuncios de pago. Conseguían los clientes potenciales adecuados por teléfono, *pero no cerraban ventas*. El propietario decía que la publicidad no funcionaba. Pero los anuncios funcionaban bien, de maravilla, pero las ventas eran pésimas. El dueño levantó las manos y se rindió... a quince centímetros del oro. Frustrante. Confundir un problema de publicidad con un problema de ventas les costó unos 30 millones de dólares en valor empresarial. Si tus clientes potenciales comprometidos tienen el problema que resuelves y el dinero para gastar, y no están comprando, entonces tus anuncios funcionan bien: lo que tienes es un problema de ventas.

2) **Tu mejor contenido gratuito puede dar lugar a los mejores anuncios de pago.** Algunos de los mejores anuncios de pago que he publicado provienen de contenido gratuito. Si haces una pieza de contenido gratuito que genere ventas, o que funcione muy bien, nueve de cada diez veces será un gran anuncio pagado.

   a) **Contenido generado por el usuario (CGU).** Si puedes conseguir que tus clientes creen testimonios o reseñas utilizando tu producto, publícalos. Si funcionan bien como contenido gratuito, a menudo también son excelentes anuncios. Disponer de un sistema para fomentar estas publicaciones públicas de los clientes es mi forma favorita de obtener un flujo constante de anuncios potenciales. Y lo mejor de todo es que no supone ningún trabajo adicional.

3) **Si dices que eres malo en algo, probablemente lo serás.** Nunca digas "no entiendo la tecnología" u "odio la tecnología". Esto solo te mantendrá más pobre de lo que debería ser. Yo lo repetí durante... espera... CUATRO AÑOS. Un día, me enfurecí porque odiaba más al diseñador de mi sitio web que a la propia tecnología. "Si este idiota puede hacerlo, yo también". Cuatro años de pérdida de tiempo y dinero perdido revertidos con cuatro horas de esfuerzo concentrado.

Tu turno

Puedo enseñarte a poner un anuncio en veinte minutos. Te costará 100 dólares. ¿Valdrá la pena? Eso espero. Es una habilidad importante. No te hará ganar dinero, pero aprenderás una lección que vale mucho más que cien dólares: *publicar anuncios es más fácil de lo que crees.* De hecho, las plataformas gastan millones en hacerlo lo más fácil posible (para poder ganar más dinero). Esto es todo lo que tienes que hacer:

Busca "CÓMO COLOCAR UN ANUNCIO [EN UNA PLATAFORMA]". Luego pon uno por 100 dólares. No llegues hasta el final y te acobardes. Gasta el maldito dinero. Quítate la bandita rápidamente. En cuanto lo hagas, dejarás de ser un observador y entrarás en el juego.

Una vez que hayas reunido todas estas piezas, es hora de enviarlo.

Empieza con una cantidad aceptable de dinero que estés dispuesto a perder cada mes. Prepárate para perderlo. No estarás ganando, estarás aprendiendo.

Si recuerdas nuestra lista de comprobación publicitaria, tendrás que elegir cada línea para rellenar tu ficha de acción. Esto inicia tu viaje en los anuncios pagos para obtener clientes potenciales más comprometidos. Ejemplo de lista de comprobación de anuncios pagos:

Lista de comprobación diaria de anuncios de pago	
Quién:	Tú mismo
Qué:	Tu oferta
Dónde:	Cualquier plataforma /audiencia a la que puedas comprar acceso
A quién:	Público objetivo o similar
Cuándo:	Todos los días, 7 días a la semana
Por qué:	Obtener prospectos comprometidos para lograr venderles
Cómo:	Anuncios + CTA (llamado a la acción)
Cuánto:	Elaboración de un presupuesto, luego invertirlo en un objetivo de ventas
Cuántas:	30 + llamadas de atención x 10 Avisos publicitarios
Hasta cuándo:	El tiempo que sea necesario.

Anuncios pagos Parte II Conclusión

Los anuncios pagos son la forma más rápida de aumentar el número de clientes potenciales que obtienes. Hemos dedicado la mayor parte de este capítulo a hablar acerca de la eficiencia. Porque una vez que comprendas de qué manera los anuncios realmente generan dinero, será mucho más fácil conseguirlo. Yo he tenido mucho éxito con los anuncios pagos, pero no porque fuera el más creativo o tuviera el mejor texto. Fue porque conocía los números. Así que sigue los pasos descritos.

Recomiendo utilizar los anuncios pagos en <u>último</u> lugar por dos razones. Primero, las habilidades adquiridas a través de los otros tres métodos se transfieren a éste último. Y segundo, los anuncios de pago cuestan dinero. Dinero que tendrás si empiezas por los otros tres métodos en primer lugar. Así que aprende las habilidades y gana dinero con los otros tres métodos, para tener la curva de aprendizaje más corta en éste.

Y una vez que tengamos todo eso, lo escalamos. Esperamos perder más veces de las que ganamos. Y una vez que ganamos, escalamos hasta el infinito. Y así es como lo hacemos.

Los anuncios pagos representan la última de las cuatro formas principales en que una sola persona puede hacer que otras personas sepan acerca de sus productos o servicios. Pero antes de pasar a la segunda mitad del libro, quiero mostrarte cómo potenciar al máximo estas estrategias.

UN REGALO PARA TI: Formación adicional - La vía rápida de los anuncios pagos

La publicidad de anuncios pagos es la vía rápida. Es de alto riesgo y alta recompensa. Grabé un desglose más profundo de los marcos de anuncios pagos que me han servido para diferentes industrias y rangos de precios. Puedes encontrarlo aquí de forma gratuita, como siempre: Acquisition.com/training/leads. El regalo que te hago: dinero que ganarás en el futuro. Y como siempre, también puedes escanear el código QR de abajo si detestas teclear.

Los cuatro pilares fundamentales potenciados: Más, Mejor, Nuevo

"Si al principio no tienes éxito, recurre a la fuerza".

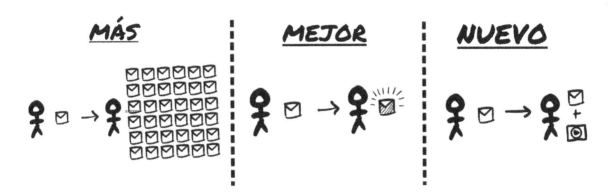

Sondeé las más o menos cuarenta caras del grupo. Todos eran empresarios que querían ampliar su negocio. Todos buscaban el "eslabón perdido" que les proporcionara clientes potenciales comprometidos. Tras terminar una presentación sobre la captación de clientes potenciales, *abrí la ronda de preguntas y respuestas*:

El primer empresario dijo: "Creo que he saturado el mercado. No creo que podamos crecer más en el nicho de los quiroprácticos".

"¿Qué ingresos tienes?", le pregunté.

"2.000.000 de dólares al año".

"¿Y cuánto gastas en publicidad?"

"Unos 30.000 dólares al mes en Facebook".

"¿Cuál es tu tasa de conversión desde el clic hasta el cierre?"

"No lo sé".

"¿Así que no hacen un seguimiento del rendimiento general?"

"Supongo que no".

"Ok... ¿En qué otras plataformas te anuncias?"

"En ninguna.

"¿Cuánto contenido haces para quiroprácticos?"

"Ninguno."

"¿Cuánta prospección en frío haces?"

"Ninguna".

"¿Y los 30.000 que gastas, en una plataforma, para un negocio de dos millones de dólares, saturó la industria de quiroprácticos de $15.1 mil millones? ¿Te parece razonable?"

Un segundo empresario intervino antes de que pudiera responder: "Si te sirve de ayuda, yo también estoy en el nicho de los quiroprácticos y la *semana* pasada gasté 30.000 dólares en publicidad en *cuatro* plataformas..."

"¿Sigues pensando que has saturado tu nicho?", le pregunté.

Él entendió el punto.

***

Tengo esta conversación a diario con empresarios que aspiran a crecer. Por lo general, han calculado cómo captar suficientes clientes de una plataforma para alcanzar entre 1 y 3 millones de dólares al año. Todavía no es del todo predecible. Y tienen sus altibajos. Pero tienen una idea general de lo que tienen que hacer y han tenido cierto éxito. Es en este punto cuando chocan contra un muro porque piensan que no pueden ganar más dinero. Asumen que han "agotado" su mercado. No bromeo. Tuve una conversación con otro empresario que ganaba alrededor de $3.000.000 al año en el rubro de la pérdida de peso. Le preocupaba que aumentar su gasto en publicidad más allá de los $40.000 al mes saturaría su plataforma. Para contextualizar, esa plataforma tiene más de mil millones de usuarios activos diarios. Y él estaba vendiendo la pérdida de peso... en Estados Unidos... una industria de $60 mil millones. Qué tontería.

Hay más clientes potenciales ahí fuera de lo que puedas imaginar. He utilizado un marco para desbloquear los clientes potenciales una y otra vez y ahora tú también puedes usarlo.

Cómo conseguir aún más clientes potenciales: Más Mejor Nuevo

En primer lugar, llega a las personas que te conocen. Luego, empieza a crear contenido gratuito. A continuación, comienza a llegar a las personas que no te conocen. Después, empieza a publicar anuncios pagos. Así es como se *hacen* las cuatro cosas fundamentales para conseguir clientes potenciales. Y realmente no hay nada más que una sola persona pueda hacer *por su cuenta* para conseguirlos.

Pero ¿qué pasa si estás haciendo los cuatro pilares y todavía no consigues tantos clientes potenciales comprometidos como quieres? No te preocupes. Hay dos maneras de potenciar cualquiera de los cuatro métodos para conseguir aún más clientes potenciales comprometidos por tu cuenta. Yo las utilizo cada vez que quiero aumentar el número de clientes potenciales comprometidos en una empresa de mi cartera. Son fáciles de recordar: **Más, Mejor, Nuevo**.

En pocas palabras:

1) Puedes hacer *más* de lo que haces actualmente.

2) Puedes hacerlo *mejor*.

3) Puedes hacerlo en algún lugar *nuevo*.

Y, al igual que la historia del principio con el dueño de la agencia, eso es *exactamente lo que le estaba preguntando*. ¿Podrías hacer más publicidad? ¿Podrías hacer mejor publicidad? ¿Podrías hacer publicidad en algún sitio nuevo?

Así que empecemos por lo primero que hago: *Más*.

Más

Ya has hecho algo de publicidad hasta el momento. Y sabes que la publicidad que haces funciona hasta cierto punto. Así que la siguiente cosa obvia que puedes hacer para conseguir clientes potenciales más comprometidos es - *más. Mucho más*. Sube el volumen al máximo.

Incluso sin ninguna mejora en absoluto, si duplicas tus esfuerzos, obtendrás más clientes potenciales comprometidos. Haz el doble de contactos, publica el doble de contenido, publica el doble de anuncios, duplica el gasto en publicidad, etc. No te arrepentirás. A menos, claro, que odies el dinero.

Así que, aunque siempre nos centraremos en hacer pruebas para *mejorar*, a lo que llegaremos en un momento, los mayores incrementos suelen venir de hacer *más* publicidad.

Así es cómo yo hago más: La regla de 100

La regla de 100 es sencilla. Tú anuncias tus productos o servicios haciendo 100 acciones básicas cada día, durante cien días corridos. Eso es todo. No hago muchas promesas, pero esta es una. Si haces 100 acciones primarias al día, y lo haces durante 100 días seguidos, conseguirás prospectos más comprometidos. Comprométete con la regla de 100 y nunca volverás a pasar hambre.

Así es como se ve aplicada a cada uno de los cuatro pilares:

Alcances en caliente:

100 contactos al día

Ejemplo de acciones principales: correos electrónicos, mensajes de texto, mensajes directos, llamadas, etc.

Publicar contenido:

100 minutos al día para crear contenidos.

Publica al menos uno al día en una plataforma. A medida que mejores, publica aún más. Ejemplo de acciones primarias: videos o artículos cortos y largos, podcasts, infografías, etc.

Alcances en frío:

100 alcances al día

Ejemplo de acciones principales: correos electrónicos, mensajes de texto, mensajes directos, llamadas en frío, etc.

Como con toda la publicidad en frío, debes esperar tasas de respuesta más bajas, así que utiliza la automatización.

Anuncios pagos:

100 minutos al día haciendo anuncios pagos.

Ejemplo de acciones principales: anuncios en medios de respuesta directa, correos directos, seminarios, anuncios en podcasts, etc.

100 días seguidos realizando esos anuncios pagos. Utiliza el presupuesto diario que calculamos juntos en el capítulo de anuncios pagos. Aspira a la adquisición financiada por el cliente.

> **Consejo profesional: Más anuncios significa mejores anuncios, significa más clientes potenciales.**
>
> Facebook revisó las cuentas de todos los anunciantes en su plataforma. Descubrieron algo curioso. El 0.1% de los mejores anunciantes prueba once veces más contenido creativo que el resto. A menudo, no es que no se pueda escalar un anuncio de forma rentable. Es que no se puede escalar un anuncio *mediocre* de forma rentable. Y la única forma de encontrar anuncios *excepcionales* es hacer once veces más. El éxito deja pistas. Haz lo que hace el 0.1% para conseguir lo que consigue el 0.1%.

Aquí tienes un poco de inspiración de alguien de #Mozination siguiendo la regla de 100:

Mejor

MEJOR

Mejorando se consiguen más clientes potenciales por el mismo esfuerzo. Eso es lo que queremos. Y sólo se puede mejorar haciendo una cosa: probando. Así que haces más y más... *hasta que se agota*. Entonces, lo haces *mejor*. En otras palabras, si haces más durante el tiempo suficiente, tu CAC eventualmente será demasiado alto para sostenerlo. Entonces haces un ajuste y ves si mejora. Si es así, sigue haciéndolo. Si no, descártalo. Miles de estas pequeñas pruebas separan a los ganadores de los principiantes.

Cada acción que realiza un cliente potencial antes de convertirse en cliente es un punto de "deserción" potencial. *Así que hago la mayoría de las pruebas en la etapa en la que más clientes potenciales se pierden.* Yo los llamo "restricciones". Las restricciones son los puntos donde las mejoras más pequeñas crean el mayor impulso en los resultados. Por eso son tan importantes. Obtenemos el mayor beneficio por nuestro dinero. Por ejemplo, si tienes tres pasos en tu proceso:

30% Suscripción (te dan su información de contacto)

5% Aplicación ← *Esta es la restricción porque tiene la mayor pérdida de prospectos*

50% Programación

Pero ignoremos la restricción por un momento. Imaginemos que mejoramos cada paso en un 5% en sí mismo.

30 + 5%→35% Suscripción = 16% Aumento de clientes potenciales (x1,16)

5 + 5%→10% Aplicación = 100% Aumento de clientes potenciales (x2)

50 + 5%→55% Programación = 10% de Aumento de clientes potenciales (x1,1)

Obtenemos resultados muy diferentes. La mejora de la restricción también es la clara vencedora. Así que *céntrate en la restricción*. Y, de nuevo, si no estás seguro de qué paso es la mayor restricción, busca el paso en el que se pierden la mayoría de los clientes potenciales. Obtendrás la mayor recompensa por la menor mejora.

<u>Así es como yo mejoro</u>: *pruebo una cosa a la semana por plataforma*. Y lo hago por cuatro grandes razones.

1) Si pruebas varias cosas a la vez en una plataforma nunca aprendes realmente lo que funcionó.

2) Los pasos se afectan entre sí. Un solo cambio puede afectar a los resultados de otros pasos. Por ejemplo, si cambias el primer paso y más personas se suscriben, pero menos personas se presentan (Aplicación), no es bueno. Pero no lo sabrías si cambiaras ambos pasos. Si realizas un solo cambio, *podrás ver qué sucedió*. Si haces un montón de cambios... buena suerte intentando averiguar qué ha funcionado (o no).

3) Te obliga a priorizar aquello que te proporcionará los clientes potenciales más comprometidos. Puedes hacer una cantidad infinita de pruebas. Pero el tiempo es limitado. Así que debes elegir tus pruebas sabiamente. Por ejemplo, si sólo realizas una "gran" prueba a la semana por plataforma, no la malgastes en un cambio de color de rojo a rojo brillante.

4) Tal vez lo más importante, realiza la prueba durante el tiempo suficiente para ver si realmente obtienes una mejora. Si es demasiado breve, no obtendrás datos suficientes. Demasiado tiempo y perderás tiempo que podrías haber dedicado a mejorar la siguiente restricción. Con el tamaño de mi equipo y la cantidad de dinero que gasto en publicidad, una semana suele ser suficiente para mí.

En todas las empresas que tengo, establezco un calendario de pruebas. Cada lunes realizamos una prueba dividida por plataforma. Le damos una semana. Y el lunes siguiente, hacemos tres cosas:

1) Observamos los resultados y elegimos a los ganadores de cada prueba de plataforma.

2) Luego (esto es muy importante), anotamos los resultados de la prueba en un registro de todas las pruebas. Así, la próxima vez que hagamos algo, empezaremos un millón de pasos adelante, no desde cero.

3) Ideamos nuestra próxima prueba para superar nuestra "mejor versión" actual. Si no podemos superar la versión actual en *cuatro intentos (o un mes),* pasamos a la siguiente restricción.

Seguimos esforzándonos para mejorar las cosas. Pero, en un momento dado, el esfuerzo que dedicas a mejorarlas te reporta cada vez menos beneficios. Llega un momento en que tiene más sentido invertir tu esfuerzo en algo que te dé más beneficios. Sólo en ese momento probamos algo *nuevo.*

Consejo profesional: Delante > Detrás (la mayoría de las veces)

En general, los pasos de menor porcentaje suelen producirse al principio. Y, los pasos de mayor porcentaje, ocurren al final. El 1% de la gente puede hacer clic en un anuncio y luego el 30% le dará su información de contacto. Por eso (la mayoría de las veces) acabarás centrándote en las primeras etapas más que en las últimas. Y eso está bien. En esos pasos suelen estar las restricciones. Ofrecen los mayores beneficios a cambio de las menores mejoras. La convocatoria. Los elementos de valor. La oferta. La CTA (llamada a la acción). El título de la página de aterrizaje. El subtítulo. La imagen, etc. Sigue el camino en orden de lo que el cliente potencial verá y luego hará.

Consejo profesional: mejor, más, nuevo

Cuando hablo con empresas que generan menos de 1.000.000 de dólares de beneficios al año, suelo aconsejarles que primero hagan *más*. No han hecho suficiente volumen para que los cambios porcentuales supongan una gran diferencia. Pero una vez que se supera el millón de dólares de beneficios anuales, mejorar las cosas puede ser lo más barato y rentable que se puede hacer. Así que cuando una empresa es lo bastante grande, cambio el orden de "más, mejor, nuevo" a "*mejor*, más, nuevo".

Nuevo

Así que, después de mejorar tus estrategias de marketing con "más" y "mejor", lo único que te queda es "nuevos lugares de nuevas maneras". En una palabra: *nuevo*. Y si crees que tu negocio no puede crecer más, déjame enseñarte por qué sí puede hacerlo. Luego te enseñaré *como* hacerlo.

La mayoría de los empresarios sólo se fijan en la plataforma y en la pequeña comunidad en la que comercializan. Y, por lo general, sólo hay tres o cuatro grandes empresas que comercializan en su nicho. Así que asumen que esas empresas *deben* repartirse *todo* el mercado entre ellas. Esto es exactamente lo que hizo el empresario de mi introducción. Piensa por un momento en lo ridículo que es esto. Yo llamo a este problema: **la falacia del tamaño del pastel.** A continuación presentamos un esquema que ilustra cómo el mercado es, de hecho, mucho más grande de lo que la mayoría asume.

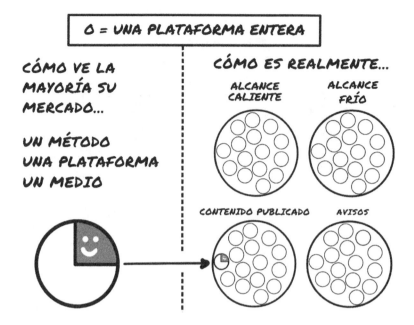

La falacia del tamaño del pastel. Una pequeña empresa utiliza uno de los cuatro pilares fundamentales, en una plataforma, de una forma específica y con un público muy concreto. Y en ese *mismo* espacio, anunciándose de la *misma* manera, puede que solo haya un puñado de competidores.

Asumen erróneamente que la pequeña porción del universo en la que se anuncian es todo el mercado disponible. Por eso la mayoría de las empresas se mantienen pequeñas. Cuando se estancan, piensan que no hay más clientes potenciales que conseguir. Creen que han crecido todo lo que podían crecer. Porque, para muchos, decir "soy todo lo grande que puedo llegar a ser" es mucho más fácil que decir "no soy tan bueno en publicidad como pensaba". Este falso argumento mantiene a los empresarios de todo el mundo más pobres de lo que deberían.

Cuándo intentar lo *nuevo:* cuando los rendimientos que se obtienen de hacermás↔mejor son inferiores a los que se podrían obtener de un nuevo emplazamiento o una nueva forma de hacer publicidad.

Existen muchas otras porciones de atención (y clientes potenciales) *dentro del pequeño universo del "contenido de la publicación"*. Podrían añadir nuevas ubicaciones (ya que muchas plataformas tienen múltiples lugares y formas de contenido). Por ejemplo, en Instagram puedes crear historias, anuncios de mensajería y publicaciones. En YouTube puedes hacer videos cortos, largos, posts comunitarios, etc. O podrían añadir una nueva plataforma. Pasar de los mensajes en Instagram a los mensajes de Facebook. Pasar de los videos cortos de YouTube a los videos cortos de Instagram (reels). etc. Y una vez que hayan agotado estas vías, podrían añadir una actividad completamente nueva dentro de los cuatro pilares fundamentales.

Y por si tienes curiosidad, el orden en el que elijo mi próxima "novedad" se reduce a una cosa: ¿qué me va a conseguir más clientes potenciales por la cantidad de trabajo? Esa es la regla. Y nueve de cada diez veces, se desarrolla así: Nuevas ubicaciones→Nuevas plataformas→Nuevos pilares fundamentales.

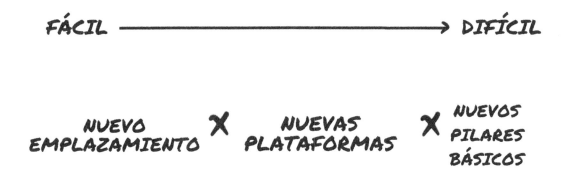

Resumiendo: Independientemente de la forma en que te publicites, podrías hacerlo de nuevas maneras (diferentes estilos de contenido) o en nuevos lugares (piensa en otras plataformas). Y, por último, puedes realizar una nueva actividad fuera de los cuatro pilares principales. Y, como habrás adivinado, cada una de ellas nos proporcionará lo que queremos: más clientes potenciales.

Ahora bien, esto es mucho más difícil en la práctica, por eso yo agoto "más, mejor" en primer lugar. Pero llega un momento en que tienes que ampliar a "nuevas" ubicaciones, plataformas y actividades fundamentales para que más gente conozca tu empresa.

Paso a seguir: Agotar más mejor en primer lugar. Cuando ya no puedas hacer más ni mejor (es decir, cuando los beneficios sean menores que si inviertes el mismo esfuerzo en una nueva plataforma), prueba con algo *nuevo*. Sigue básicamente este orden: nueva ubicación, nueva plataforma, nueva actividad de los cuatro pilares fundamentales. Ponlo en marcha. Evalúa tus resultados. Y, a partir de ahí, amplía utilizando más y mejor. Luego, vuelve a repetirlo.

Resumen de "Más, mejor, nuevo"

Primero, haces mucho más de la publicidad que funciona hasta que se "agote". Entonces, el siguiente *punto de ruptura se hace obvio*. Entonces mantienes ese nivel de publicidad mientras vuelves atrás, corriges la restricción y mejoras tu apuesta. En realidad, *mejor* y *más funcionan* mucho mejor juntos que por separado. La primera pregunta que suelo hacerme antes de invertir en una empresa que necesita conseguir más clientes es: "¿Qué les impide hacer diez veces más de lo que hacen actualmente?". A veces, nada, así que hacemos *más*.

Otras veces necesitamos hacer algo *mejor* primero. Responde a esa pregunta y sabrás qué hacer a continuación.

Sólo cuando hayas agotado las posibilidades de hacer más y mejor, obtendrás los beneficios reales de hacer algo nuevo. En primer lugar, opta por nuevas ubicaciones de anuncios en una plataforma que conozcas. En segundo lugar, utiliza anuncios existentes en una nueva plataforma. Luego, una vez que te familiarices con esa nueva plataforma, utiliza nuevas ubicaciones en ella. Una vez que hayas agotado eso, puedes añadir una nueva actividad de los cuatro fundamentos a lo que haces actualmente. Esa es la forma sencilla y práctica en la que refuerzo los cuatro pilares fundamentales, *en el mundo real*, para conseguir aún más clientes potenciales.

Conclusión

La publicidad *es el proceso de dar a conocer.* Es lo que hacemos para dar a conocer a desconocidos aquello que vendemos. Hasta ahora, hemos resuelto el problema de "lo que vendes" con tu imán de clientes potenciales u oferta. Pero para conseguir que se conviertan en prospectos comprometidos, tienes que informarles de ello. Así que dedicamos esta sección a repasar las únicas cuatro formas en que una sola persona puede hacer publicidad, es decir, dar a conocer su producto o servicio a otras personas. Y para hacerlo, intercambias tiempo, dinero o ambos. Y al hacerlo, puedes anunciarte a personas que te conocen (en caliente) o a desconocidos (en frío). Puedes hacer publicidad pública (contenidos/anuncios) o privada (difusión).

¿Qué hacer y cuándo? Siempre que construyo un negocio pienso en ello de esta manera: después de hacer un acercamiento en caliente para conseguir mi grupo de clientes, si tengo más tiempo que dinero, paso a publicar contenido. Si tengo más dinero que tiempo, paso a la difusión en frío o a la publicación de anuncios.

Pero recuerda, sólo necesitas hacer una cosa para conseguir clientes potenciales. Así que elige una. Luego, exprímela *al máximo*. Haz más. Hazlo mejor. Haz algo nuevo. Y todos los métodos publicitarios se potencian entre sí. El dinero, los sistemas y la experiencia que hayas ganado con el método anterior te ayudarán a dominar el siguiente. Una empresa que publique contenido gratuito *y* publique anuncios pagos obtendrá más de sus anuncios y de su contenido que una empresa que sólo haga una cosa o la otra. Un negocio que hace alcance en frío y crea contenido obtendrá más de su alcance en frío *y* trabajará sus clientes potenciales calientes mejor que uno que sólo hace una de las dos cosas. Todas las combinaciones de los cuatro pilares fundamentales de la publicidad se potencian entre sí de alguna manera.

Y como nota personal, las he hecho todas. Construí mi primer negocio publicando contenidos y haciendo alcances en caliente. Construí mis gimnasios con contenidos gratuitos y anuncios de pago. Construí Gym Launch con anuncios pagos y contactos en frío. Construí Prestige Labs con afiliados (ya lo vimos en la Parte IV). Construí ALAN con anuncios pagos y afiliados (también en la Parte IV). Construí Acquisition.com publicando contenido. Hay muchas maneras de conseguir clientes potenciales comprometidos. Si dominas una, podrás alimentarte por el resto de tu vida. *Todas funcionan si lo haces.*

Próximo paso

Si sigues los pasos de este libro, te quedarás sin horas en el día. No podrás hacer más, ni mejor... ¡y mucho menos añadir nada nuevo! Así que necesitarás ayuda en tu viaje al país de las oportunidades infinitas. Necesitarás aliados. Esos aliados vienen en cuatro sabores diferentes. Y como hay más de ellos que de ti, son la clave para llegar allí. Así que vamos a buscarlos.

UN REGALO PARA TI: Entrenamiento adicional - más, mejor, nuevo

Este es uno de mis temas favoritos sobre la expansión y escalado de empresas. Los CEOs de nuestras carteras lo citan como uno de los marcos más impactantes que les he proporcionado. Si quieres ver una versión de video en la que explico esto en detalle, puedes encontrarla aquí de forma gratuita, como siempre: Acquisition.com/training/leads. Y como siempre, también puedes escanear el código QR a continuación si detestas teclear.

PARTE IV: CONSIGUE CAPTADORES DE PROSPECTOS

Consigue personas que te consigan más clientes potenciales

"Dame una palanca lo suficientemente larga y un punto de apoyo en el que colocarla, y moveré el mundo". - Arquímedes

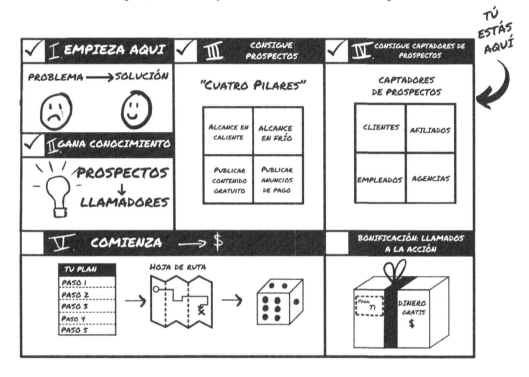

Construir una máquina de prospectos de 100 millones de dólares es cuestión de apalancamiento

Una anciana puede levantar un semirremolque con una palanca lo suficientemente larga. El hombre más fuerte del mundo, sin una, *no podrá* hacerlo. La longitud de la palanca determina cuánto puede levantar alguien. Esto es la palanca. Podemos utilizar el principio del apalancamiento en publicidad. Permítame explicarlo:

Una persona con acceso a Internet puede enviar un mensaje a millones de personas a la vez. Alguien que escribe postales a mano *no puede*. Internet nos permite llegar a más gente por el mismo tiempo empleado. Por lo tanto, tendremos un mayor apalancamiento.

Eso significa que el apalancamiento se reduce a cuánto obtenemos por el tiempo que dedicamos a conseguirlo. Así que queremos utilizar actividades de mayor apalancamiento para conseguir lo que queremos. Más de lo que queremos. En menos tiempo para conseguirlo. Genial.

Y queremos clientes potenciales. *Muchos clientes potenciales.*

Consejo profesional: No confundas apalancamiento con velocidad

Una persona sola no puede ir muy rápido. Una persona que te lleva 1000 veces de ventaja no se mueve 1000 veces más rápido. No puede hacerlo. Está haciendo cosas diferentes. Así que el futuro que parece tan lejano, con apalancamiento, está más cerca de lo que piensas.

Los captadores de prospectos te proporcionan apalancamiento

Alex Hormozi ✔
@AlexHormozi

Sólo dos personas pueden dar a conocer a extraños las cosas que vendes:
1) tu
2) otras personas

Ellos son más que tú.

La gente puede informarse sobre los productos que vendemos a través de dos fuentes. Podemos hacérselo saber *nosotros mismos*, utilizando los cuatro pilares fundamentales. O bien, *otras personas* pueden informarles utilizando los cuatro pilares básicos. A estas personas las llamo **captadores de clientes potenciales.** Cuando otras personas lo hacen por nosotros, ahorramos tiempo. Eso significa que conseguimos más clientes potenciales comprometidos con menos trabajo. Aprovechar el apalancamiento.

Imagina cuatro escenarios:

Escenario Nº1: Tú <u>eres</u> el captador de prospectos. Realizas los cuatro pilares fundamentales todos los días por ti mismo. Consigues suficientes clientes potenciales para pagar las facturas.

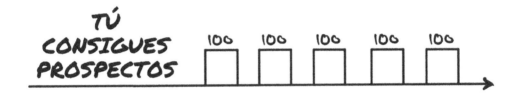

Índice de trabajo: ALTO Prospectos: POCOS Apalancamiento: BAJO

Escenario Nº2: <u>Consigues</u> un captador de clientes potenciales. Consigue un captador de clientes potenciales para que haga las cuatro tareas principales en tu nombre. Ahora, el captador de clientes potenciales consigue suficientes clientes potenciales para pagar las facturas sin que tú tengas que hacer publicidad. Tú trabajas menos que en el escenario Nº1 y obtienes el mismo número de clientes potenciales.

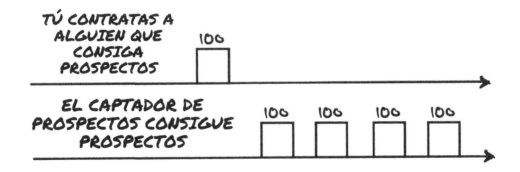

Índice de trabajo: BAJO. Prospectos: POCOS. Apalancamiento: ALTO.

Escenario Nº3: Consigues muchos captadores de clientes potenciales. Dedicas todo tu tiempo a conseguir otros captadores de prospectos. Tus prospectos se incrementan con cada uno que consigues. Trabajas todo el día, pero obtienes más clientes potenciales que cuando estabas solo. Trabajas más que en el escenario Nº 2, pero consigues muchos más clientes potenciales.

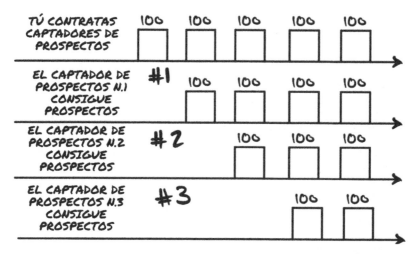

Índice de trabajo: ALTO. Prospectos: MUCHOS. Apalancamiento: ALTO.

Escenario Nº 4: Consigues un captador de clientes potenciales que consigue captadores de clientes potenciales. Tú reclutas a alguien que recluta a otras personas para hacer publicidad en tu nombre. Consiguen más captadores de clientes potenciales mensualmente. Sólo tuviste que trabajar *una vez* para conseguir al primer captador de clientes potenciales, pero tus clientes potenciales siguen aumentando sin que tú trabajes. Trabajas menos que en el escenario Nº 3, y consigues más clientes potenciales todos los meses.

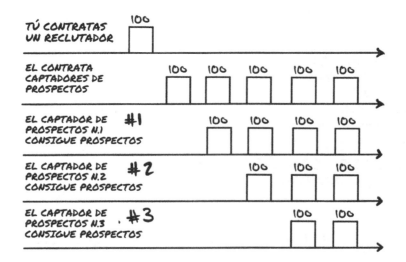

Índice de trabajo: BAJO. Prospectos: MUCHOS. Apalancamiento: MÁXIMO.

Ahora ya tienes los ingredientes de una máquina de *prospectos* de $100M.

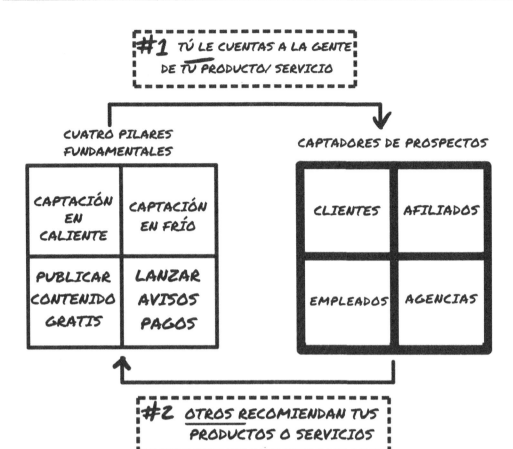

Esquema de la sección "Captadores de clientes potenciales"

Los captadores de clientes potenciales no forman parte de los "cuatro pilares" porque no son cosas que tú hagas. Tú no 'haces' afiliados, ni 'haces' referencias de clientes, ni 'haces' agencias, ni 'haces' empleados. Pero, *debes hacer las cuatro cosas principales para conseguirlos.* Proceden de la captación en caliente, los contactos en frío, la publicación de contenidos y la publicación de anuncios pagos. Y una vez que los consigues, *ellos* lo hacen por ti.

Así que los cuatro pilares fundamentales se acumulan. Una vez para conseguirlos, y una segunda vez para cuando los captadores de prospectos consiguen prospectos comprometidos en tu nombre. Pero no tiene por qué acabar ahí. De hecho, no debería. El proceso se repite. ¡Los captadores de prospectos pueden ir en busca de otros captadores de prospectos! Así que hacemos algo una vez y luego los captadores de prospectos lo podrán hacer por nosotros para siempre.

Pero espera, ¡pensé que este libro era sobre conseguir clientes potenciales! ¿Así que estoy tratando de conseguir clientes potenciales? ¿O quiero captadores de clientes potenciales? Respuesta a ambas preguntas: Sí. Los captadores de clientes potenciales empiezan como clientes potenciales, luego se interesan por el producto que vendes y se convierten en clientes potenciales comprometidos como cualquier otro. ¡La diferencia es que consiguen que otras personas también se interesen por lo que vendes! Y lo ideal es que cada prospecto se convierta en un captador de prospectos.

Los siguientes capítulos explican, en detalle, *cómo conseguir que otras personas hagan publicidad para ti.* Y, si quieres escalar a más de $100 millones, tienes que entenderlos:

1. **Clientes:** compran tu producto y se lo cuentan a otras personas para conseguirte clientes potenciales.

2. **Empleados:** personas en tu negocio que te consiguen prospectos.

3. **Agencias:** empresas con servicios que te consiguen prospectos.

4. **Afiliados:** empresas que hablan a su público de tu empresa para conseguirte clientes potenciales.

*Los cuatro captadores de prospectos permiten que otras personas conozcan *lo que vendes.* En otras palabras, los cuatro tienen un mayor efecto de palanca que si lo haces tú solo.

Una vez que entiendas los cuatro captadores de prospectos, podrás construir una máquina de conseguir clientes potenciales para cada empresa que inicies por el resto de tu vida. Voy a desglosar cómo utilizo los cuatro captadores de clientes potenciales. Cómo cada uno es diferente. Cómo trabajar con ellos. Cuándo utilizarlos. Las mejores prácticas. Y cómo medir tu progreso a lo largo del camino. Al final de esta sección, comprenderás cómo conseguir que otras personas te traigan más clientes potenciales de los que puedas imaginar.

Y puesto que ya hemos utilizado los cuatro pilares fundamentales para conseguir clientes, empecemos con algo que podemos hacer ahora mismo: conseguir que esos clientes nos recomienden a más clientes.

UN REGALO PARA TI: Bonificación avanzada - Consigue que otros lo hagan por ti

Este podría ser uno de mis capítulos favoritos del libro. Me llevó muchísimo tiempo resolver cómo recopilar todo en un modelo simple. Si deseas obtener más información sobre cómo hacer que otras personas te consigan clientes potenciales y cómo se aplica a la escalabilidad, visita: Acquisition.com/training/leads. Y como siempre, también puedes escanear el código QR de abajo si detestas teclear.

ESCANÉAME

Nº 1 Referencias de clientes - El boca a boca

"La mejor fuente de nuevos trabajos es el trabajo que tienes sobre la mesa" - Charlie Munger

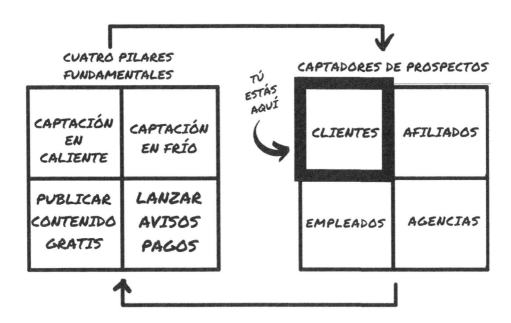

Octubre de 2019.

Leila y yo estábamos sentados juntos en el sofá del salón de sus padres. El mismo en el que ella veía películas de niña. Los bordes descoloridos de la mesa de café nos suplicaban que levantáramos los pies. Apoyamos los portátiles en nuestros muslos. Los cables de extensión serpenteaban alrededor del sofá hasta los enchufes del pasillo. Su madrastra trabajaba ruidosamente en la cocina. *No era* el entorno ideal de trabajo. Pero nos las arreglamos.

Dos años antes, lo había perdido todo y conocí a sus padres aquel mismo fin de semana...

"Oye papá, conocí a un tipo en internet. Lo perdió todo y no tiene dinero. Pero no te preocupes, dejé mi trabajo y me mudé con él para ayudarle con su próxima gran idea de negocio. Por cierto, ¿podemos quedarnos aquí por un tiempo?

...*Gran* primera impresión, Alex.

Pero muchas cosas habían cambiado desde ese entonces. Ahora éramos multimillonarios. Ganamos lo suficiente como para comprar su casa de la infancia, en efectivo. *Cada semana.* Leila revisaba los informes de nuestros jefes de departamento. Sí, ahora también teníamos ejecutivos.

"Oye, los números de ventas parecen un poco flojos esta semana", dijo.

"¿En serio? ¿Cuántas cerramos?"

"Quince. Y las ventas también empezaron a bajar la semana pasada. ¿Has estado haciendo algo diferente?"

"No lo sé. Déjame ver". Entré en el portal de publicidad de Facebook. Unas notificaciones rojas de rechazo llenaron la pantalla.

"Bueno. Esto lo explica todo", dije.

"¿Que? ¿Qué habrá pasado?"

"Todos los anuncios han sido cerrados".

"Bueno... eso es un problema. ¿Cuándo crees que podrás volver a subirlos?"

"Tardaremos uno o dos días en poner en marcha una nueva campaña".

Entrecerré los ojos y miré la pantalla. Me sorprendió algo aún más alarmante. *Facebook había rechazado los anuncios hacía dos semanas.* Actué como si no pasara nada.

"Así que cerramos 15 esta semana, ¿y cuántos la semana anterior?" pregunté.

"21"

"Bueno, tengo buenas y malas noticias".

"Uhh...Ok..."

"La mala noticia es... que cerraron los anuncios hace dos semanas, así que eso explica la caída. La buena noticia es... que nuestro producto es tan bueno que seguimos ganando 500.000 dólares a la semana sólo con el boca a boca.

"¿Ignoraste los anuncios durante dos semanas?" Tenía escrito en la cara *no puedes estar hablando en serio.*

Me encogí de hombros con una sonrisa tímida. "Todavía me amas, ¿verdad?"

Nos echamos a reír por lo absurdo de la situación.

Aquellos dos años habían sido una locura. La cantidad de dinero que ganábamos no tenía sentido. No comprendimos la magnitud hasta varios años después. Estábamos agradecidos de estar haciendo esto juntos, con nuestros defectos y todo. Y este periodo accidental sin anuncios de pago dejó algo muy claro: *nuestros clientes se lo estaban contando a sus amigos.*

Unos meses después

Me paré en el escenario y miré a la audiencia de más de 700 propietarios de gimnasios. Cada uno de ellos había pagado 42.000 dólares por estar allí. Todos llevaban camisetas negras de "Gym Lord" y bigotes pegados. ¡Fue una locura!

Yo estaba a mitad de la presentación, explicando cómo un excelente servicio genera clientes potenciales a través del boca a boca. Mientras tanto, pensaba con obsesión si el dinero que habíamos ganado durante dos semanas sin anuncios de pago había sido simplemente un golpe de suerte. Sintiéndome seguro, interrumpí la presentación. *Era hora de averiguarlo:*

"Muy bien, para que vean lo importante que es esto, ¿quién de los presentes ha conocido Gym Launch a través de otro propietario de gimnasio? Que levante la mano". Tan pronto como las palabras salieron de mis labios, sentí un arrepentimiento instantáneo. ¿Y si nadie levanta la mano? ¿Y si nuestro crecimiento fue todo forzado? Soy tan idiota.

Miré alrededor de la sala con el brazo levantado como un mono. La sala se quedó inmóvil. *Oh! No.*

Entonces... algunos dueños de gimnasios levantaron la mano. *No tiene buena pinta, pero podría ser peor.*

Luego, más. Gracias a Dios. Luego, más aún. En pocos segundos, una ola de manos. *Santo cielo.* La gente miró a sus lados y detrás de ellos. *Era casi toda la sala.* Dejé que el momento calara hondo en todos nosotros. Nunca lo olvidaré. Sabía que teníamos un buen boca a boca, pero no sabía que era *tan bueno.*

"Esto", dije, "es el poder del boca a boca".

***

Sé que no estabas allí cuando Leila y yo nos dimos cuenta de que estábamos ganando más de $ 500.000 por semana gracias al boca a boca. Sé que no estuviste allí para ver a los $30 millones en clientes decir que alguien los refirió. La primera vez que me di cuenta del poder de las referencias, *fue por accidente.* Al ver todo lo que me hizo ganar, estudié lo que había ido bien. Quería asegurarme de poder recrearlo a propósito. Para poder transferirte esa habilidad, tengo que transferirte las ideas que la crearon. Y estas experiencias formaron esas ideas. *Por eso las comparto.*

La gente copiaba nuestras ofertas, anuncios e imanes de clientes potenciales. Copiaron nuestras páginas de aterrizaje, correos electrónicos y guiones de ventas. Copiaron todo lo que pudieron-pero no tuvieron mucho éxito. Creían que se trataba de "publicidad", y así era. Pero la *mejor* publicidad es un cliente satisfecho. Un producto asombroso convierte a cada cliente en un captador de clientes potenciales.

El mundo pierde confianza a cada segundo. Cada día, más clientes investigan. Se arman de información para tomar decisiones de compra. Y así debería ser. Así que, para jugar a niveles superiores, necesitamos que nuestro producto no sólo cumpla... sino que *entusiasme.* Los clientes deben obtener *tanto valor* que se vean impulsados a hablar de nosotros a otras personas. La buena noticia es que, una vez que sabes cómo hacerlo, es más fácil de lo que crees.

En este capítulo, explico cómo conseguir los clientes potenciales de menor costo, mayor rentabilidad y mejor calidad: las referencias.

Cómo funcionan las referencias

Una recomendación o referencia se produce cuando alguien, un referente, envía un cliente potencial a tu empresa. Cualquiera puede referir, pero las mejores referencias provienen de tus propios clientes. Así que este capítulo se centra en conseguir más referencias de tus propios clientes.

Cómo las referencias hacen crecer tu negocio

Las referencias son importantes porque harán crecer tu negocio de dos maneras:

1) **Valen más (BBPV más alto).** Los referidos compran productos más caros y lo compran más veces. También suelen pagar en efectivo por adelantado. Hermoso.

2) **Cuestan menos (menor CAC).** Si un cliente te envía otro cliente porque le gusta lo que vendes, ese nuevo cliente no te cuesta nada. Y los clientes gratuitos son más baratos que los clientes que cuestan dinero. Así que clientes gratis = bueno.

Pero, ¿qué significa esto realmente? Analiza lo siguiente... Imagina que tienes un ratio BBPV/CAC de 4 a 1. Eso significa que te cuesta el veinticinco por ciento del beneficio bruto de por vida de un cliente conseguir otro. No está mal. *Pero ahora imagina que cada cliente te aporta dos clientes más.* Ahora tendríamos un ratio BBPV a CAC de 12 a 1. Utilizaríamos algo más del 8,3% de nuestro beneficio bruto de toda la vida para conseguir un nuevo cliente. Así que consigues tres clientes por el precio de uno. Ahora sí. ¡Genial! ¡Qué buen negocio! Además, *las referencias son exponenciales*. Deja que te lo explique.

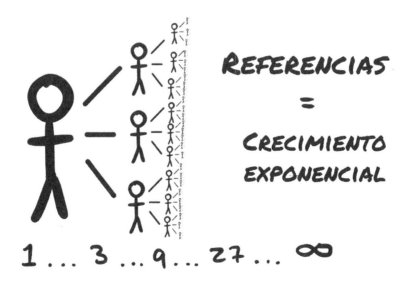

REFERENCIAS
=
CRECIMIENTO
EXPONENCIAL

1 ... 3 ... 9 ... 27 ... ∞

El número de clientes potenciales comprometidos que consigas con los cuatro pilares fundamentales depende de cuánto los lleves a cabo. La relación entre las entradas y las salidas es bastante lineal. Si haces 100 alcances, consigues clientes potenciales comprometidos. Si los duplicas, tus clientes potenciales se duplican. Si gastas 100 dólares en anuncios, obtendrás clientes potenciales comprometidos. Si lo duplicas, tus clientes potenciales se duplicarán. Así que no importa lo bien que te anuncies, lo mucho que consigas depende de lo mucho que hagas. Y eso es genial. Pero con el boca a boca, podemos hacerlo aún mejor. Con el boca a boca, un cliente trae dos. Dos traen cuatro. Cuatro traen ocho. Y así sucesivamente. No es lineal, es *exponencial.*

Nada escala como el boca a boca. ¿Quieres saber por qué tan pocas personas escalan por el boca a boca? Porque pierden clientes más rápido de lo que los consiguen. Mira la ecuación de crecimiento de las referencias para verlo en acción. Clientes recomendados (entrantes) menos clientes perdidos (salientes).

- Si las referencias son mayores que las pérdidas de clientes: creces sin otra publicidad ("¡genial!").

- Si las referencias son iguales a las pérdidas: necesitas otra publicidad para hacer crecer tu negocio (bueno...)

- Si las referencias son menores que las pérdidas: tienes que hacer publicidad para llegar al punto de equilibrio (buu - la mayoría de la gente)

La cosa se complica cuando se miran los porcentajes. Si el porcentaje de referencias cada mes es mayor que el porcentaje de clientes que se van, tu negocio crece mensualmente. Tendrías que gastar mucho más dinero en anuncios, hacer mucho más acercamientos, o publicar mucho más contenido sólo para mantener ese crecimiento. Finalmente, te topas con un límite. Pero con las referencias, puedes mantener el crecimiento *sin importar lo grande que seas.* Así es cómo empresas como PayPal y Dropbox se convirtieron en negocios multimillonarios. Desglosaré sus estrategias exactas más adelante en este capítulo.

Por otro lado, las pequeñas empresas apenas sobreviven porque tienen más o menos los mismos clientes que salen que los que entran. Una rueda de hámster de la muerte. A continuación te explico el porqué.

Dos razones por las que la mayoría de las empresas no consiguen referencias

La mayoría de las empresas no consiguen referencias por dos razones. En primer lugar, su producto no es tan bueno como creen. Segundo, no las piden.

Problema Nº 1: El producto no es lo suficientemente bueno

"A todo el mundo le encanta nuestro producto, ¡solo necesitamos darlo a conocer!" - dicen todos los propietarios de pequeñas empresas con un producto que no es tan bueno como ellos creen.

Voy a quitarme mi sombrero de chico bueno por un segundo. Si tu producto fuera excepcional, la gente ya lo conocería y tendrías más clientes de los que podrías manejar. Así que si vendes directamente a los consumidores y no te están trayendo más clientes, tu producto tiene margen de mejora.

Me gusta preguntarme: "¿Por qué a mis clientes les da vergüenza hablar de mi producto a todos sus conocidos?" Puede que esté bien, pero es *anodino*, es decir, no es digno de mención.

De hecho, la mayoría de las cosas por las que pago son una mierda. El de la piscina se olvida de las cosas la mitad de las veces. Mis paisajistas hacen mucho ruido a las peores horas. Mis limpiadores rutinariamente poner mi ropa en el armario de mi esposa (supongo que esto me pasa por usar camisetas tan ajustadas). Y la lista continúa.

Los empresarios se preguntan por qué no consiguen referencias. La respuesta está justo delante de ellos. Simplemente *no son lo suficientemente buenos*. Permítanme mostrarles cómo pienso al respecto:

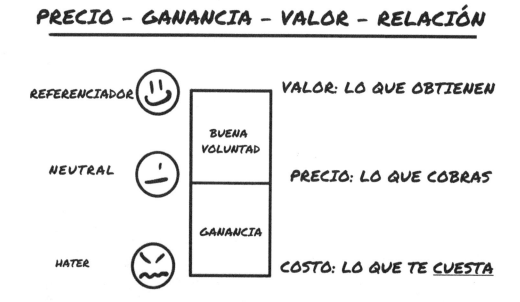

PRECIO - GANANCIA - VALOR - RELACIÓN

El precio es lo que cobras. El valor es lo que obtienen. La diferencia entre precio y valor es lo que yo llamo **"buena voluntad"**.

Esto significa que el precio no solo comunica valor, sino que también es la forma en que *juzgamos* el valor. Los economistas lo llaman "excedente del cliente". Pero yo lo llamaré "buena voluntad". Quieres mucha buena voluntad. Mucha buena voluntad crea el boca a boca. El boca a boca significa referencias.

Hay dos maneras de crear buena voluntad en tus clientes. Puedes bajar el precio o puedes dar más valor. Al fin y al cabo, si bajaras el precio de tu producto lo suficiente, la gente haría cola para comprarlo. Pero probablemente perderías dinero. Por lo tanto, bajar el precio es, en el mejor de los casos, una solución temporal. Solo puedes bajar el precio hasta cierto punto y durante cierto tiempo. Y, como dice la leyenda del marketing Rory Sutherland: *"Cualquier tonto puede vender algo por menos".*

Así que, para crear buena voluntad y obtener buenas referencias, la pregunta no es cómo bajamos el precio sino, ¿cómo brindamos más valor?

Seis maneras de conseguir más referencias brindando más valor

Hay seis maneras de conseguir referencias ofreciendo más valor. Y resulta que coinciden con las partes de un anuncio. Genial.

1) Convocatoria → Vender a mejores clientes

2) Resultado soñado → Establecer mejores expectativas

3) Aumento de la probabilidad percibida de logro → Conseguir que más personas obtengan mejores resultados

4) Disminución de la demora en el tiempo → Obtener resultados más rápidos

5) Disminución del esfuerzo y el sacrificio → Sigue mejorando tus productos

6) Llamada a la acción → Diles qué comprar a continuación

1) **Convocatoria → Vender a mejores clientes.** Queremos vender a mejores clientes, que obtengan el mayor valor de nuestros productos. Los clientes que obtienen más valor tienen más buena voluntad. Y los clientes que tienen más buena voluntad son más propensos a referir y recomendar a otros. Sí, es así de sencillo. Permítanme darles un ejemplo de la vida real:

Tenemos una empresa que hacía relaciones públicas para pequeñas empresas genéricas. Tenían un montón de ventas, pero tenían un montón de rotación. Así que se estancaron. No crecieron durante años.

Para ver qué podíamos hacer, nos fijamos en sus clientes con menor rotación para ver si tenían algo en común: lo tenían. Todos pertenecían a un nicho específico y buscaban financiamiento de inversores. Así que la solución parecía obvia: ¡conseguir más de ellos! Sin embargo, el director de la empresa tenía una gran preocupación: estos clientes solo representaban el quince por ciento de su negocio. Si cambiaba de objetivo y fracasaba, ¡perdería el ochenta y cinco por ciento de su negocio! Pero, de todos modos, el negocio no crecía. Una situación difícil para cualquier empresario. Pero, tras revisar los datos varias veces, accedió a *cambiar las llamadas publicitarias para adaptarlas a este cliente específico "perfecto"*.

El resultado: La empresa superó su estancamiento. Creció por primera vez en años, y ahora va camino de sumar *millones al mes*. Además, el costo de la publicidad -un gasto enorme para su negocio estancado- se redujo. Consiguieron clientes potenciales *aún más baratos*, ya que podían ser más específicos con sus mensajes. Pero no sólo eso, los clientes potenciales más baratos obtuvieron aún más valor del producto porque *estaba pensado para ellos*. Y esos clientes, como tenían más buena voluntad hacia la empresa, empezaron a recomendarla como un reloj.

Paso a seguir: *Aumenta la calidad del cliente potencial y aumentarás la calidad del producto.* Averigua qué tienen en común tus clientes más exitosos. Utiliza esas similitudes para dirigirte a un nuevo público que tenga las mayores posibilidades de obtener el máximo valor. A continuación, vende sólo a las personas que cumplan esos nuevos criterios. Prepárate para generar más buena voluntad. Más buena voluntad significa más referencias.

ESTABLECE <u>MEJORES</u> EXPECTATIVAS

PROMETER POCO ENTREGAR DEMASIADO > **PROMETER EN EXCESO ENTREGAR MUY POCO**

2) **Resultado soñado→Establecer mejores expectativas:** La forma más rápida, fácil y barata de hacer que tu producto sea extraordinario: haz que sea mejor de lo que esperan. Y eso es más fácil de lo que crees porque _tú_ mismo estableces las expectativas.

Consejo profesional: Consejos para citas

En las primeras citas, me gusta poner el listón lo más bajo posible admitiendo todos mis defectos. Después de contárselo a mi (ahora) mujer, bromeé: ¡a partir de aquí solo puedo mejorar!

¿Alguna vez algún desconocido te ha dicho que una película nueva era genial? Luego vas a verla y piensas ‹no era tan buena como esperaba›. Por otro lado, ¿alguien te ha dicho alguna vez que una película era terrible y, al final, vas a verla y piensas: "No ha sido tan mala como esperaba"? Las expectativas que tenemos de una experiencia pueden afectar _drásticamente_ a la experiencia en sí. Podemos aumentar la buena voluntad reduciendo las expectativas. Nos da margen para ofrecer más de lo esperado.

Al principio, prometía de todo para que la gente comprara.

Cumplirlo se convirtió en una pesadilla. Así que empecé a reducir mis promesas manteniendo la calidad. Eso me dio más margen para ofrecer más de lo que prometía y obtuve un gran beneficio: las recomendaciones. Las expectativas de los clientes son muy cambiantes. Por eso las fijamos nosotros. Y si las fijamos, podemos superarlas.

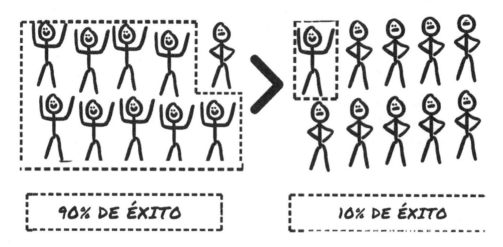

CONSIGUE QUE MÁS GENTE LOGRE MEJORES RESULTADOS

90% DE ÉXITO > 10% DE ÉXITO

Paso a seguir: Reduce poco a poco las promesas que haces al realizar tus ofertas. Sigue reduciéndolas hasta que disminuyan tus índices de cierre. En ese momento, deja de hacerlo. Esto maximizará el número de clientes que consigas *y* la buena voluntad que genere entre ellos. Más clientes y más buena voluntad significa más referencias.

3) **Aumentar la percepción de probabilidad de logro** → Obtener mejores resultados para más personas: Los clientes con mejores resultados obtienen el mayor valor de su producto. Descubre qué hacen para obtener el máximo valor, y podrás ayudar a tus otros clientes a hacer lo mismo. En el paso 1, para vender a mejores clientes, averiguamos quiénes *eran* los mejores. Ahora, para que todos obtengan los mejores resultados, debemos averiguar qué *hicieron* los mejores.

Permítanme mostrarles cómo se hizo en Gym Launch. Empezamos haciendo un seguimiento de las actividades de los clientes. Velocidad para publicar su primer anuncio pago. La velocidad de su primera venta. Su asistencia a las llamadas. etc. Después, comparamos las actividades de nuestros clientes *medios* con las de nuestros *mejores* clientes. Descubrimos algo increíble. Si el propietario de un gimnasio publicaba anuncios de pago y realizaba una venta en los primeros siete días, su BBPV se *triplicaba*. Una vez que nos dimos cuenta de esto, nos centramos en conseguir que *todo el mundo* lanzara anuncios y realizara ventas en los primeros siete días. Los resultados de nuestros clientes medios se dispararon. Siguieron más clientes, más testimonios y más referencias.

Este es el proceso que utilizo para que más personas obtengan mejores resultados:

Paso 1: Encuesto a los clientes para encontrar a los que obtuvieron los mejores resultados.

Paso 2: Me entrevisto con ellos para averiguar qué hicieron de forma diferente.

Paso 3: Analizo las *acciones* que tienen en común.

Paso 4: Hago que los nuevos clientes repitan las acciones que obtuvieron los mejores resultados.

Paso 5: Mido la mejora en los resultados medios de los clientes (velocidad y resultados).

Paso 6: Hago coincidir las condiciones de su garantía con las acciones que obtienen los mejores resultados para conseguir que más personas las realicen.

Consejo profesional: Convierte las actividades de éxito en las condiciones de tu garantía

NO HAGAS ESTO SI ODIAS EL DINERO Y AYUDAR A LA GENTE: Tan pronto como empieces a obtener resultados de los clientes, anota lo que hicieron. Luego, comienza a garantizar a los nuevos clientes esos resultados. Pero hazlo con la condición de *que hagan lo que hicieron los mejores clientes*. La garantía vende a más personas. Las condiciones les proporcionan mejores resultados. Tú ganas. Ellos ganan.

Pasos a seguir: Averigua qué hicieron los mejores. A continuación, haz que todos lo hagan. Establece tus garantías en torno a las acciones que generan más éxito. Más éxito. Más buena voluntad. Más referencias.

LOGRA VICTORIAS MÁS RÁPIDO

5) **Reducir el tiempo de demora→ Logra victorias más rápidas:** defino una "victoria" como cualquier experiencia positiva que tenga un cliente. Las victorias más rápidas aumentan su percepción de la velocidad, aumentan la probabilidad de que se queden y aumentan su confianza en ti. Triple victoria. Para que las victorias *parezcan* más rápidas, se las damos *más a menudo*.

Imaginemos que tenemos un producto que tarda una semana en entregarse. El cliente puede conseguir una victoria al final de esa semana o ganar todos los días con actualizaciones diarias del progreso. La misma cantidad de progreso, pero siete veces más ganancias. Además, si alguien dice que van a ocurrir siete cosas y las siete ocurren, confío aún más en él. Recomendar a un amigo es ahora un riesgo menor, ya que se hicieron siete promesas y las siete se cumplieron.

Aquí tienes cinco maneras de hacer que las victorias sucedan más rápido en el mundo real:

1) Si tengo que entregar siete pequeñas cosas, las entrego en intervalos más cortos en lugar de todas a la vez.

2) Las actualizaciones son victorias. Si se trata de un proyecto de mayor envergadura, comparto los avances con la mayor frecuencia posible. Nunca se dan demasiadas buenas noticias. Y las actualizaciones periódicas, con avances o sin ellos, son mejores que dejar colgados a tus clientes.

3) Los clientes se forman una impresión duradera de una empresa en las primeras cuarenta y ocho horas posteriores a la compra. Causa una buena impresión. Logra tantas victorias como puedas en ese periodo. Establece muchas expectativas. Cumple muchas expectativas. Repite el proceso.

4) Siempre deben saber cuándo volverán a tener noticias tuyas. Un amigo mío, director general de una empresa pública, me transmitió un ingenioso dicho: RURDUR: Reserva-Una-Reunión-Desde-Una-Reunión. Insisto, nunca dejes a un cliente en tierra de nadie. Siempre deben saber lo que ocurrirá... a continuación.

5) Nunca esperes que los clientes te perdonen. Jamás. Así que actúa en consecuencia. Por ejemplo, puedes entregar antes de tiempo, pero nunca tarde. Yo añado un cuarenta por ciento a mis plazos, así que siempre entrego antes. Eso hace que "a tiempo" para mí sea *pronto* para ellos.

Paso a seguir: Desglosa los resultados en el menor incremento posible. Comunícate tan a menudo como sea razonable (incluso si no hay avances, ponles al día). Establece plazos con margen de maniobra. Cumple a tiempo. Más éxitos para los clientes, significa más buena voluntad. Y más buena voluntad significa más referencias.

VALOR EN CURSO

$....$.....$.....$.....$.....

6) **Disminuye el esfuerzo y sacrificio → Sigue mejorando tu trabajo:** Si el cliente hace menos trabajo que odia para beneficiarse de tu producto, lo has mejorado. Si el cliente renuncia a menos cosas que ama para beneficiarse de tu producto, lo has hecho mejor. Y no existe el producto perfecto. *Siempre* se puede mejorar. Y cuanto más fácil se lo pongas, más buena voluntad tendrás y más probabilidades tendrás de que te recomienden. Este es mi proceso para seguir mejorando mi servicio.

> Paso 1: Utilizo los datos del servicio de atención al cliente, las encuestas y las reseñas para encontrar el problema más común de tu producto.

> Paso 2: Averiguo cuál es la solución a tu problema. Para adelantarte, obtén opiniones de los clientes que hicieron que tu producto les funcionara a pesar del problema que tienes.

> Paso 3: Utilizas esos comentarios para mejorar tu producto.

> Paso 4: Entregas la nueva versión a un pequeño grupo de clientes (con problemas).

Paso 5: Programo la siguiente ronda de comentarios. Si he resuelto el problema original, implemento la mejora para todos los clientes. Si no, vuelvo al paso 2.

Paso 6: Paso al siguiente problema más común y repito el proceso. Practica esto hasta el fin de los tiempos.

Paso a seguir: Sigue mejorando tu producto. Encuesta. Implementa cambios. Ponlos en práctica. Evalúa. Repite. Ejecuta este proceso todos los meses. Establécelo como un proceso mensual recurrente. Un producto que requiere menos esfuerzo y menos sacrificios, significa más buena voluntad. Y más buena voluntad significa más referencias.

6) **Llamada a la acción→ Diles qué comprar a continuación:** Tienes que satisfacer su deseo de comprar. Si no lo haces, seguirán comprando... pero *a otro*. No dejes que eso ocurra. Véndeles otra vez. Puedes venderles algo nuevo o más de lo que acaban de comprar. En cualquiera de los dos casos, conseguirás aún más buena voluntad y alargarás la vida del cliente. Y además, cuanto más cosas puedan comprar, más cosas podrán recomendar a sus colegas y amigos.

Por ejemplo, en una empresa de adelgazamiento que conocemos, muchos clientes recomendaron a sus amigos su producto de primera categoría. Pero algunos no lo hicieron. Sin embargo, ¡muchos de esos clientes que no recomendaron el primer producto, cuando compraron su producto más caro, lo recomendaron a sus amigos! Así que hay que seguir vendiendo.

En mi experiencia, la gente se obsesiona con sus ofertas iniciales. Y eso tiene sentido. Pero luego descuidan todo lo demás y al no hacer seguimientos, *los clientes se desvinculan*. Y es poco probable que los clientes que se desvinculen de tu empresa te recomienden - así que sigue vendiéndoles para que te recomienden.

Paso a seguir: Trata a cada cliente como si fuera la primera vez que les vendes. Asegúrate de que tu próximo cliente sea más convincente que el primero. Recuérdales que compren más después de cada gran victoria. Más cosas que comprar significa más oportunidades de añadir aún más valor. Más valor significa más buena voluntad. Y más buena voluntad significa, lo has adivinado, más referencias.

Una pregunta para dominar el tema

Consolidemos estos seis pasos en un experimento mental. Te animo a que lo pruebes con tu equipo. Se trata de lo siguiente:

Has perdido a todos tus clientes menos a uno. Los dioses de la publicidad te prohíben hacer los cuatro pilares fundamentales y decretan:

-Todos los clientes deben provenir de este único cliente.

-Si incumples nuestras condiciones, destruiremos tu negocio, y cualquier otro negocio que inicies, por toda la eternidad.

Es un golpe duro. Pero, la pregunta sigue siendo, ¿cómo tratarías a este cliente? ¿Qué harías para que su experiencia fuera tan valiosa que enviara a todos sus amigos? ¿Qué tipo de resultados tendrían que obtener? ¿Cómo sería su incorporación? ¿Qué tipo de cliente elegirías? Piensa en ello. Escríbelo. *Tu negocio depende de esto.* Luego... *hazlo :)*

Empieza a actuar como si los dioses de la publicidad te fueran a revocar los privilegios de los cuatro pilares en cualquier momento. Pronto verás que no tienes más remedio que empezar a añadir más valor para conseguir más referencias de clientes.

Ahora que hemos cubierto eso. ¿Quieres saber cómo puedes conseguir aún más referencias?

→ **Pídelas.**

Referencias: Pídelas

¿Sabes por qué las empresas tienen tan pocas recomendaciones en comparación con las que podrían tener? Nunca las piden. Tus clientes, como cualquier público, sólo pueden saber qué hacer si se lo dices.

He probado *muchas* estrategias de recomendación. La mayoría fracasaron. Y luché hasta que tuve esta epifanía: Pedir referencias sólo funciona cuando lo tratas como una oferta. *Las recomendaciones llegan cuando muestras el valor que el cliente obtiene al referir a sus amigos.* Permítanme darles dos estudios de casos rápidos para mostrar el poder de pedir referencias:

Estudio de caso Nº 1: Dropbox ofrecía almacenamiento gratuito a los clientes y a sus amigos a los que recomendaban. El programa de recomendación se hizo viral y multiplicaron por 39 su negocio en quince meses.

Estudio de caso Nº 2: PayPal daba 10 dólares de crédito a los clientes y 10 dólares a los amigos a los que recomendaban. En dos años, el programa les ayudó a alcanzar un millón de usuarios, y seis años más tarde, llegaron a los 100 millones de usuarios. Y aún lo utilizan hoy en día.

Entonces, ¿Cómo podemos aprovechar el mismo crecimiento viral en nuestras pequeñas empresas? Hacemos lo que ellos hicieron. Pidiendo que nos recomienden.

Siete formas de pedir recomendaciones

Hay tres componentes en un programa de recomendaciones: cómo das el incentivo, con qué incentivas y cómo lo pides. En lugar de darte un centenar de variaciones que pueden o no funcionar, aquí están las siete combinaciones que funcionaron mejor para mí:

1) Beneficio de recomendación unilateral: Prefiero pagar a los clientes que a una plataforma cualquier día de la semana. Paga tu costo promedio para adquirir un cliente (CAC) a quien te refirió o a tu amigo. Hazles saber el incentivo.

   Ejemplo: Imagina que cuesta 200 dólares conseguir un nuevo cliente. Pídele al cliente actual que haga una presentación real a tres bandas a un amigo: por llamada, SMS o correo electrónico. No sólo un nombre y un número. Además, pídeles que lo hagan justo cuando compren... no esperes. Luego, hazles un cheque por $200 cuando su amigo se registre o dale a su amigo $200 de descuentos.

   Ejemplo: Esto funciona muy bien para los cónyuges porque básicamente ambos se benefician. Pregunta siempre por el cónyuge y ofrece un descuento por hogar.

2) Beneficios por recomendación de dos partes: Esto es lo que utilizan Dropbox y PayPal. Pagamos nuestro CAC a ambas partes. La mitad va al recomendante (en crédito o efectivo) y la otra mitad va al amigo (en crédito). De esta manera, ambos se benefician.

Ejemplo: Vendemos programas por valor de 500 dólares. Nuestro costo para conseguir un cliente es de $200. Por cada amigo que nos recomiende, le daremos $100 en efectivo y $100 a su amigo, al registrarse. Esto es válido para hasta 3 amigos. Esto funcionó muy bien para mis negocios locales.

Consejo profesional: Publica tus anuncios pagos de forma gratuita

En nuestras empresas de servicios, solemos obtener un 25-30% adicional de registros a través de referencias, *si pedimos una recomendación justo cuando los clientes se inscriben*. Así que si inscribimos a 100 clientes por una promoción, normalmente conseguimos otros 25-30 clientes gracias a sus referencias. Y como siempre operamos por encima de 3:1 BBPV:CAC, el dinero de los referidos a menudo cubre el costo de los anuncios (y algo más). ¡Bingo!

---

3) <u>Pídeles que te recomienden justo después de la compra</u>: en el contrato de venta o en la página de pago, pide algunos nombres y números de teléfono de *personas con las que les gustaría hacer esto*. Muéstrales cómo obtendrían mejores resultados si lo hacen con un amigo.

Ejemplo: Un nuevo vendedor de una de mis empresas en cartera, batió todos los récords de ventas para un evento próximo. No sabíamos lo que estaba pasando. Así que le pregunté por teléfono: *¿Cómo es que vendes muchas más entradas que los demás?* Se encogió de hombros y me dijo: "Hago lo mismo que todo el mundo. Sólo me aseguro de preguntarles con quién más les gustaría asistir. Luego les pido que me presenten a esa persona". La mitad de sus ventas eran referencias. Tan simple, y sin embargo <u>nadie lo hace</u>.

Ejemplo de guion: *Las personas que hacen nuestro programa junto con otra persona tienden a obtener resultados tres veces mejores.* ¿Con quién más podrías hacer este programa?

> **Consejo profesional: No preguntes "Si", sino "A quién"**
>
> Una vez que alguien es cliente, sé más directo con tu pregunta. No preguntes *SI* conocen a alguien, sino *A QUIÉN* conocen.

4) <u>Añade las referencias como elemento de negociación:</u> Además de eso, puedes pedir referencias como forma de negociar un precio más bajo. En otras palabras, si alguien quiere pagar $400 y tu precio es de $500, puedes hacerle el descuento *a cambio* de que te presente a tres amigos. Puedes cobrar éticamente un precio diferente por lo mismo, porque has cambiado las condiciones de la venta.

    Ejemplo: "No puedo hacer nada por menos de $500 inicialmente, pero si haces ahora mismo una presentación por mensaje de texto a tres amigos tuyos, estaré encantado de rebajar esa comisión de iniciación."

    Y para responder a la pregunta que no has formulado: si un cliente que ha pagado el precio completo descubre que le has hecho un descuento a otra persona (cosa que me ha pasado), esto es lo que tienes que decir: *"Sí, Stacy recibió 100 dólares porque recomendó a tres amigos. Estaré encantado de darte 100 dólares si me recomiendas a tres amigos. ¿A quién tienes en mente?"* O aceptan lo que pagaron o te recomiendan tres amigos y les devuelves $100. Todos ganan.

5) <u>Eventos de recomendación:</u> Donde las personas obtienen puntos, créditos, dólares o incluso simplemente derechos de fanfarronear por traer amigos dentro de un período de tiempo explícito. Los eventos de recomendación suelen durar de una a cuatro semanas. Siempre que organices uno de estos eventos, explica a todo el mundo las ventajas de trabajar con otros. Utiliza algunas estadísticas (internas o externas) para mostrar las altas tasas de éxito y el beneficio personal de traer amigos. Yo suelo utilizar títulos como:

    Promoción "Trae a un amigo"

    Promoción "Desafío del cónyuge"

    Promoción "Compañero de responsabilidad".

    Promoción "Desafío de Coach" en la que creas equipos con tus empleados y clientes. Esto funciona bien en negocios de estilo coaching.

6) <u>Programas de recomendación continuos:</u> En lugar de realizar una promoción de duración limitada para obtener referidos, habla de los beneficios de hacer cosas con otros todo el tiempo. Piensa: en tu contenido gratuito, divulgación, anuncios pagos, etc. Después de que un amigo hiciera esto, vio un aumento del 33% en el total de inscripciones. Para contextualizar, 1.000.000 de clientes compraron entradas para su evento virtual y 250.000 de ellos fueron referidos... esto funciona.

7) <u>Bonificaciones desbloqueables por recomendación:</u> Crea bonos para las personas que 1) refieran y 2) dejen un testimonio. Algunos ejemplos: Desbloquear bonos VIP, cursos, fichas, estatus, formación, productos, niveles de servicio, soporte premium, horas adicionales de servicio, etc.

> Las bonificaciones por recomendación desbloqueables funcionan bien si no te gusta pagar en efectivo. Las bonificaciones también pueden ser para *ambas* partes si lo deseas (ya que te cuestan menos que el dinero en efectivo). Visita la sección de imanes de clientes potenciales para inspirarte. Como siempre, cuanto más loca sea la oferta, más gente te recomendará. Si quieres que te recomienden, haz que sea tan bueno que sería estúpido no hacerlo.

El único límite es tu creatividad

A continuación, te mostramos cómo combinar algunas de las estrategias anteriores para crear una promoción de recomendación extraordinaria.

Ofrécele a todos una tarjeta regalo por un tercio del costo de tu programa. Diles que pueden dársela a un amigo suyo si se inscribe con ellos. Asigna a la tarjeta regalo una fecha de caducidad de entre siete y catorce días a partir de la fecha en que se la entregues, lo que les obligará a utilizarla. De este modo, cuando se la den a un amigo, el remitente obtendrá un estatus. En vez de decir "Hey, únete a mi programa y obtén $2000 de descuento" dicen, "Tengo esta tarjeta de regalo por $2000. ¿La quieres? ¿La quieres? No quiero desperdiciarla". Es visto como un trato mucho más grande para ellos y para ti.

Con esta táctica puedes seguir utilizando la presentación a tres vías. A continuación, envía un mensaje de texto con la foto de la tarjeta de regalo. Puntos extra si escribes el nombre del amigo en ella antes de enviar la foto. Así parecerá más personalizado y tendrás un motivo legítimo para pedirle el nombre de su amigo (guiño).

PD: también puedes vender las tarjetas de regalo al noventa por ciento off como regalos adquiribles (sólo para amigos de clientes). El recomendante parece que se ha gastado mucho dinero, y <u>tú cobras por conseguir nuevos clientes</u>. No se me ocurre una mejor manera de ganar dinero. De nuevo, el único límite es tu creatividad.

> **Consejo profesional: Haz coincidir lo que regalas con lo que vendes.**
>
> Si no quieres regalar dinero, intenta que el incentivo por recomendación coincida con el producto principal que vendes. Por ejemplo, si tienes una empresa de fabricación de camisetas, regalar camisetas tiene mucho sentido. Porque tu incentivo atraerá a personas que realmente quieren camisetas. Y es más probable que se conviertan en clientes que pagan. (Pista: por eso funciona tan bien la tarjeta de regalo).
>
> Por otro lado, si regalas una increíble camiseta de edición limitada para tu empresa de servicios informáticos, puede que atraigas o no a gente que quiere servicios informáticos. Así que intenta que lo que regalas coincida con lo que vendes.

Conclusión

Las referencias no son un método publicitario en que puedas "hacer" algo. No es un truco o un hack (aunque hemos aprendido algunos de ellos). *Es una forma de hacer negocios.* Y empieza por *ti*.

Después de todo, recomendar siempre es un riesgo para el cliente. Arriesgan *su* buena voluntad con su amigo *con la esperanza* de conseguir más enseñándole algo genial (tu producto/servicio). Así que los clientes solo recomiendan cuando creen que es muy probable que su amigo tenga una buena experiencia. En otras palabras, cuando los beneficios para ellos personalmente superan el riesgo de dañar la relación con su amigo. Así que añadimos beneficios para ellos y sus amigos con incentivos y reducimos el riesgo creando buena voluntad (demostrando que cumplimos nuestras promesas). Y lo hacemos utilizando las seis formas de dar más valor a los clientes. No me malinterpretes, crear buena voluntad hace un trabajo fantástico a la hora de conseguir referencias por sí solo. Pero si somos inteligentes, y lo somos, capitalizamos esa buena voluntad para conseguir aún más referencias, utilizando las siete formas de pedirlas. ¡Uf!

Así que da más de lo que recibes y nunca volverás a pasar hambre. *Así es como tratamos a nuestros clientes.* Hazlo y podrás rentabilizar la buena voluntad para siempre. Para mantener esto en perspectiva, siempre me recuerdo a mí mismo: *mañana me recompensarán por el valor que ofrezco hoy.*

Pasos a seguir

Calcula tus porcentajes de recomendación y de rotación para establecer una base de referencia. Pon en práctica los seis pasos de "dar valor" para crear buena voluntad. Luego, aprovecha esa buena voluntad, utilizando una o más de las siete formas de pedir referencias.

A continuación...

Ahora debemos descubrir cómo ampliar un equipo. Parece que tendremos que llamar a posibles compañeros de equipo, mostrarles el valor de unirse a nuestro equipo y luego pedirles que se unan. Espera... eso me suena. Pero en serio, si realmente quieres una máquina de 100 millones de dólares en prospectos, abróchate el cinturón. A continuación viene el capítulo más valioso del libro: el de los empleados. De verdad, este no es un capítulo aburrido, y los vas a necesitar si quieres ganar mucho dinero.

UN REGALO PARA TI: BONO - Frenesí de recomendación de clientes

Si quieres saber más acerca de las formas de utilizar el mayor apalancamiento, la forma más rentable de conseguir clientes, creé un entrenamiento especialmente para ti. Puedes obtenerlo aquí de forma gratuita: Acquisition.com/training/leads. Y como siempre, también puedes escanear el código QR de abajo si detestas teclear.

Nº 2. Empleados

"Si quieres ir rápido, ve solo. Si quieres llegar lejos, ve acompañado" - Proverbio africano

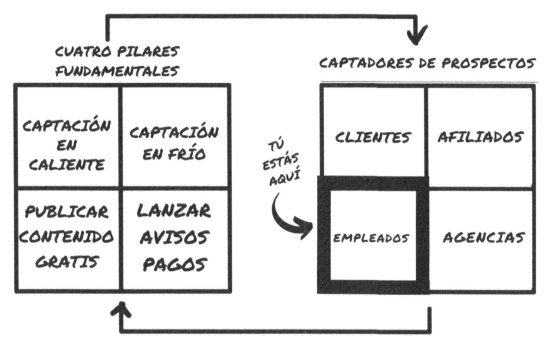

Junio de 2021.

El nuevo director de ventas intervino: "Sé que hemos vuelto a estar por debajo de nuestro objetivo, pero no creo que tengamos que cambiar nada, lo alcanzaremos este trimestre".

Los ojos recorrieron la sala y miraron en todas direcciones menos en la mía. El silencio duró lo suficiente para que la asistente ejecutiva marcara el tema tratado y siguiera adelante. No me extraña que no hayamos alcanzado nuestro objetivo de difusión en frío por segundo trimestre consecutivo... nadie cuestionó el fracaso. ¿Qué, ahora esperaremos a aplicar el dicho de "la tercera es la vencida"?

"Espera". Dije. *Todo el mundo* miró en dirección a mí. "Me gustaría saber por qué no acertamos dos trimestres seguidos. Sé que podemos vender, así que si queremos vender más con la captación en frío, *hagamos* más captación en frío. ¿Cuál es el problema?"

"Perdemos un representante cada cuatro semanas", dijo el director de ventas. *Ajá.*

"Ok... ¿Por qué nuestra rotación es tan alta?"

"Yo me preguntaba lo mismo, pero RRHH dice que en realidad estamos por debajo del promedio de rotación del sector para este puesto". Y continuó: "Pero, para cuando contratamos e incorporamos a uno, ya sale otro".

Vi que la directora de RRHH asentía con la cabeza. Cada vez más acalorada.

"De acuerdo, entonces el problema es la contratación", le dije. "¿Cuál es la situación de la contratación?"

"Contratamos a uno de cada cuatro candidatos que nos presenta RRHH".

"Entonces, si se van tan rápido como los contratamos, y tú sólo contratas a uno de cada cuatro, ¿eso significa que sólo consigues un candidato a la semana?"

"Sí, más o menos" *Algo así.*

"Entendido". Ahora miré a la directora de RRHH: "¿Cómo es la situación de la selección?" "Conseguimos un candidato calificado por cada diez entrevistas de selección, más o menos". Dijo.

"¿Así que hacen falta *cuarenta* entrevistas para conseguir un solo trabajador de primera línea con las aptitudes básicas?"

"Supongo que sí". *Bingo*

"Muy bien, tenemos que cambiar las cosas". Dije. "Estamos atascados en la selección individual. Empiecen a entrevistar en grupos y busquen a los candidatos allí. Todos los demás que tengan una buena ética de trabajo y habilidades sociales básicas, que pasen a ventas. Podemos enseñarle al resto. ¿De acuerdo?" El equipo asintió.

En seis semanas, la contratación superó a la rotación. Nuestras ventas en frío aumentaron al mismo ritmo. Al final del trimestre, las ventas de captación en frío se habían duplicado y representaban más de la mitad de nuestras ventas totales.

El problema no era en absoluto nuestro método de captación en frío, nuestras habilidades o nuestro equipo. Sencillamente, no contábamos con suficientes personas que lo *hicieran*.

***

Si aplicas los métodos de este libro, verás que más clientes potenciales comprometidos llegarán a tu negocio. Más clientes potenciales comprometidos significa más clientes. Pero a medida que creces, también lo hace tu carga de trabajo. A su debido tiempo, tendrás más trabajo del que una sola persona pueda manejar. Y puedes resolver el problema de demasiado trabajo para una sola persona *haciendo que trabajen más personas.* En resumen, para hacer más publicidad, necesitarás más trabajadores. Y este capítulo te mostrará cómo operan los empleados, por qué te enriquecen, cómo conseguirlos y el método que utilizo para convertirlos en captadores de clientes potenciales.

Cómo trabajan los empleados

Los empleados captadores de clientes potenciales son personas que trabajan en tu negocio y que tú entrenas para que te consigan clientes potenciales. Te consiguen clientes potenciales de la misma manera que tú conseguías tus propios clientes potenciales al principio. Pueden ejecutar anuncios, pueden hacer y publicar contenido, y pueden hacer divulgación. Pueden hacer cualquier tipo de publicidad que *les enseñes a hacer*. Así que más empleados que consiguen clientes potenciales significa más clientes potenciales comprometidos para tu negocio. También significa menos trabajo que *tú* tendrás que hacer para conseguir los clientes potenciales. ¿Más clientes potenciales y menos trabajo? ¡Apúntame! Pero espera... No tan rápido...

No me malinterpretes... *los empleados requieren trabajo*. Simplemente llevan menos tiempo y trabajo que hacerlo todo por tu cuenta. En mi experiencia, si cambias cuarenta horas de hacer por cuatro horas de gestionar, trabajas treinta y seis horas menos. Brillante. Y lo mejor es que puedes hacer ese intercambio una y otra vez. Puedes cambiar doscientas horas de trabajo a la semana por veinte horas de gestión. Luego, cambias las veinte horas de gestión por un directivo, que te cuesta cuatro horas semanales dirigir. Lo que queda son cuatro horas de trabajo por 200 horas de dirección. ¡Boom!

<u>Conclusión</u>: Los empleados hacen que una empresa funcione a pleno rendimiento y crezca sin necesidad de tu presencia.

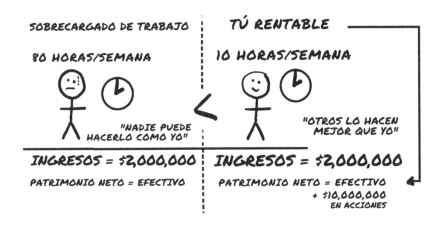

Por qué los empleados pueden hacerte rico

Para que tu empresa funcione sin ti, otras personas tienen que dirigirla.

<u>Escenario Nº 1</u>: Imagina que tienes una empresa con unos ingresos anuales de 5.000.000 de dólares y unos beneficios de 2.000.000 de dólares. Y, para conseguir ese beneficio, tienes que trabajar las veinticuatro horas del día. En esta situación, básicamente tienes un trabajo bien pagado. Pero digamos que te parece bien trabajar a todas horas y saber que tu negocio se

quemaría si te tomaras unas vacaciones. De todas formas, las vacaciones son para los perdedores (es broma...bueno... más o menos). Aún nos queda otra cosa importante por analizar...

Claro, ganas un poco de dinero, pero tu negocio no vale mucho. Si el negocio sólo gana dinero contigo en él, entonces es una *mala inversión* para cualquier *otra persona*. Puede que eso no parezca gran cosa ahora mismo, pero consideremos una alternativa.

Escenario Nº 2: Tu empresa obtiene los mismos 5.000.000 de dólares en ingresos y 2.000.000 de dólares en beneficios. Pero hay una gran diferencia: La empresa funciona *sin ti*. Esto hace dos cosas muy interesantes. Una, convierte lo que antes era un trabajo arriesgado en un activo valioso. Y dos, te hace *mucho* más rico. Así es cómo:

Primero, recuperas tu tiempo, así que puedes utilizarlo para invertir en tu negocio, comprar otros negocios o tomarte unas apestosas vacaciones. En segundo lugar, te vuelves mucho más rico porque tu negocio ahora *vale algo para otra persona*. Has convertido *una carga* que dependía de ti en un *activo* en el que puedes confiar.

Si tienes un activo que genera millones de dólares sin ti, eso significa que otra persona podría utilizarlo para generar millones de dólares sin ti. En otras palabras, tu negocio es ahora *una buena inversión*. Entonces los inversores que buscan activos, como Acquisition. com por ejemplo, te comprarían parte o la totalidad de tu negocio. Y tus 2.000.000 de dólares de ganancias al año, especialmente si están subiendo, podrían valer fácilmente más de 10.000.000 de dólares, ahora mismo. Así que tu negocio pasó de tener casi *cero* valor a tener un valor de 10.000.000 de dólares. Por lo tanto, aprender a conseguir que otras personas lo hagan por ti hace una diferencia de 10.000.000 de dólares en tu valor neto. Yo diría que vale la pena aprender a hacerlo.

Recordatorio: *Te enriqueces con lo que ganas. Te conviertes en rico a partir de lo que posees.* Me tomó años darme cuenta de esto, y no fue hace mucho tiempo...

Todo lo que creía saber sobre los empleados estaba equivocado

Has oído alguna vez...

> *Si quieres que algo se haga bien, tienes que hacerlo tú mismo.*
>
> *Nadie puede hacerlo como yo.*
>
> *Nadie puede reemplazarme.*

Yo sí. Yo dije todo eso. Viví todo eso. Durante años, cada vez que contrataba a alguien, comparaba lo que podían hacer con lo que yo podía hacer. En mi cabeza, sentía que era "yo contra ellos". Para demostrar de alguna manera que yo era el más "capaz". ¡Con mi propio equipo! Y esta creencia, esta forma de "dirigir" a la gente, nunca me hizo ganar más dinero.

Para los negocios- "nadie puede hacerlo salvo yo" y "si quieres que algo se haga bien tienes que hacerlo tú mismo" estos dichos no son hechos... son falsos. Alguien hizo algo similar antes de que tú existieras. Y alguien seguirá haciendo alguna versión de ello después de que te hayas ido. De una forma u otra, todo el mundo es reemplazable. Puede ser por varias personas, por la tecnología o más adelante en el tiempo, pero *todo el mundo* puede ser reemplazado. Mi sugerencia: reemplázate a ti mismo tan pronto como puedas. Después, podrás ser útil en otro sitio. Muchas otras personas se dieron cuenta de esto. Y tú también puedes hacerlo.

Al principio, cuando creaba una empresa, podía hacer todo mejor que las personas que contrataba. Toda mi plantilla siempre acababa pareciendo un grupo improvisado de inadaptados que *más o menos* podían hacer *una* de las muchas cosas que yo podía hacer. Al principio, esto me sirvió para ponerme en marcha, pero caí en la trampa de creerme mejor que los demás. Iba y venía entre regodearme porque era mejor que ellos y quejarme porque no eran tan buenos como yo. Y, por alguna razón, nunca se me ocurrió que era yo quien los contrataba y los formaba. ¿A quién quería engañar? La realidad era doble: en primer lugar, no tenía las habilidades necesarias para formar o dirigir a un equipo adecuadamente. En segundo lugar, era demasiado pobre, y luego (cuando tuve un poco de dinero) demasiado tacaño para contratar a alguien mejor. En otras palabras, la culpa era *mía*. ¡Ups!

Cuanto más intentaba superar a mis empleados, más me distraía y peor le iba a mi negocio. Claro, en ese momento, *tal vez* yo podía hacer cualquier cosa mejor que cualquiera de mis empleados. Pero... no podía hacer *todo* mejor que todos mis empleados. Y cuando finalmente me di cuenta de esto, empecé a adoptar mejores convicciones acerca del talento:

> *Si quieres que se haga bien, consigue a alguien que dedique todo su tiempo a hacerlo.*

> *Si yo puedo hacerlo, otro puede hacerlo mejor".*

> *Todo el mundo es reemplazable, especialmente yo.*

Estas nuevas creencias sobre el talento no solo crearon una cultura mucho más saludable en mis empresas, sino que también tuvieron efectos secundarios muy rentables. Confiar en el éxito de mis empleados hizo que mi tiempo y mi atención fueran mucho más valiosos. Si otro puede hacerlo, ¿por qué iba a hacerlo yo? Si otra persona podía formarlos, ¿por qué iba a hacerlo yo? Si pudiera aprender otras cosas para hacer crecer el negocio mientras mi equipo mantenía en pie el fuerte, tendría mucho más sentido hacerlo. Así que hagámoslo.

Cómo conseguir posibles empleados: los cuatro pilares internos

¿Recuerdas los cuatro pilares? Bien, también funcionan para conseguir empleados. Imagínate. Al cambiar el marco de "dar a conocer tu negocio a clientes potenciales" a "dar a conocer tu negocio a empleados potenciales", se convierte *inmediatamente* en algo que ya sabes hacer. Pero algunas personas también tienen el problema contrario: ya saben cómo conseguir empleados a la perfección, pero siguen teniendo problemas para conseguir clientes. *Los empleados no son más que otras personas a las que debes dar a conocer tu empresa y lo que vendes.* ¡Pues haces lo mismo!

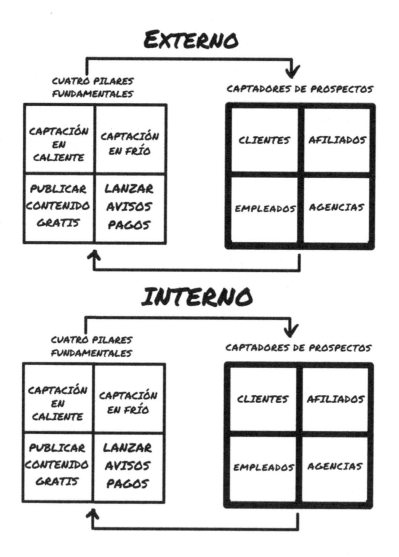

*Alinea las acciones para conseguir empleados con las acciones
para conseguir clientes. ¡Son las mismas!*

Clientes → Empleados

Captación en caliente→ Pregunta a tu red de contactos

Captación en frio→ Reclutamiento

Publicación de contenidos→ Publicar ofertas de empleo

Anuncios pagos→ Anuncios de ofertas de empleo

Referencias de clientes→ Referencias de empleados

Afiliados→ Asociaciones, gremios, Listados, etc.

Agencias→ consultoras y empresas de selección de personal etc.

Empleados→ Empleados (sin cambios)

Las formas de conseguir potenciales empleados y captadores de prospectos tienen equivalentes a las formas de conseguir clientes potenciales y a *sus* captadores de clientes potenciales. Así que cuando necesites conseguir nuevos talentos, simplemente haz publicidad para conseguirlos. Y cuando necesites más, haces más. Y al igual que creas un proceso eficaz para conseguir clientes, también puedes crear un proceso eficaz para conseguir empleados. Y necesitarás *ambos* para escalar.

Cómo conseguir empleados que te consigan prospectos

Ahora contratas a alguien que te cuesta dinero cada mes. Estupendo. Vamos a asegurarnos de recuperar ese dinero, *y algo más* cuanto antes.

Nota: algunas personas que buscan trabajo ya sabrán cómo conseguir clientes potenciales. Esas personas son increíbles. También debes saber que estas personas te costarán más. Y si estás empezando, es posible que no puedas permitírtelos. Así que tu siguiente mejor opción es formarlos. Por suerte, tienes todo un libro sobre captación de prospectos al alcance de tu mano. Así que el siguiente paso es formar a tus empleados sobre cómo realizar esas actividades de captación de prospectos. Yo pienso y enfoco la formación con este modelo mental 3Ds (por sus siglas en inglés): *documentar, demostrar, repetir.* Así es cómo funciona.

Primer paso: Documentación. *Confeccionas una lista de comprobación*. Ya sabes cómo hacerla. Ahora sólo tienes que escribir los pasos exactamente como lo haces. También puedes pedir a otros observadores de confianza que te observen y documenten lo que haces. Puntos extra si te grabas haciendo las tareas de varias maneras y en diversos momentos. De este modo, podrás observarte a ti mismo en lugar de romper tu ritmo haciendo pausas para tomar notas mientras lo haces. Una vez que hayas puesto todo en la lista de comprobación, úsala en tu siguiente bloque de trabajo y sigue sólo esos pasos. ¿Puedes hacer un trabajo sobresaliente siguiendo *solamente tus* instrucciones *exactas*? Si es así, ya tienes el <u>primer borrador</u> de tu lista de comprobación para el trabajo.

Segundo paso - Demostración: *Lo haces delante de ellos.* Igual que tus padres te enseñaron a atarte los zapatos. Te sientas y les guías paso a paso por la lista de comprobación. Esto puede llevar un tiempo, dependiendo de cuántos pasos se necesiten para completar la tarea. Si te paran o te hacen ir más despacio para entender algo, ajusta tu lista de comprobación para ello. Ahora ya tienes el <u>segundo borrador</u> listo para que lo prueben.

Tercer paso - Repetición: *Lo hacen delante de ti.* Ahora les toca a ellos. Siguen la misma lista que tú. Pero esta vez son ellos los que hacen y tú el que observa. Sólo queremos que *reproduzcan* lo que hicimos nosotros. Así que si la lista es correcta, el resultado será el mismo. Y si la lista de comprobación es incorrecta, ¡lo descubrirás enseguida! Corrige la lista de comprobación hasta que funcione. Luego, pídeles que la sigan hasta que la hagan bien. Y cuando lo consigan, ya tendrás en nómina a un auténtico captador de prospectos. ¡Felicidades!

Consejo profesional: Ofrece plazos cortos para que las personas demuestren su valía.

La mayoría de los trabajos de publicidad para principiantes no son complejos. Se necesitan más agallas que habilidades. Si has formado bien a alguien y a las tres semanas sigue por debajo de las expectativas, despídelo.

Después de formar a tus primeros empleados de esta manera, habrás resuelto los problemas de ese trabajo y a partir de ahí todo será más fácil. Al menos la parte de la formación. Piénsalo de este modo: si desaparecieras mañana, ¿podría un extraño obtener los resultados que tú obtienes si sólo siguiera tu lista de comprobación? Ese es el nivel de claridad al que hay que aspirar.

<u>Algunas notas útiles sobre la formación:</u>

- Una forma útil de ver este estilo de formación es: *Si se equivocan o se confunden, es que nos hemos equivocado o lo hemos hecho confuso.* Si tenemos que explicar lo que significa un paso, es que es demasiado complicado. O, lo que es más probable, hemos intentado agrupar varios pasos en uno.

- Si sólo parecen "entenderlo" después de una larga explicación o múltiples demostraciones, entonces, de nuevo, tenemos trabajo que hacer. Los empresarios que ignoran esto tienen problemas crónicos de formación. Y, palabra de sabio, probablemente puedas forzar una lista de control deficiente para que funcione, pero esto se convierte en una *pesadilla* cuando otra persona se encargue de la formación por ti.

- Hay una diferencia entre competencia y rendimiento. En otras palabras, pueden saber exactamente qué hacer y *no ser tan buenos en ello todavía*. Si es así, tus instrucciones son correctas y *sólo necesitan más práctica*. Empleando una analogía del mundo del fitness, piensa "lento, luego suave y luego rápido". No necesitas cambiar nada, sólo necesitas más repeticiones.

- *Concéntrate en la capacidad de tus empleados para seguir instrucciones más que en si obtienen el resultado correcto*. Esto es muy importante porque si entrenas a tus empleados para seguir instrucciones, entonces... seguirán instrucciones. Y, si siguen las instrucciones y obtienen el resultado incorrecto... *entonces sabrás que son las instrucciones*. Eso es bueno. Tendrás mucho más control sobre eso.

- Cada vez que den un paso con éxito, *hazles saber que lo han hecho bien*. Y si responden a los elogios, ¡elógialos! Y si se equivocan, tampoco pasa nada. Para eso está el entrenamiento. No les sustituyas cuando metan la pata, simplemente haz una pausa, da un paso hacia atrás y deja que vuelvan a intentarlo. Ciclos rápidos de feedback para que aprendan *más rápido*.

- Si siguen tus instrucciones *al pie de la letra* y obtienen un resultado erróneo, elógialos por seguirlas. Elógialos y, a continuación, corrige la lista de comprobación en el acto.

- Evita castigos o penalizaciones de cualquier tipo por hacer algo mal durante el entrenamiento. Como regla general, recompensa las cosas buenas que quieres que hagan más y las harán más. Aprender una nueva habilidad ya es bastante castigo, no hace falta añadir más.

- Es difícil corregir varias cosas *cuando nunca has hecho algo así antes*. Proporciónales feedback paso a paso. Da retroalimentación de uno en uno. Practiquen hasta que lo hagan bien. Luego, pasa al siguiente paso.

- Cuando se produzca un descenso importante del rendimiento normal, vuelve a formar al equipo. Han dejado de hacer un paso importante del proceso (a menudo porque no sabían que era importante). Una vez descubierto el paso, recompensa a los miembros del equipo por seguirlo en el futuro.

Cómo calcular la rentabilidad de los empleados que captan clientes potenciales

Excluyendo el costo de ejecutar anuncios pagos, el costo de la publicidad (alcance, contenido, etc.) con los empleados se basa casi por completo en la cantidad de dinero que les pagas por trabajar. Simplificamos esto simplemente comparando cuánto dinero gastamos en salarios con cuánto dinero aportan los clientes potenciales comprometidos que consiguen:

- Salario total / Total de clientes potenciales comprometidos = Costo por cliente potencial comprometido.

  o Ejemplo: $100.000 / 1.000 clientes potenciales = $100 por cliente potencial comprometido.

- Si uno de cada diez de los clientes potenciales comprometidos se convierte en cliente, entonces nuestro CAC es de $1.000.

  o ($100 por cliente potencial comprometido) x (10 clientes potenciales comprometidos por cliente) = $1000 CAC

- Si cada cliente tiene un BBPV de $4000 entonces tienes un BBPV : CAC de 4:1

  o ($4000 BBPV) / ($1000 CAC) = 4:1

Por ejemplo: en el momento de escribir esto, obtengo unos 30.000 clientes potenciales comprometidos al mes en Acquistion.com. No utilizo anuncios de pago ni hago difusión. Pero el equipo responsable de crear el contenido que genera ese interés cuesta unos 100.000 dólares al mes. Esto significa que me cuesta aproximadamente 3,33 dólares por prospecto comprometido (100.000 / 30.000 prospectos) en concepto de nómina para generarlos. Ganamos mucho más de 3,33 dólares por prospecto, así que somos rentables. Puedes aplicar los mismos cálculos a cualquier método publicitario que utilices.

<u>Cómo saber en qué empleados enfocarse para maximizar los rendimientos</u>

Como aprendimos en Ejecutar anuncios pagos Parte II, si tu costo para conseguir un cliente está dentro de 3 veces el promedio de la industria, entonces lo estás haciendo lo *suficientemente bien*. A partir de ahí, se centra en aumentar su BBPV.

Si tu CAC es superior a 3 veces la media del sector, entonces tiene un problema de ventas o un problema de publicidad. Diagnosticamos esto con una sola pregunta:

¿Mis clientes potenciales tienen el problema que yo resuelvo y dinero para gastar?

- Si la respuesta es no, entonces no califican: es un problema de publicidad.

- Si la respuesta es sí, entonces están calificados y..:

o   Compran, pero no hay suficientes: problema de publicidad.

o   Están calificados pero no compran: problema de ventas.

No despidas a tu vendedor si tienes problemas de publicidad. Y del mismo modo, no despidas a tus empleados de publicidad si tienes un problema de ventas. Esa pequeña pregunta puede ayudarte a identificar en qué empleados centrarte.

Pero fundamentalmente, sólo tienes que calcular todos *tus* costos de conseguir un cliente. Y mientras sean al menos un tercio de las ganancias que obtienes a lo largo de su vida, estás bien encaminado.

Conclusión

El objetivo de este capítulo ha sido el de *cambiar tu perspectiva*. Tu trabajo consiste en anunciar y vender la visión de tu empresa. Lo haces en público *y* en privado tanto a empleados como a clientes. Ese es tu trabajo. Y una vez que te haces bueno en ello, te vuelves imparable.

Digo esto porque creo que se puede enseñar a cualquiera a hacer trabajos "desde cero" para cualquier empresa, ya sea de publicidad o de otro tipo. Así que a quién elijas no es tan importante como la forma en que entrenes a los que elijas.

Como he dicho a lo largo del libro y volveré a decir aquí, no hace falta ser un genio para hacer publicidad. Incluso diría que es perjudicial. De todas formas, tenemos mucha más voluntad férrea que genios cerebritos. Recuerda, no se trata de inteligencia, sino de coraje. Y aunque algunos nazcan genios, *nadie* nace con una voluntad de hierro (al fin y al cabo, todos salimos llorones). Todo esto para decir que tener coraje es una habilidad. Y eso significa que *cualquiera* puede tener coraje *si aprende cómo*. Así que si tienes una voluntad de fierro, y como empresario probablemente la tengas, no tardarás en descubrir que la has obtenido de tus experiencias de vida. Puedes transmitir esas experiencias como lecciones a cualquiera que se interese lo suficiente como para escucharte. Así, podrán subirse a tus hombros y tener más posibilidades de triunfar en la vida.

Y, de todos modos, no puedes saber nada hasta que los formes bien y les des la oportunidad de triunfar sobre el terreno. Además, para trabajos de poca calificación, nunca te faltará mano de obra. Ponte quisquilloso cuando tengas que hacer inversiones masivas en empleados nivel C, hiperespecíficos, de múltiples cifras y seis dígitos. También conocidos como "empleados especializados".

En mi opinión, en la fase actual, es mejor emplear el tiempo en contratar y formar a cualquiera que esté *dispuesto*. Luego, <u>cuando</u> encuentres ganadores, y con este método lo harás: trátalos bien, no los desgastes y dales lo que se merecen.

En la tierra de la sobreoferta de clientes potenciales, necesitarás aliados. Los empleados están entre los más poderosos de estos aliados. Hablamos de: cómo te enriquecen, cómo trabajan, cómo conseguirlos, cómo entrenarlos, cómo lograr que te consigan clientes potenciales, cómo mantenerlos captando clientes potenciales y cómo saber que estás haciendo un buen trabajo. Y una vez que hayas construido un sistema para encontrar personas que te consigan clientes potenciales (realizando los cuatro pilares fundamentales en tu nombre), sólo tienes que hacer más.

Nota del autor: Unas palabras sobre los empleados especializados

He omitido explícitamente el reclutamiento de empleados de nivel directivo y superior, porque puedes calificar fácilmente para Acquisition.com sin ellos. Y una vez que te conviertes en una empresa de nuestro portafolio, lo hacemos por ti.

El próximo captador de clientes potenciales...

La siguiente parada en nuestro viaje publicitario nos lleva a las agencias. Sí, puedes pagarle a determinadas personas para acortar tu camino. He pagado millones de dólares a las agencias y creo que por fin he *descifrado* el código de cómo crear un beneficio para todas las partes. Para nosotros, para no depender de ellas para siempre. Para ellos, para que puedan obtener más beneficios y ofrecer más valor a sus clientes. Han sido la clave de muchos de mis avances, así que no querrás saltarte el próximo capítulo...

UN REGALO PARA TI: BONO TUTORIAL - Construir o comprar - La hoja de ruta del talento

Cuanto más tiempo hago negocios, más me pregunto "quién" en lugar de qué y cómo. Este entrenamiento puede ser uno de los más tácticos e importantes, porque sin importar lo que quieras construir, vas a necesitar ayuda. Dado que es tan crucial, he creado una formación que describe este contenido en mayor profundidad, con algunas secciones para descargar, etc. Puedes verlo gratis en Acquisition.com/training/leads. Como siempre, también puedes escanear el código QR de abajo si detestas teclear.

Nº 3 Agencias

"Todo está a la venta."

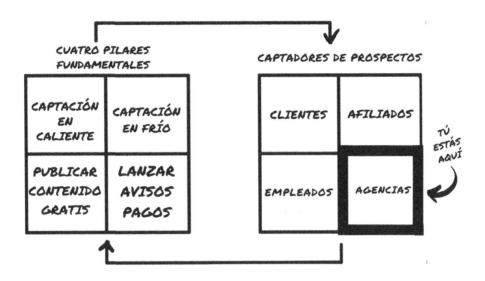

Verano de 2016.

Yo no era un experto en tecnología. Era un aficionado al fitness que había aprendido algunos trucos de marketing y ventas construyendo mis gimnasios. Pero ahora tenía cinco y estaba lanzando el sexto. Era hora de subir de nivel. Facebook acababa de lanzar algunas novedades: retargeting, grupos de interés, píxeles, etc. Y yo no entendía nada de eso. Compré algunos cursos, pero acabé más confuso que cuando empecé.

Pregunté a algunos amigos si conocían a alguien que pudiera ayudarme. Me dieron dos referencias. Ambas eran agencias. Tenía miedo. Nunca había recurrido a una. Sólo había oído historias de terror sobre las agencias de publicidad. Sobre todo que cuestan una fortuna y nunca funcionan. Pero entonces me di cuenta de que, si funcionaban, las *necesitaría* para siempre. ¡Tendrían mi negocio agarrado por las pelotas! Resulta que mis expectativas no estaban muy lejos. Se ofrecieron a publicar mis anuncios, por un ojo de la cara. Dinero que no podía justificar con mis bajos márgenes. Pero, por otro lado, mis costos de publicidad me estaban matando. Y a este ritmo, en pocos meses, no sería capaz de mantener mis puertas abiertas. Era estresante.

Rechacé la primera agencia porque no podía permitírmelo en ese momento. La segunda llamada fue por el mismo camino. Empecé a sentir pánico. ¿Cómo voy a arreglar esto? En lo que me pareció un último intento desesperado de mantener el negocio, le pedí al dueño de la segunda agencia lo que *realmente* quería...

"¿Puedes mostrarme en unas horas cómo publicarías anuncios en mi cuenta?"

"No", respondió de inmediato. "Mi tiempo no está en venta".

Preocupado pero esperanzado... "¿A qué tipo de acuerdo podríamos llegar?"

Lo pensó por un momento. Luego levantó una ceja y sonrió. "Bien.

750 dólares la hora". *Tragué saliva.* Su táctica intimidatoria funcionó. Pero al menos sabía que su tiempo estaba en venta... así que quise averiguar más.

"¿Y por $750 la hora *tú* te sentarás *conmigo* y *me mostrarás* cómo manejarías *mis* anuncios?"

"Sí."

"¿Y sería yo el que haría todo? ¿Me guiarías por lo que tengo que hacer y me mirarías por encima del hombro mientras lo hago, y luego me explicarías por qué lo haces así?".

"Sí"

"¿Y estás seguro de que puedes hacer mis anuncios más rentables? ...y mostrarme las técnicas más avanzadas también, ¿verdad?"

"Sí. Quiero decir. Si quieres pagarme 750 dólares la hora, podemos hacer lo que quieras. Es tu dinero" dijo, medio riendo. Sonaba más como si fuera mi funeral.

Hice una pausa. "De acuerdo. Lo haré. Quedaremos una hora a la semana. Tú me das deberes y yo estudiaré entre llamada y llamada. ¿Te parece bien?"

"Me parece bien. Pero tienes que pagar las primeras cuatro horas por adelantado".

Eso es lo que hice. Aposté tres mil dólares a la palabra de este tipo de que sabía lo que hacía. ¡Mierda! Pero, cada semana a partir de entonces, me presenté. Y como buen estudiante, vine con notas y preguntas preparadas. También grabé y volví a ver todas las llamadas porque no quería perderme nada.

En las dos primeras, él se puso al volante y yo observé. En la tercera y la cuarta, me puso al volante. En las llamadas cinco y seis, todo hizo clic. Comprendí cómo tomaba las decisiones y qué datos seguía. En la séptima y la octava, me di cuenta de que ya no necesitaba su ayuda. Había aprendido a gestionar anuncios pagos, al menos en Facebook, como un profesional. Y, si tuviera que adivinar, era porque lo había aprendido... de un profesional.

En este capítulo, exploraremos una forma no tan obvia, pero mucho mejor, de utilizar las agencias para conseguir más clientes potenciales. Pongámonos manos a la obra.

Cómo quieren las agencias que pienses que trabajan

Las agencias de publicidad son empresas de servicios de captación de clientes potenciales. Tú les pagas para que publiquen anuncios de pago, hagan difusión o empaqueten y distribuyan contenidos.

Por ejemplo, digamos que quieres publicar contenido de video gratuito. Pero no sabes nada sobre cómo hacer videos o cómo distribuirlos. Tendrías que aprender a elegir los temas de los videos, grabarlos, editarlos, crear imágenes en miniatura y escribir titulares. O contratar a gente que sepa hacerlo. Aquí entra la agencia. Ellos afirman que ya han contratado y formado a gente para hacer esas cosas. Así que prometen resultados más rápidos, mejores y más rentables que los que podrías conseguir por tu cuenta. Y en cuanto tuve dinero suficiente, me pareció lo bastante convincente.

Después de mi primera experiencia con una agencia, que ya he mencionado y que fue bastante bien, decidí utilizar más. Pero mi experiencia con las diez agencias siguientes fue *diferente* porque las utilicé "de la manera correcta". La experiencia con cada una de ellas fue más o menos así:

Paso 1: Me entusiasmaban con todas las nuevas oportunidades que me traerían.

Paso 2: Me sometían a un proceso de integración que me parecía valioso (y a veces lo era).

Paso 3: Asignaban a mi cuenta a su "mejor" representante senior.

Paso 4: Veía algunos resultados.

Paso 5: Trasladaban a mi representante sénior al cliente más nuevo...

Paso 6: Un representante junior comenzaba a gestionar mi cuenta. Mis resultados disminuían.

Paso 7: Me quejaba.

Paso 8: El representante sénior volvía de vez en cuando para hacerme sentir mejor.

Paso 9: Los resultados seguían empeorando. Y acababa cancelando.

Paso 10: Buscaba otra agencia y repetía el mismo ciclo de insensatez.

Paso 11: *Por enésima vez,* empezaba a preguntarme por qué no obtenía resultados como la primera vez.

Para que quede claro, como muestra la introducción de este capítulo, las agencias pueden desempeñar un papel valioso en el crecimiento del negocio. Pero no de la forma que *ellas* quieren que creas. No quiero que nadie caiga en la misma trampa. De hecho, espero que todo el dinero que he malgastado sirva también para pagar tu impuesto a la ignorancia. Así que sigue leyendo.

Es francamente ridículo que haya tardado tantos años en darme cuenta de que realmente utilizaba una agencia de la forma *correcta*... ¡la *primera* vez! Pero ahora, después de jugar tantas veces a su juego, creo que he descifrado el código de "cómo utilizar una agencia". Y no viene de jugar a su juego *en absoluto*. Viene de jugar a uno diferente. Y este capítulo lo desglosa todo en tres pasos:

1) Contratar a una agencia versus hacerlo uno mismo

2) Cómo uso las agencias actualmente. Y cómo puedes hacerlo tú también.

3) Cómo elegir la agencia adecuada

Contratar a una agencia versus hacerlo uno mismo

En primer lugar, dejemos esto claro. Las buenas agencias cuestan dinero. Así que si no tienes dinero, las agencias están fuera de discusión. Tendrás que aprender por ensayo y error. Y no es para tanto. *Todos empezamos así.* Pero si tienes algo de dinero, te sugiero que utilices agencias para dos cosas: aprender nuevos métodos y aprender nuevas plataformas.

Si quiero aprender nuevas formas de hacer contenido, divulgación o anuncios de pago, entonces contrato agencias que ofrezcan nuevas formas de hacerlo. Ellos ya han cometido los grandes errores. Así que en lugar de perder el tiempo descubriéndolo yo mismo, paso directamente a la parte de "ganar dinero". Me gusta la parte de "ganar dinero".

También recurro a las agencias cuando quiero empezar a anunciarme en una plataforma que no entiendo. Gano dinero más rápido porque se encargan de la configuración inicial y del mantenimiento y porque me enseñan cómo hacerlo.

Contratar a una agencia es invertir en habilidades importantes que no puedes aprender en ningún otro sitio. Es decir, a menos que pases por *todo* el proceso de prueba y error para aprenderlo tú mismo. Y si lo haces, pierdes el tiempo y la atención que podrías haber utilizado para aprender otras cosas importantes que hacen crecer tu negocio. Y escalar su negocio es el objetivo principal.

Paso a seguir: En cuanto tengas dinero suficiente para una buena agencia, empieza a curiosear. Si sigues el resto de pasos de este capítulo, lo recuperarás todo... y un poquito más.

Cómo uso las agencias ahora. Y cómo puedes hacerlo tú también.

Me he vuelto un poco más sofisticado que la historia que conté al principio. Así es cómo uso las agencias ahora. En lugar de creerme la mentira de que "nunca tendré que aprender esto porque ellos pueden hacerlo", empiezo cada relación con una agencia con un propósito y un plazo para cumplirlo. Empiezo diciendo:

"Quiero hacer lo que tú haces en mi negocio, pero no sé cómo hacerlo. Me gustaría trabajar contigo 6 meses para aprender cómo lo haces. Además, pagaré un extra para que me expliques por qué tomas las decisiones que tomas y los pasos que sigues para tomarlas. Después, cuando tenga una buena idea de cómo funciona todo, empezaré a formar a mi equipo. Y una vez que puedan hacerlo lo suficientemente bien, me gustaría cambiar a un acuerdo de consultoría de menor costo. De este modo, seguirás ayudándonos si tenemos problemas. ¿Estás de acuerdo?"

Según mi experiencia, la mayoría de las agencias *no* se oponen. Y si no les sirve, perfecto. Sólo tienes que pasar a la siguiente agencia. Pero, antes de empezar a echar a todo el mundo a la calle, hay que estar dispuesto a negociar. A cierto precio, vale la pena para ambos. ¡Viva el capitalismo!

Así es cómo uso las agencias ahora. Por ejemplo, cuando quise aprender a utilizar You-Tube, contraté a *dos* agencias. A la primera la contraté para que me mantuviera dedicado a hacer videos mientras ellos hacían algunos trámites en la propia plataforma. A la segunda la contraté (a un precio cuatro veces superior) para que nos enseñara en profundidad las ideas que hay detrás del mejor contenido posible. Y una vez que nuestros videos superaron a los suyos, pasamos a ser solo consultoría.

He utilizado este método una y otra vez. Contrato a una agencia "suficientemente buena" para que aprenda a manejar una nueva plataforma. Después, contrato a una agencia más selecta para que aprenda a sacarle el máximo partido, *y recomiendo encarecidamente esta estrategia.*

Si eres sincero sobre tus intenciones y la agencia está de acuerdo, obtienes lo mejor de ambos mundos. Obtienes mejores resultados a corto plazo porque (probablemente) saben más que tú. Y obtendrás mejores resultados a largo plazo porque aprenderás a hacerlo tú mismo o tu equipo aprenderá a hacerlo por ti. *También pasarás el máximo tiempo con los mejores representantes.*

Recuerda que tú sólo recibes una *fracción* de la atención de la agencia, por lo que los resultados empeoran cada vez que consiguen nuevos clientes. Mientras tanto, tu equipo mejora cada vez más porque se centra en ti a tiempo completo. Así que compara los resultados de tu equipo con los de la agencia hasta que los superes. Entonces, cancela la relación y dedica el dinero a escalar todo lo que acabas de aprender.

Paso a seguir: Cuando encuentres una agencia con la que trabajar (siguiente paso), establece condiciones con ella y plazos para ti. Utiliza la plantilla anterior como guía. Y no dudes en negociar un poco para que funcione.

Nota del autor: Sí, hay un lugar para las agencias

Para que quede claro, todavía soy propietario de acciones de una agencia de software, ALAN. Así que no estoy en contra de las agencias. Simplemente comparto mi experiencia con ellas. ¿Hay grandes empresas que recurren a grandes agencias de publicidad? Claro, pero no escribo para ellas. Para la mayoría de la gente, gastar 10.000, 50.000 o 100.000 dólares en una agencia es un costo significativo. Así es como he obtenido los mejores beneficios de trabajar con ellos. Además, hay gente a la que no le interesa aprender, y para ellos las agencias son geniales. Yo siempre quiero aprender, por eso recurro a las agencias.

Cómo elegir la agencia correcta

Después de haber trabajado con un montón de agencias malas y un puñado de buenas, creé una lista de lo que todas las buenas tenían en común. No es la última palabra sobre lo que hace que una agencia sea buena, pero a mí me ha funcionado.

Esto es lo que busco:

1) Que alguien que conozco haya obtenido buenos resultados trabajando con ellos. Si sólo conoces una agencia por sus anuncios de pago o por contactos en frío... probablemente no sea tan buena como las que se basan únicamente en el boca a boca (y las mejores lo hacen).

2) Empresas destacadas han obtenido buenos resultados trabajando con ellas. Puede que no conozca personalmente a las empresas, pero si las reconozco, es una buena señal.

3) Una lista de espera. Cuando la demanda de un servicio supera la oferta, probablemente son bastante buenos.

4) Un proceso de venta claro que se esfuerza por establecer expectativas <u>realistas</u>. Sin trucos.

5) Sin atajos a corto plazo. Se centran en la estrategia a largo plazo. También dan plazos claros para la puesta en marcha, la escalabilidad y los resultados.

6) Me dicen exactamente lo que necesitan de mí, cuándo lo necesitan y cómo lo emplearán.

7) *Ellos* proponen un calendario regular de reuniones y me ofrecen varias formas de mantenerme al tanto de sus progresos.

8) Ofrecen información actualizada en términos sencillos y medios claros de seguimiento para que yo sepa cómo se comparan los costos con los resultados.

9) Hacen una buena oferta:

   a) <u>Resultado soñado:</u> ¿lo que prometen es lo que yo quiero?

   b) <u>Probabilidad percibida de logro:</u> ¿cuántas personas como yo lo han conseguido?

   c) <u>Tiempo de espera:</u> ¿cuánto tardarán?

   d) <u>Esfuerzo y sacrificio:</u> ¿qué me exigen al trabajar con ellos? ¿A qué tendré que renunciar? ¿Puedo seguir con ellos durante mucho tiempo?

10) Son caras. Todas las agencias buenas son caras... pero no todas las agencias caras son buenas. Así que entrevístate con todas las que haga falta. Y utiliza esta lista como guía para encontrar las buenas.

   ...si una agencia cumple estas condiciones, vale la pena tenerla en cuenta.

> ## Consejo profesional: Habla con más agencias para ser un mejor cliente
>
> Ser un cliente informado *ayuda a todos*. Así que, antes de comprar, infórmate. Habla con cinco o diez agencias para saber cómo trabajan. Al principio, aprenderás un montón de cosas nuevas. Pero con el tiempo, la diferencia entre las mejores y las peores se hará evidente. *Entonces*, podrás tomar una decisión con conocimiento de causa.
>
> Si la agencia no satisface mis necesidades, pero me agrada la gente, les pido que me remitan a otra agencia. Una buena agencia que ofrezca una especialidad te enviará a otras buenas agencias que ofrezcan la que tú buscas. Esas son algunas de mis referencias favoritas.

Paso a seguir: Aunque una agencia acepte tus condiciones, habla con algunas más antes de tomar una decisión. Compáralas con la lista de control anterior y elige la que más te convenga.

Conclusión

Aunque no se trate del modelo de agencia "tradicional", *ambas* empresas se benefician. Ellos consiguen un cliente que de otro modo no tendrían. Y nosotros adquirimos una habilidad para ganar dinero de por vida. En la historia del principio del capítulo, me costó ocho horas y 6.000 dólares aprender una habilidad que *me ha hecho ganar millones*. ¿Te parece que vale la pena? Debería.

Y para que este método de la agencia funcione a escala, tienes que contar con una buena cantidad de tiempo en el que pagues a la agencia y a tu equipo *para hacer lo mismo*. Tienes que darte un margen para obtener resultados de la agencia, aprender lo que hacen *y* formar a tu equipo en ello... todo a la vez. Sí, cuesta mucho dinero. Y sí, vale la pena cuando lo haces bien.

Y puedes hacerlo bien. Después de que las agencias pusieran a un empleado de bajo nivel en mi cuenta por millonésima vez, por fin me di cuenta. No puede ser *tan* difícil. Al principio, tardé un año en conseguir que mi equipo fuera mejor que el de una agencia. A medida que mejoraba, se redujo a diez meses, luego a ocho. Y ahora, lo he conseguido. Puedo conseguir que mi equipo sea tan bueno o mejor que la agencia en apenas seis meses o menos. Y cada vez que quiero aprender un nuevo método o plataforma, repito el proceso.

Cuanto mejor lo hagas, más barato te resultará y más dinero ganarás. Es curioso, esto se parece mucho a la publicidad.

Próximos pasos:

1) Decide si utilizar una agencia tiene sentido para ti en este momento.

2) Habla con muchas agencias para hacerte una idea del mercado. No seas tacaño.

3) Utiliza el marco de acuerdo que he descrito.

4) Fija un plazo claro para obligarte a ti (y a tu equipo) a aprender las técnicas.

5) Utiliza ambos equipos hasta que el tuyo supere al suyo con regularidad.

6) Pásate a la consultoría con descuento hasta que sientas que tú les enseñas a ellos en lugar de ellos a ti... y entonces déjalos ir.

Ahora que ya sabemos cómo ganar dinero con el mundo de alto riesgo de las agencias, vamos a explorar el captador de clientes potenciales que más dinero me ha hecho ganar. Reclutamos a un ejército de negocios que pueden conseguirnos aún más clientes potenciales: los *afiliados*.

UN REGALO PARA TI: Qué buscar en una lista de comprobación de agencias

Si quieres saber la mejor manera de utilizar agencias, en lugar de ser utilizado por ellas, he creado una capacitación gratuita para ti. Puedes verla gratis en Acquisition.com/training/leads. Contiene archivos interactivos y otras sorpresas. Como siempre, también puedes escanear el código QR de abajo si detestas teclear.

ESCANÉAME

Nº 4 Afiliados y Socios

"Nada hace amigos como el dinero"

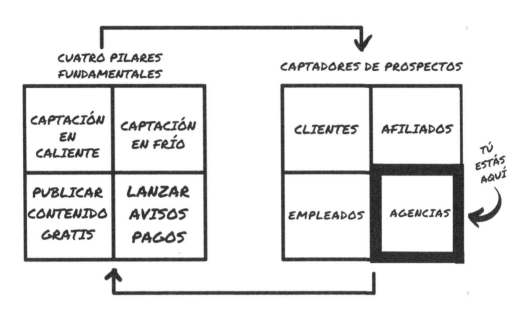

1 de diciembre de 2018

No tenía ni idea de cómo resultaría el lanzamiento de Prestige Labs. No tenía ni idea de si a nuestros clientes les gustaría. No tenía ni idea de si la tecnología que habíamos desarrollado funcionaría. No tenía ni idea de si los pagos se producirían a tiempo. No tenía ni idea de si nuestro departamento de almacenamiento confundiría los pedidos.

Pero sí sabía que habíamos dedicado más de un año de preparación a este lanzamiento. Pusimos todo lo que teníamos en la creación de un producto de primer nivel. Gastamos más de 1.000.000 de dólares en la creación de un software especializado en capacitación para afiliados. Y compramos 3.000.000 de dólares en inventario para ventas que quizá nunca se producirían. Necesité todas mis habilidades empresariales para hacer realidad Prestige Labs. Y, en sólo unas horas, lo pondríamos en marcha para nuestros afiliados propietarios de gimnasios. Me sentía como un niño en Nochebuena. Y si no funcionaba, *no sería por falta de esfuerzo*.

Nota del autor: The Game Podcast Episodio 98 "I Remember" ("Recuerdo")

Si quieres retroceder en el tiempo, puedes escuchar a "mi joven yo" hablar de mis pensamientos/preocupaciones la noche antes del lanzamiento. Puedes estar justo ahí conmigo. Es el episodio 98 de mi podcast <u>The Game con Alex Hormozi titulado</u> "I Remember". Esto es antes de que supiera del éxito en que se convertiría. Para encontrarlo, ve a cualquier sitio donde escuches podcasts y busca "Alex Hormozi" y aparecerá.

El Juego con Alex Hormozi
Alex Hormozi

El día del lanzamiento...

Terminé la presentación de dos horas empapado en sudor. *Lo logré.*

Les "vendí" la oportunidad de vender mi línea de suplementos en sus gimnasios. Yo entrenaría a los nuevos afiliados para promover Prestige Labs en sus gimnasios. Por lo tanto, para que esto funcione, tendrían que pasar por el entrenamiento *y* usarlo. Pero, si lo hacían, todos saldrían ganando. No tenía ni idea de si funcionaría.

Tres semanas después...

Hicimos 150.000 dólares en ventas totales. Mientras tanto, 3.000.000 de dólares en productos estaban en un almacén con aire acondicionado... *No funcionaba.*

A este ritmo, incluyendo los costos de operación y los pagos auxiliares, tomaría cinco años *alcanzar el punto de equilibrio*. Incluso si pudiéramos aguantar, nuestro producto premium caducaría mucho antes. Estábamos jodidos. Me sentía fatal. Era terrible. ¿Por qué pensé que venderíamos todo ese material? Acababa de malgastar MILLONES. ¿Cómo pude ser tan estúpido?

Pero... en la cuarta semana... algo salvaje sucedió...

¡BOOM! $ 100.000 el lunes.

¡BOOM! $ 110.000 el martes

¡BOOM! $ 92.000 el miércoles.

Hicimos más de $ 450.000 en ventas *sólo* la cuarta semana. La tendencia continuó.

$429,000…$383,000…$411,000…$452,000. Hicimos en promedio más de 300 pedidos por día a través de más de 400 afiliados activos. Los pedidos no paraban de llegar. Echa un vistazo a la captura de pantalla de nuestro informe interno a continuación. Muestra, de izquierda a derecha, los ingresos *por semana*. No podía creer los resultados. A veces, sigo sin creérmelo.

Ingresos brutos	$429,112	$383,717	$411,848	$404,838	$452,204
Ingresos netos	$407,164	$358,073	$391,197	$384,119	$429,982
Reembolsos	$21,948	$25,644	$20,651	$20,719	$22,222
Cantidad de pedidos	2266	2052	2084	2124	2367
Tamaño promedio del pedido	$189	$187	$198	$191	$191
Afiliados activos	428	409	416	437	444

La mejor parte es que *yo no hice publicidad ni vendí ninguno de los productos en absoluto*. Sin anuncios pagados. Sin equipo de ventas. Nada de nada. Los afiliados hicieron todo-y la máquina de afiliados que construí aún sigue generando dinero hasta el día de hoy. Así que si eso suena como algo que te interesa, agárrate fuerte, porque te voy a mostrar exactamente cómo la construí.

Cómo funcionan los afiliados

Un **afiliado** es un captador de clientes potenciales. Es una empresa independiente que le dice a tu público que compre *tu* producto. Los afiliados se parecen a las referencias por fuera, pero son muy diferentes por dentro. En primer lugar, tienen sus propios negocios y hacen su propia publicidad. En segundo lugar, aceptan ofrecer *tus* productos a *sus* clientes comprometidos a cambio de dinero, productos gratuitos o ambas cosas.

Ahora bien, para conseguir afiliados, debes hacer publicidad y luego hacerles ofertas al *igual que lo harías con los clientes*. Pero los afiliados requieren un tipo único de oferta. En lugar de ofrecerles tu producto, les ofrece una forma rápida, sencilla y fácil de ganar comisiones promocionándolo. Y eso puede significar literalmente millones de clientes potenciales comprometidos con tu negocio. Así que esto hace a los afiliados.

Por qué deberías querer tener un ejército de afiliados

Cada afiliado que consigues añade otro *flujo* de clientes potenciales y clientes. Así que reclutar, activar e interactuar con un ejército de afiliados provoca una escalada exponencial acelerada. Eso es bueno. Queremos eso.

Compara estos dos escenarios:

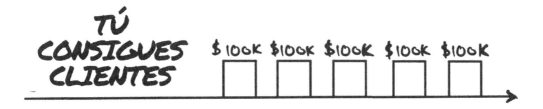

Escenario 1: Le vendes a diez clientes al mes por valor de $10.000 cada uno. Tu negocio alcanza los $100.000 al mes. En doce meses has ganado 1,2 millones. Suponiendo que no tengas ningún otro tipo de publicidad, tu negocio se estanca. Bajo apalancamiento.

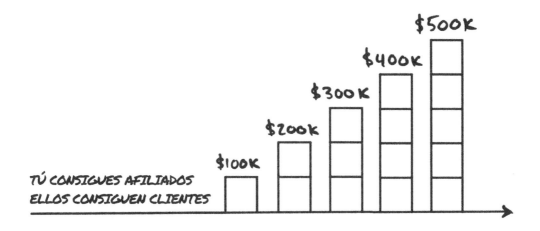

Escenario 2: Por el mismo esfuerzo, vendes a diez *afiliados* al mes. Cada mes, esos afiliados te traen uno de esos clientes de 10.000 dólares. Ahora, cada mes añades 100.000 dólares extra en ingresos. En doce meses has hecho 7,8 *millones. Y creces mes a mes a partir de entonces*. Mismo trabajo, más dinero. Alto apalancamiento.

Utilicemos ALAN, mi empresa de software que hice crecer con afiliados, para mostrar cómo funciona esto en el mundo real:

ALAN creció con tres niveles de afiliados:

1) Superafiliados de agencias que proporcionaban clientes potenciales de agencias.

2) Agencias que aportaban clientes potenciales de empresas locales

3) Empresas locales que conseguían clientes potenciales entre los consumidores finales

Un super-afiliado agregaba diez agencias al mes. Las diez agencias aportaban en conjunto unas cuarenta empresas locales al mes. Estas empresas locales aportaron un total de 2.500

clientes potenciales al mes. ALAN trabajó esos clientes potenciales por unos 5 dólares cada uno. Una cifra genial de $12.500 *al mes*.

Pero no se detuvo ahí. Cada super-afiliado atrajo *más* agencias que trajeron *más* empresas locales que trajeron *más* clientes potenciales cada mes después de eso. Así, cada super-afiliado que contratábamos nos aportaba $12.500 el primer mes, $25.000 el segundo, $37.500 el tercero, y así sucesivamente. Con solo unos pocos super-afiliados de la agencia, alcanzamos los $1.700.000 al mes a los seis meses del lanzamiento. *Por eso* es que querrás tener un ejército de afiliados. Así que vamos a construir uno.

Cómo crear un ejército de afiliados en seis pasos

Los afiliados se encuentran entre las formas más avanzadas de conseguir clientes potenciales comprometidos. En primer lugar, tienes que convencerlos de que anuncien los productos de otra persona. En segundo lugar, tienes que convencerlos de que anuncien *tus* productos. Por último, hay que conseguir que *sigan anunciándose* para que se conviertan en una fuente de clientes potenciales a largo plazo. Parece mucho. Y lo es. Pero, tengo buenas noticias...

He construido dos empresas con afiliados: ALAN y Prestige Labs. Juntas, han hecho más de $75.000.000 en ingresos de más de 5.000 afiliados. Y las estrategias de afiliados que comparto funcionaron para mí. Así que también pueden funcionar para ti. Voy a desglosar cada paso.

Paso 1: Encuentra a tus afiliados ideales

Paso 2: Hazles una oferta

Paso 3: Califícalos

Paso 4: Determina cuánto les pagarás

Paso 5: Consigue que hagan publicidad

Paso 6: Consigue que sigan haciendo publicidad.

Eso es todo. Ahora vamos a profundizar.

Paso 1: Encuentra a tu afiliado ideal

El afiliado ideal tiene un negocio con una audiencia caliente llena de gente como tus clientes. Comienza a hacer una lista de esos negocios. Si no te viene ninguno a la cabeza, responde a estas preguntas <u>sobre tus mejores clientes</u>:

¿Qué compran? → ¿Quién les proporciona esos productos/servicios?

¿A dónde acuden? → ¿Qué negocios hay en ese entorno?

¿Qué les gusta hacer? → ¿Quién proporciona esos servicios?

Si es directo al consumidor, los empleadores de tus consumidores podrían ser excelentes afiliados:

¿Para qué tipo de empresas trabajan? ¿Qué tipo de trabajo desempeñan?

En pocas palabras... ¡¿Quién tiene mis clientes potenciales?!

Por ejemplo, cuando empecé con ALAN, los propietarios de agencias eran mi afiliado ideal. Así que hice una lista de 200 productos y servicios *para agencias* y las empresas que los ofrecían. Después de un poco de trabajo, me di cuenta de que estaban muy bien agrupados en las siguientes categorías: **programas de software, productos, equipos, servicios, grupos a los que pertenecen y eventos a los que asisten.** Cada vez que creo una nueva "lista negra" de afiliados, empiezo por estas categorías. Nota: Si encuentras una empresa que entra en varias categorías, es muy probable que tenga muchos clientes potenciales buenos para ti y que sea un gran afiliado.

Ahora que conocía las empresas que tenían mis clientes potenciales, sabía exactamente dónde colocar mis esfuerzos publicitarios. No fue nada del otro mundo, así que no lo pienses demasiado.

Paso a seguir: Elabora una tabla con cada una de estas preguntas y categorías. Busca en Internet para rellenarla. Si tienes dificultades, ¡llama a tus clientes y pregúntales! Resultado final: Crea una lista de tus afiliados con mayor potencial de prospectos.

Paso 2: Hacerles una oferta

Hacemos la oferta de afiliación y la anunciamos de la misma manera que lo haríamos con cualquier otra oferta. Llamamos a nuestra audiencia, les mostramos nuestros elementos de valor y luego les llamamos a la acción. Pero los afiliados sólo se registrarán con nosotros si les damos una razón de peso. Por suerte, es bastante sencillo. Dado que los afiliados son empresas, o están iniciando un negocio al inscribirse, *tú les ofreces una nueva forma de ganar dinero.* Empezaremos con la convocatoria.

<u>Convocatoria:</u>

Las convocatorias para afiliados potenciales suelen incluir:

- A los propios afiliados - ¡ATENCIÓN PROPIETARIOS DE SPA, ESTÉN ATENTOS!

- Los clientes del afiliado - ¿Trabajas con profesionales ocupados que se pasan el día en reuniones?

- Resultados que prometen las empresas afiliadas - A los héroes que curan el estrés de los demás...

- Productos y servicios que ofrecen los afiliados - Si vendes lociones o aceites perfumados, esto es para ti...

- A nuestros propios clientes - ¿Conoces a alguien que tenga un spa?

Ahora que hemos captado la atención de un posible afiliado, hagamos que valga la pena...

<u>Elementos de valor</u>

Existen infinitas formas de demostrar valor, pero todas las ofertas que generan dinero siguen una estructura similar. Esa es una buena noticia, no necesitamos reinventar la rueda. La mayoría de las ofertas de afiliación muestran el valor de la siguiente manera:

Gana más dinero de tus clientes actuales y consigue más clientes potenciales que tu oferta actual (<u>resultado deseado</u>)... con una alta probabilidad de éxito puesto que tus clientes ya desean el producto (<u>probabilidad percibida de logro</u>)... sin necesidad de construir, entregar o proporcionar soporte al cliente para el producto de tu parte (<u>esfuerzo y sacrificio</u>)... para que puedas empezar a venderlo mañana (<u>demora en el tiempo</u>).

Paso a seguir: Explora los distintos elementos de valor y rellena los espacios en blanco. No profundizaré en esto porque ya lo hemos tratado. Simplemente tienes que *afiliar* al cliente al que te diriges.

Ahora que ya tenemos al posible afiliado interesado en nuestra oferta, vamos a cualificarlo.

Paso 3: Cualificarlos

Los posibles afiliados se convierten en afiliados reales cuando comprenden y aceptan tus términos. Y, al igual que los clientes, queremos que obtengan su primera victoria lo antes posible. Así que configuramos nuestras cláusulas para obligarles a ganar lo más rápido posible.

Lo logro haciéndoles invertir. Prefiero que inviertan su tiempo, su dinero y en el propio producto. Cualquier tipo de inversión puede funcionar. Pero, nueve de cada diez veces, *si pagan, prestarán más atención*.

Estas son las dos formas en las que consigo que mis afiliados inviertan y ganen: convertirlos en clientes y convertirlos en expertos. Analicemos cada una de ellas.

Forma Nº 1: Conviértelos en clientes: Haz que compren y, preferiblemente, utilicen el producto para mantener su estatus de afiliado. Esta es la inversión de barrera más baja que me ha funcionado. He descubierto que cuanto más dinero invierte un afiliado en su producto, más dinero gana. Esto debería tener sentido. Si no creen en tu producto lo suficiente como para comprarlo, probablemente no deberían venderlo. Puedes decirles que la frase es de mi autoría.

Consejo profesional: Compras al por mayor

Si necesitas ganar más dinero por afiliado, puedes pedirles que compren al por mayor. Esto fue muy importante para el éxito de los afiliados de Prestige Labs. Una vez que compraron un paquete grande por adelantado comenzaron a trabajar y a obtener resultados. La mayor inversión en última instancia, les hizo (y nos hizo) ganar más dinero. Si tienes productos físicos, prueba con las compras al por mayor. Si tu empresa tiene una línea de productos, como Prestige Labs, prueba con grandes paquetes.

Así es como se formula la oferta: *"¿Quieres algo más o sólo el pedido _mínimo_?"* Si le presentas un pedido mínimo, al menos comprará eso. Y más a menudo de lo que crees, comprarán *más del* mínimo. ¡Badaboom!

¡QUIERO VENDER TUS PRODUCTOS!

TIENES QUE SABER DE LO QUE HABLAS

Forma Nº 2: Convertirlos en expertos: Yo les hago pagar la incorporación y la formación que los certifica como expertos en el producto. Si les haces comprar un producto para convertirse en afiliados, puedes hacer que lo utilicen como crédito para una certificación. Es decir, la certificación *viene con* los productos que compraron. Aparte de hacer que el afiliado sea más redituable, la certificación sirve para dos cosas. Primero, cubre algunos de los costos de publicidad. En segundo lugar, significa que puedo permitirme la incorporación y formación adecuadas de cada uno de los afiliados.

¿Cuánto debo cobrar? Recomiendo cobrar entre el 10% y el 20% de lo que gana en promedio un afiliado activo en los primeros doce meses. Por lo tanto, si tu afiliado medio gana 40.000 dólares al año vendiendo tu producto, cobra entre 4000 y 8000 dólares por incorporarlo y capacitarlo. Si es demasiado bajo, no conseguirás que inviertan. Si es demasiado alto, no conseguirás suficientes afiliados. He descubierto que entre un 10 y un 20% maximiza el número de personas que se *convierten* en afiliados activos. Si estás empezando y tienes productos físicos, entonces utiliza la estrategia de compra al por mayor del consejo profesional. De lo contrario, puedes utilizar la estrategia del capítulo de alcance en caliente y aumentar la inversión mínima cada 5 suscripciones hasta que llegues al punto óptimo.

Paso a seguir: Convierte a tus afiliados en clientes, expertos o ambas cosas (mi método favorito). Si no consigues suficientes personas para empezar, reduce el compromiso. Si no consigues que suficientes personas lo sigan, auméntalo.

Paso 4: Calcula cuánto pagarles

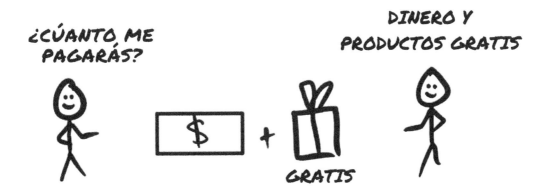

El primer gran problema que hay que resolver con los afiliados es lograr que se involucren. Pero el segundo mayor problema es *lograr mantenerlos*. Y, lo mires como lo mires, mantener a tus afiliados implicados dependerá de cómo los recompenses por hacer publicidad de tus productos. Yo prefiero recompensar a la gente que hace cosas que me gustan con dinero y productos gratuitos, sobre todo si me hacen ganar dinero a mí en primer lugar. Así que hablemos de eso.

Cuando busco formas de recompensar a mis afiliados, considero dos cosas básicas:

1. Por qué se les paga.

2. Cuánto se les paga

1. *Por qué se les paga*

Antes de hacer cualquier cálculo de dinero a pagar a un afiliado me hago una simple pregunta. ¿Qué es *exactamente* lo que quiero que haga el afiliado? Una vez que lo he determinado, eso es por lo que les pago. Entonces, la mayoría de las veces, cuánto se les paga y con qué frecuencia se les paga casi se resuelve por sí solo. Pago a los afiliados por dos cosas básicas: nuevos clientes y clientes recurrentes. Con el tiempo, si haces un mejor seguimiento de tus métricas, puedes pagarles por los pasos *previos* a que alguien se convierta en cliente. Como por los imanes de clientes potenciales descargados, las citas establecidas o cualquier otra cosa que sepas que se convertirá fehacientemente en ventas para ti.

2. *Cuánto se les paga*

Sugiero pagar a los afiliados en función de su costo máximo permitido por adquirir un cliente (CAC).

Ejemplo: elige tu CAC máximo permitido. Supongamos que vendemos un producto de un solo uso por $200 y cuesta $40 su cumplimiento. Esto nos da $160 para pagar al afiliado *y* manejar el negocio. Si queremos una relación BBPV : CAC de 3:1, entonces tres partes van al negocio: $120. Y una parte, *$40*, va al afiliado. Esto significa que pagaremos hasta $40 a un afiliado para conseguir un nuevo cliente.

Pero aquí es donde las cosas se ponen interesantes. Yo solía regalar mi granja (todo el CAC). Supongo que aún lo hago, pero me he vuelto más exigente sobre con quién lo hago. No todos los afiliados son iguales. Por lo tanto, sugiero tener una estructura de pago de <u>tres niveles</u>. Utilizando el ejemplo anterior, con un CAC máximo permitido de $40, una estructura de pago de tres niveles podría ser algo así:

- Nivel 1: 25% del CAC = Pago de $10 - Cualquiera que <u>acepte</u> mis términos iniciales califica.

    o   Ejemplo: se registran y compran productos o una certificación.

- Nivel 2: 50% CAC = Pago de $20 - Una vez que se <u>activan</u>.

    o   Ejemplo: *una vez que completan la certificación que compraron*, haciendo un número específico de posts y contactos, haciendo un lanzamiento, etc.

    o   Esto les da una buena recompensa (el doble del pago) por activarse.

- Nivel 3: 100% CAC = Pago de $40 - Una vez que <u>mantienen</u> un nivel de rendimiento.

    o   Ejemplo: Mantienen cinco clientes por mes en suscripciones.

Este método escalonado también tiene un efecto secundario oculto y muy rentable. El pago <u>promedio</u> será *mucho menor* que tu CAC máximo permitido. Esto significa que si dejamos los pagos máximos para los mejores afiliados, nos quedamos con las ganancias "sobrantes". Podemos utilizar el dinero sobrante para organizar grandes concursos, hacer publicidad para conseguir más afiliados, incentivar a las estrellas emergentes, etc. O, sencillamente, nos lo podemos embolsar.

Por ejemplo, si el 20% de las ventas proceden de la categoría 1, el 20% de la categoría 2 y el 60% de la categoría 3, el pago conjunto será de $30 en lugar del CAC máximo permitido de $40. Esto significa que tu BBPV : CAC será de $30. Esto quiere decir que tu relación BBPV : CAC acaba de mejorar de 3:1 a 4:1. Y a menudo, reducir los costos de marketing en un 33% puede traducirse en un 10% a 20% más de ganancias netas al final del año. Un gran incremento.

Consejo profesional: Paga con productos si es posible: "Vende 3 y llévatelo gratis."

A todos nos gustan las cosas gratis. A menudo, más de lo que nos costaría conseguirlo. Recompensar el rendimiento con productos es una forma barata y efectiva de mantenerlos ganando. Ellos lo cotizan al por menor, pero a ti sólo te cuesta: tu costo. Un buen arbitraje de valor.

Establece niveles de ventas y bonifica a tus afiliados con productos o créditos para el precio de venta. En los niveles más bajos, incluso puedes recompensarlos exclusivamente con productos gratuitos. Por ejemplo: si tus afiliados te envían montones de clientes para recibir masajes, es totalmente aceptable recompensar a tus afiliados con masajes gratuitos. Con un volumen bajo, un masaje suele valer más para ellos que enviarles un cheque de $30 (tu costo). Pero a medida que los afiliados te envían más clientes, generalmente optarán por cobrar en dinero. Al fin y al cabo, cobrarse 100 masajes se convierte en algo peu réaliste.

En Prestige Labs, ofrecía a cualquiera que vendiera más de tres paquetes al mes un paquete gratuito de $200 a su elección. Esto también convirtió a cada afiliado en un atleta patrocinado. Obtenían productos gratis de por vida siempre y cuando mantuvieran tres clientes al mes comprando. Yo lo llamaba: "Vende tres y llévatelo gratis.

Paso a seguir: Determina lo que quieres pagarle a tus afiliados para poder planificar cuánto pagarles, cómo y con qué frecuencia.

Paso 5: Conseguir que se anuncien - Lanzamiento

Al igual que los referenciadores, cuánto valor obtienen los afiliados de ti determinará cuánto publiciten tus productos. Por lo tanto, *trátalos como si fueran clientes*. Dales algo bueno y rápido. Y no hay nada mejor para los afiliados que los grandes lanzamientos y mucho dinero en efectivo.

Así es como funcionan los lanzamientos:

Los afiliados anuncian tu imán de prospectos u oferta principal a su audiencia *antes de que puedan comprarlo.* Publican. Llegan a su público caliente. Publican anuncios pagos. Incluso pueden hacer difusión en frío. Hacen toda la publicidad que pueden hasta el día del lanzamiento. Cuando el producto está disponible, lo venden a todos los clientes potenciales que han reunido. Algunos lo venden uno a uno, otros se dirigen a todo el grupo. Y otros simplemente ponen el producto a disposición.

Así que si vas a hacer lanzamientos para activar a tus afiliados, que es lo que deberías hacer, es mejor que los hagas bien. Yo uso el método alerta-provocación-grito. No puedo recordar dónde lo escuché por primera vez, pero el nombre me quedó. Iniciemos el lanzamiento.

Antes de empezar con el lanzamiento, recuerda: *los buenos lanzamientos tienen el trabajo hecho de antemano.* Así que haz todo el trabajo por ellos. Luego, ya podrán ponerse manos a la obra. Vamos a desglosar cada fase del lanzamiento. Y daré un ejemplo del lanzamiento de mi libro para ilustrar cada punto. Nota: así es como se lanza *cualquier cosa*, no sólo para los afiliados. Lo incluí en la sección de afiliados porque no he encontrado una mejor manera de activar a los afiliados que mediante lanzamientos.

Alertar: *Piensa en "Convocatorias".* Al igual que en un anuncio, la clave de la fase de alerta es la curiosidad. Mantén el misterio sobre el producto e insinúa lo importante que es. Las alertas deben ser breves. Y conseguirás puntos extra si muestras entre bastidores la fabricación de tu producto.

Si estás trabajando en algo, puedes empezar la fase de susurros unos años antes. Cuanto más pronto empieces a alertar, más importancia cobrará para tu público. Empezamos antes porque, cuanto más tiempo parezca que va a llevar algo, más lo valorará el público. Por ejemplo, en igualdad de condiciones, el público valorará más un producto que haya tardado diez años en hacerse que uno que haya tardado diez días. Por lo tanto, *exhibe tu trabajo.*

Recuerda: la curiosidad viene de querer saber qué sucederá después. Así que hazlo plantearse preguntas sobre el producto en sus mentes. Debemos contarles algo sobre lo que quieran saber más, y luego decirles... *aún no.*

Por ejemplo, durante la fase de alerta del lanzamiento de mi libro: publiqué contenidos, me puse en contacto con amigos, envié correos electrónicos a mi lista de contactos y hablé a mis posibles afiliados de las principales actualizaciones del libro. Mostré en qué fase de borrador me encontraba. Hice fotos entre bastidores imprimiendo borradores. Mostré las muchas versiones de los marcos que dibujé. Compartí videos de mí mismo editando el libro a primera hora de la mañana y a última hora de la noche, etc... Todo eso hizo que *la gente que quiere oportunidades* de ventas sienta curiosidad y *preste atención.*

Paso a seguir: Empieza a susurrar cada cuatro a seis semanas hasta llegar a los sesenta días antes del lanzamiento. Luego, susurra cada dos o tres semanas hasta que pasen treinta días. Luego, empieza a provocar...

Provocar: *Piensa en "Elementos de valor".* Es hora de empezar a satisfacer toda la curiosidad que has generado durante la fase de alerta. Revela tu producto, haz pública la fecha del lanzamiento y empieza a *mostrar* los elementos de valor. Utiliza el marco Qué-Quién-Cuándo del capítulo de anuncios de pago.

Por ejemplo, durante el lanzamiento de mi libro, en la fase de provocación: fui más específico y revelé más información "sólida" sobre el libro. Comencé a anunciar cómo el libro permitía obtener el resultado soñado de clientes potenciales ilimitados. Haciendo menos trabajo y haciéndolo más rápido de lo que podían imaginar. También mostré docenas de ejemplos en los que se podía aprovechar el libro al máximo.

Paso a seguir: Empieza a provocar una vez a la semana hasta que falten catorce días. Después, dos veces a la semana hasta que falten tres días. A los tres días, es hora de gritar a los cuatro vientos.

Gritar: *Piensa en "Llamada a la acción".* Indica acciones concretas que el público deberá llevar a cabo cuando se lance el producto. Ahora comienza a bombardear al público con bonificaciones, escasez, urgencia y garantías de ser "los primeros". Gritas para que la mayor cantidad de gente posible conozca tu oferta.

Por ejemplo, durante el lanzamiento de mi libro, en la fase del grito: Hice llamadas a la acción específicas. Recordatorios breves, atractivos y claros para inscribirse en la presentación del libro. Recordé a todo el mundo las bonificaciones exclusivas sólo para las personas que compraran durante el lanzamiento.

Paso a seguir: Gritar al menos dos veces al día a partir del tercer día anterior al lanzamiento. El día de la presentación, empieza a gritar cada pocas horas hasta que falten dos horas. Después, cada treinta minutos hasta el lanzamiento del producto.

Consejo profesional: Lanzamientos de películas

El mejor ejemplo real de "Alertar-provocar-gritar" son los estrenos de cine. Hacen tráilers de cinco segundos un año antes. Luego uno de treinta segundos a los noventa días. Luego, tráilers más largos a medida que se acerca la fecha. Despiertan la curiosidad, el interés y luego acción.

Paso a seguir: Consigue que tus afiliados realicen el lanzamiento. Prepáralos con todo lo que necesitan para hacer bien las fases de Alerta-provocación-grito. Ellos hacen la publicidad. Tú consigues los clientes potenciales. Todo el mundo recibe su pago.

Paso 6: Haz que sigan anunciándose

La estrategia que utilizamos para que *empiecen* a anunciarse difiere de la que utilizamos para que *sigan* anunciándose. En un mundo ideal, vendes un afiliado una vez y te envían prospectos comprometidos de por vida. La estrategia de integración nos lleva hasta ahí.

Tengo tres formas en las que puedes integrar tu producto en su oferta. Las ordeno de la más fácil a la más difícil. En primer lugar, puedes conseguir que *ofrezcan tu imán de clientes* potenciales con cada compra de sus productos. Segundo, puedes conseguir que *vendan tu imán de clientes potenciales de forma independiente* a su audiencia. En tercer lugar, puedes conseguir que vendan *directamente tu oferta principal.*

Los afiliados regalan tu imán de prospectos cuando alguien compra sus productos, lo que hace que su oferta principal sea más valiosa sin costos adicionales. Entonces, tú realizas ventas adicionales a tu cliente principal y a todos los clientes posteriores.

1) Los afiliados regalan tu imán de clientes potenciales cuando alguien compra su producto. La idea aquí es que tu imán de clientes potenciales haga más valiosa la oferta del afiliado. Esto les permite cobrar más por ella *y* obtener más clientes potenciales de lo que podrían sin él. Recuerda, los mejores imanes de clientes potenciales regalan una prueba gratuita o una muestra de tu producto, revelan un problema u ofrecen un único paso de una solución de varios pasos. Aquí tienes unos ejemplos de cada uno:

Muestras y pruebas: Supongamos que vendo masajes y recluto al estudio de entrenamiento personal de al lado como afiliado. Ahora, todos los que les compren entrenamiento personal recibirán un masaje mío gratis. El estudio de entrenamiento personal tiene ahora una oferta más fuerte por la que puede cobrar más *y* nosotros obtenemos más clientes potenciales de masajes. Todo el mundo gana.

<u>Revelar un problema</u>: En lugar de dar un masaje gratis, ofrecemos una evaluación de la postura gratis o con descuento con cada paquete de formación que venden. Las evaluaciones y los descuentos añaden menos valor a la oferta del afiliado, pero algunas personas seguirán ofreciéndolos. Y para ser claros, después de evaluar al cliente, le haces una oferta para resolver los problemas que has revelado.

<u>Un paso en un proceso de varios pasos</u>: Digamos que tienes un plan de tratamiento de tres fases. Masaje, estiramientos y ajustes. Las personas que obtienen suficiente valor de un paso temerán perderse el resto de los pasos. Así que cuanto más piensen que los otros pasos ayudarán a resolver su problema principal, más probabilidades tendrán de comprarlos. Tu afiliado regalaría el primer paso de tu proceso multipaso. A partir de ahí, tú harías esas ventas adicionales a los clientes potenciales.

<u>Lo que yo hice</u>. Hacíamos que los afiliados del gimnasio regalaran una consulta de nutrición a cada nuevo miembro. Luego, vendíamos nuestros productos en la consulta. Ellos podían promocionar que tenían consultas de nutrición incluidas en su oferta para conseguir más clientes potenciales y podían cobrar más por el valor añadido. Y nosotros obteníamos la oportunidad de venderles a esos clientes potenciales. Todos ganábamos.

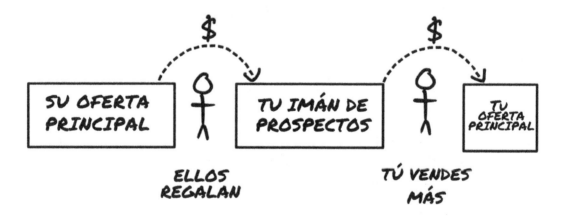

Ellos venden su oferta principal. A continuación, realizan una venta adicional con tu imán de prospectos. Entonces, tú vendes tu oferta principal y cada oferta posterior.

Consejo profesional: Imanes de clientes potenciales de marca blanca

Una de mis estrategias favoritas es dejar que usen los imanes de clientes potenciales que ya he creado para mi audiencia, *para la suya*. Sólo tienes que asegurarte de que tus afiliados estén de acuerdo con la forma en que das valor y entiendan tu llamada a la acción. Como mucho, unos pocos retoques en el texto harán que tu imán de prospectos funcione para ellos. Por ejemplo, para los gimnasios, hice planes de comidas con marca blanca (sin logotipo), listas de la compra e instrucciones para preparar la comida. Se los di a los gimnasios para que los utilizaran como imanes de clientes potenciales *para sus clientes*. Lo único que tenían que hacer era poner su logotipo y su público se beneficiaría de todo mi trabajo *al instante*. Y *ambos* conseguíamos más clientes potenciales.

---

2) Los afiliados venden tu imán de clientes potenciales. Básicamente, el afiliado puede vender cualquier cosa tuya que convierta a sus clientes en tus clientes. Podría ser un libro, un evento, un servicio, software, un producto de muestra, etc. Además, dar a los afiliados todo el dinero en efectivo de la venta de un imán de clientes potenciales que tú entregas y *te encargas de cumplir*, se convierte en puro beneficio y ningún trabajo para ellos-una propuesta atractiva para cualquier negocio. Tu dinero proviene de vender lo principal por más de lo que te costó entregar tu imán de clientes potenciales. Y si lo haces de esta manera, no necesitarás dividir ningún dinero con ellos en tu oferta principal. Otra estrategia en la que todos salen ganando.

Ejemplo: Ellos venden cada una de esas cosas que dimos gratis en el paso anterior. Ellos venden tus masajes a un precio con descuento. Venden tu evaluación (que puedes hacer 1-1 o en un formato de grupo como un taller). Venden la primera parte de tu solución de varios pasos.

Lo que yo hice. Los gimnasios venderían una consulta de nutrición con nosotros y se quedarían con el dinero. Tal vez cobrarían 99 o 199 dólares por vender una hora de nuestro tiempo. Si fuéramos listos, dejaríamos que se quedaran con todo el dinero. Si lo hacemos, nos enviarán aún más clientes potenciales. Entonces, venderíamos nuestros productos durante la consulta.

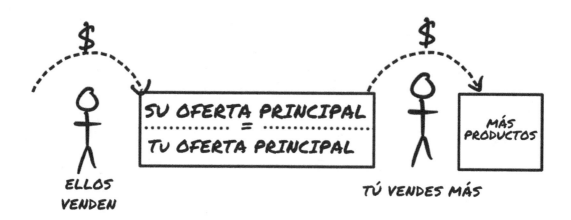

...entonces se reparten el dinero. O bien repartes el dinero por adelantado, o todo al contado durante un cierto periodo de tiempo, o todo al contado para siempre. Yo prefiero pagar para siempre, así mis afiliados se mantienen motivados para mantener a mis clientes para siempre. Y yo nunca pongo un tope a los pagos.

3) Los afiliados venden tu Oferta principal. Un afiliado vende tu oferta principal directamente a sus clientes y añade otra fuente de ingresos sin trabajo extra. Para algunos afiliados, ¡ésta es su única fuente de ingresos! Muchas empresas ofrecen esta estructura como una nueva oportunidad de negocio o como un complemento al negocio existente del afiliado. En cualquier caso, todo lo que tú vendas, lo pueden vender ellos. Si lo haces de esta manera, el afiliado obtendrá un porcentaje mayor de tus ganancias brutas de por vida, pero tú no tendrás que hacer nada más que cumplir con la entrega.

<u>Ejemplo:</u> Ellos venden todo tu paquete de masajes. Venden tus productos o servicios completos. Combinan sus servicios con tus servicios de pago y cobran un precio aún más alto.

<u>Lo que yo hice.</u> Enseñamos a los gimnasios a realizar consultas de nutrición con productos de marca blanca. Luego les enseñamos a vender nuestros suplementos directamente a sus socios y nos repartimos el dinero.

Las tres estrategias funcionan. Sólo que son diferentes. Después de probarlas, seguimos aplicando la estrategia 1 (dos veces al año como gran evento) y la estrategia 3 de forma continuada. Dicho esto, muchas empresas similares en nuestra cartera utilizan la estrategia 2. Sólo estoy compartiendo lo que funcionó para nosotros.

<u>Conclusión:</u> La integración es la estrategia a largo plazo para utilizar a los afiliados para conseguir un flujo de clientes potenciales permanente. Trata a los afiliados como si fueran clientes. Haz que tu oferta tenga sentido para su negocio. Haz que sea tan bueno que se sientan estúpidos si dicen que no.

Paso a seguir: Intégrate con tus afiliados eligiendo si quieres que regalen tu imán de clientes potenciales, que vendan tu imán de clientes potenciales o que vendan directamente tu oferta principal.

Estos son los seis pasos para reclutar un ejército de afiliados. Ahora que hemos cubierto esto, permítanme darles tres estudios de casos de la vida real para aclarar esto.

Tres casos prácticos que puedes utilizar de modelo

Caso práctico de empresa de servicios Nº 1: Servicios profesionales de asesoría fiscal y contabilidad

La empresa de mi amigo, valuada en 50 millones de dólares, crea sociedades de responsabilidad limitada, abre cuentas bancarias y redacta actas constitutivas. Se centra en las personas que inician un negocio por primera vez. Pero no intenta competir con Legalzoom. En lugar de eso, se asoció con personas que forman a nuevos empresarios. Su estrategia es sencilla: ayudar a esas personas a vender más de su producto vendiendo también el suyo. Por lo tanto, ofrece a cada cliente afiliado la creación gratuita de una LLC. ¿Recuerdas haber aprendido sobre el "imán de clientes potenciales de alto costo" de la Sección II? Este es uno de ellos.

Lanzamiento: él hace un gran seminario de lanzamiento a las audiencias de sus afiliados para arrancar las cosas. La gente acepta su oferta gratuita de LLC. Ese es su imán de clientes potenciales.

Integración: una vez que los afiliados ven el éxito del lanzamiento, integran su imán de clientes potenciales en su oferta principal. Entonces, el equipo de mi amigo se pone al teléfono *con los clientes que sus afiliados le traen gratis*. Así es como gana dinero. Les vende lo que van a necesitar después. Los servicios que necesitarán para poner en marcha su negocio: contabilidad, liquidación de impuestos, etc.

No ha gastado un dólar en anuncios pagos. Sus verdaderos costos de publicidad son dos cosas. Uno, la entrega de su imán de clientes potenciales gratis (la configuración de la Sociedad de Responsabilidad Limitada). Y dos, el pago de un porcentaje de cada primera venta a los afiliados que los enviaron. Y ya está. Y todo el mundo gana.

Caso práctico de suplementos físicos Nº 2: Prestige Labs, mi empresa de suplementos

En Gym Launch vendemos a propietarios de gimnasios y les formamos para que sepan cómo anunciar y vender las cuotas de sus gimnasios. Prestige Labs tiene una línea de suplementos para adultos activos. Esto convierte a Gym Launch en el afiliado perfecto para

Prestige Labs. Cuenta con una comunidad de propietarios de gimnasios que también tienen clientes adultos activos. Así, cuando Gym Launch vende a un nuevo propietario de gimnasio, le presenta a Prestige Labs. A continuación, el equipo de Prestige Labs sigue la estrategia anterior de "lanzar e integrar". (Lo hacemos de verdad).

Lanzamiento: entregamos a los propietarios de los gimnasios material publicitario para que puedan volver a captar a sus clientes actuales y antiguos. Nos centramos en la captación de clientes y en la publicación de contenidos gratuitos para un reto gratuito de 28 días. Cuando acuden al reto gratuito, los propietarios de los gimnasios les venden suplementos para utilizar con el programa. El propietario del gimnasio consigue más clientes. Ellos ganan dinero. Nosotros ganamos dinero. Todo el mundo gana.

Integración: tras el lanzamiento, les enseñamos a vender suplementos a todos los <u>nuevos</u> socios del gimnasio. Así, cuando los nuevos clientes compran un paquete de membresía, el dueño del gimnasio organiza una orientación nutricional. En la orientación nutricional, el propietario del gimnasio les vende entre 50 y 1.000 dólares en suplementos. Así que si un gimnasio inscribe a veinte clientes al mes y consigue que el setenta por ciento de ellos compren suplementos, obtenemos catorce nuevos clientes al mes por gimnasio. No parece mucho, pero si multiplicamos 4000 gimnasios x 14 ventas nuevas al mes x $200 de orden promedio = mucho dinero cada mes.

Caso práctico de empresa local Nº 3: Quiroprácticos

Los quiroprácticos buscan nuevos pacientes. Y una empresa de nuestra cartera les enseña a utilizar una estrategia de afiliación para conseguirlos. Su modelo es sencillo: acudir a negocios de gran volumen que tengan personas que necesiten ajustes. Un gimnasio encaja perfectamente. Esto es lo que hacen.

Lanzamiento: Consiguen que el dueño del gimnasio promocione un taller de tres horas en el que enseñan ejercicios y posturas correctas para sacar más partido a los entrenamientos. El propietario del gimnasio promociona el taller de forma gratuita o lo vende a un precio de entre 29 y 99 dólares por persona. El quiropráctico divide el dinero con el dueño del gimnasio. Pista: si le das al afiliado (el dueño del gimnasio en este caso) el 100% del dinero, querrá hacerlo más. Así que si un gimnasio consigue que treinta personas se presenten por 99 dólares, ganará 2970 dólares de beneficios por realizar cero trabajo, aparte de algunos correos electrónicos y publicaciones. En el taller, el quiropráctico ofrece sus servicios y consigue un montón de nuevos pacientes. Muy fácil.

Integrar: a largo plazo, el quiropráctico convence al propietario del gimnasio para que incluya uno o dos ajustes en cada nueva inscripción. Esto aumenta el valor de la suscripción al gimnasio en comparación con la del tipo de la calle de al lado. Además, demuestra que el gimnasio da prioridad a la salud y seguridad de sus socios (una gran preocupación para los principiantes). Todos ganan. Ahora, cada nuevo socio del gimnasio se convierte en un cliente potencial con el que el quiropráctico puede hacer un seguimiento. Si repiten este proceso en treinta gimnasios, conseguirán más pacientes de los que pueden atender.

Consejo profesional: los empleados también son clientes potenciales

Las empresas que contratan a mucha gente hacen grandes afiliados. Esto es ENORME para las empresas de venta directa al consumidor y *no se aprovecha lo suficiente.*

Ejemplo: Cada nuevo empleado de una empresa recibe un masaje gratuito en su paquete de bienvenida. O, puedes dar masajes gratis a sus empleados en el almuerzo. Es gratis. Es fácil. Y muchas empresas quieren ofrecer más valor a sus equipos. Ellos obtienen valor gratis, tú obtienes clientes potenciales gratis. Y como probablemente no se dediquen al mismo negocio que tú, no hay riesgo de que "compitas" con los suyos. Así que los empleadores pueden ser de los afiliados más fáciles de integrar.

Costos y beneficios

"Los afiliados no pueden trabajar para mi negocio", dijo el perdedor.
"Tengo que hacer que los afiliados trabajen para mi negocio" dijo el ganador.
Sé un ganador.

Cuando calculamos la rentabilidad con otros métodos, comparamos el beneficio bruto de por vida (BBPV) con el costo de adquisición de un cliente (CAC). Así que gastamos dinero para conseguir clientes y los clientes, en un negocio rentable, nos retribuyen con *más* dinero. Los afiliados funcionan de forma diferente.

Gastamos dinero para conseguir afiliados, claro. Pero en realidad no recuperamos mucho *de* los propios afiliados. En cambio, el dinero que gastamos en conseguir un afiliado nos lo devuelven *los clientes que ellos nos traen.* Por lo tanto, para calcular los beneficios, comparamos lo que nos cuesta conseguir un afiliado con el beneficio bruto de *todos* los clientes que nos envían a nuestra empresa.

Ejemplo:

Supongamos que tenemos una empresa de aplicaciones digitales que crece con afiliados.

- Nos cuesta $4.000 en publicidad conseguir un afiliado. CAC = $4.000

- Nuestro afiliado promedio vende $10.000 en aplicaciones al mes y se queda 12 meses.

    o ($10.000 al mes) x (12 meses) = $120.000 de ventas totales.

- Las aplicaciones tienen unos márgenes brutos del 75%. En otras palabras, su fabricación cuesta el 25% del precio de venta al público.

    o ($120.000 en ventas totales) x (25% costo del producto) = $30.000 costo total del producto.

    o ($120.000 en ventas totales) - ($30.000 de costo total de los productos) = $90.000 de beneficio bruto de todos los clientes que trae el afiliado.

- Pagamos a los afiliados el 40% del beneficio bruto:

    o ($90.000 de beneficio bruto) x (40% de pago) = $36.000 al afiliado como pago.

- Este es el beneficio bruto que nos queda después del costo de los bienes y los pagos:

    o ($120.000 total) - ($30.000 costos) - ($36.000 pagos) = $54.000 restantes.

- Determinemos nuestra relación BBPV/CAC:

    o ($54.000 de beneficio bruto restante) / ($4.000 para conseguir un afiliado) = 12,5 : 1

...No está nada mal.

Si recuerdas lo que hemos dicho antes, para tener un negocio decente necesitamos *al menos* 3:1. Como en el ejemplo, queremos que la proporción sea incluso mayor que eso (5:1, 10:1+). Ahora, si tuviéramos estos números, simplemente haríamos *más*. Pero, si tu relación BBPV : CAC real es inferior a 3, aquí están las tres maneras de mejorarla:

1) Disminuir el CAC: conseguimos afiliados *por menos* (mejorando nuestros anuncios, oferta y proceso de ventas).

2) Aumentar el BBPV y disminuir el CAC: conseguimos más para *activar* (creando un proceso de lanzamiento).

3) Aumentar el BBPV: hacemos que *valgan más* (mejorando nuestro proceso de integración).

Con los afiliados, ahora tienes al menos dos capas de clientes. Tus clientes y las personas que te consiguen clientes. Y si tienes super-afiliados, añades una tercer capa: ¡las personas que te consiguen a las personas que te consiguen clientes! Esto añade complejidad, pero si sabes gestionarlo, valdrá la pena.

Ahora que ya sabes cómo aprovechar a los afiliados para anunciarte y cómo hacerlos más rentables, vamos a ponerlo todo en orden.

Conclusión

Al igual que las referencias, los afiliados no son un método publicitario que puedas "realizar". Son personas que anuncian tus productos para beneficio de ambos. Si quieres que te quieran, *trátalos como si fueran clientes*. Porque, en muchos sentidos, lo son. Y si les ofreces más valor del que a ellos les cuesta obtenerlo (especialmente los costos ocultos), te conseguirán más clientes potenciales de los que puedas manejar.

Y, como hemos aprendido antes, hay dos formas de crear un negocio de crecimiento exponencial. Puedes encontrar más gente que nunca deje de comprar tus productos *o* puedes encontrar más gente que nunca deje de venderlo por ti. Las referencias o recomendaciones, son lo primero. Los afiliados son la base para escalar.

En teoría, una vez que construyes un ejército de afiliados, no necesitas hacer publicidad nunca más. Te siguen consiguiendo clientes potenciales mes tras mes. La razón principal: tiene sentido para ellos. Tu forma de hacer negocios, tu liderazgo y el valor de tu producto entran en juego. Eres tan bueno como la buena voluntad que tengas con tus socios afiliados. Si lo organizas bien, ambos saldrán ganando de la relación. Ellos podrán gastar más en captar clientes gracias a una oferta más atractiva, mayores beneficios, o ambas cosas. Y, a cambio, se consiguen clientes potenciales más comprometidos. Entonces, ¿por qué no lo hace todo el mundo? No saben que es posible. No saben cómo. O no quieren hacerlo. Tan sencillo como eso. Con un poco de suerte resolvemos los tres problemas a la vez.

Recuerda, *la publicidad siempre funciona*, es sólo cuestión de eficiencia. Así que una vez que empieces, sigue hasta que funcione.

Pasos a seguir

Anuncia tu oferta para afiliados hasta que consigas entre diez y veinte afiliados. Obtén resultados con esos afiliados y utiliza su feedback para solucionar los problemas de tu afiliado, términos, lanzamientos y estrategia de integración. A continuación, escala de manera exponencial al convertir sus resultados en tu primer lote de imanes de clientes de afiliados.

UN REGALO PARA TI: BONO Construye tu ejército de afiliados

Como puedes ver - soy un gran fan de la construcción de programas de afiliados cuando se hacen bien. Para ayudarte a "hacerlo bien" en tu primer intento, creé un video de entrenamiento en profundidad para ti. Puedes obtenerlo gratis en: Acquisition.com/training/leads. Y como siempre, también puedes escanear el código QR de abajo si detestas teclear.

ESCANÉAME

Parte IV - Conclusión: Consigue captadores de clientes

"La última habilidad que necesitas aprender es cómo conseguir que otras personas hagan por ti todo lo que tú necesitas".

Para conseguir clientes potenciales comprometidos, utilizamos las cuatro técnicas principales: captación de clientes potenciales en caliente, publicación de contenido, captación de clientes potenciales en frío y anuncios de pago. Y los utilizamos para conseguir dos tipos de clientes potenciales comprometidos: los que se convierten en clientes o los que convertimos en captadores de clientes potenciales. Los captadores de clientes potenciales son de cuatro tipos: Referentes, Empleados, Agencias y Afiliados. Cada uno tiene sus puntos fuertes:

- Las referencias de clientes tienen el mayor potencial de crecimiento exponencial a bajo costo.

- Los empleados tienen tu influencia *directa* y dirigen tu negocio en tu nombre.

- Las agencias enseñan habilidades que conservas para siempre y puedes transferir a tu equipo.

- Los afiliados, una vez que los pones en marcha, pueden operar enteramente por su cuenta.

Puedes hacer tú la publicidad o pueden hacerla otras personas. Y, lógicamente, "otras personas" son muchas más que tú. *Consigues más clientes potenciales por el trabajo que haces cuando cuentas con ayuda.* Así que si quieres conseguir toneladas de clientes potenciales, este es el camino.

Tal vez tu cabeza esté comenzando a dar vueltas. Ahora que entiendes estos métodos publicitarios, ves clientes potenciales dondequiera que mires. ¡Tenemos tantas maneras de crecer! Y tendrías razón. Pero... no sabes en cuál centrarte.

Cualquiera de estos métodos de captación de clientes potenciales, o todos ellos, pueden apuntalar una estrategia de captación de clientes potenciales de éxito, y yo los ordeno en función de lo que ocurre de forma natural. Si empiezas por tu cuenta, tiendes a conseguir tus primeras referencias antes de empezar a crear un equipo grande. Y cuando empiezas a crear un equipo grande (empleados), probablemente empezarás a buscar ayuda profesional (agencias). Y solo cuando un empresario sabe gestionar a personas dentro de su empresa, suele atreverse a intentar gestionar a personas fuera de ella (afiliados). En cualquier caso, debemos olvidarnos de la idea de que todo va a salir bien desde un principio.

Si crees que te convertirás en millonario el primer año que emprendas por tu cuenta, probablemente te equivoques. Es muy poco probable. Y la obsesión por "hacerte rico rápidamente"" probablemente hará que nunca lo consigas. La gente prueba distintos atajos durante una década hasta que se da cuenta de que debería haber elegido una estrategia y haberla seguido durante una década. Si lo haces, el éxito será inevitable. Cuando encuentres algo que te funcione, *no te desvíes de lo que has elegido.* Ésas son las mejores palabras de ánimo que puedo ofrecerte. Cuanto más tiempo juegues, mejor te irá y más éxito tendrás. *No abandones ni cambies de método después de sufrir algunas pérdidas.* Es normal perder al principio. De hecho, yo espero conseguir una nueva fuente de clientes potenciales en tres o seis meses (y ésta no es mi primera experiencia). Entonces, si tus expectativas son *más ambiciosas,* ¿crees que son razonables?

Aquí hemos cubierto muchos aspectos. Esta sección trató sobre cómo escalar: consiguiendo que otras personas te ayuden. Estas personas son el eslabón perdido. Cada cual tiene su propia estrategia y sus propios métodos. Utiliza lo que te sirva de cada uno en cada momento.

Esto nos lleva a la Parte V: El comienzo. Quiero poner todo junto para ti de manera ordenada para que sepas *exactamente qué hacer a continuación.* Juntos, eliminaremos el cuello de botella de tu negocio que significan los clientes potenciales para siempre. ¡A trabajar!

PARTE V: COMIENZA

"Este no es el fin. Ni siquiera es el principio del fin. Pero es, quizás, el final del principio"
-Winston Churchill

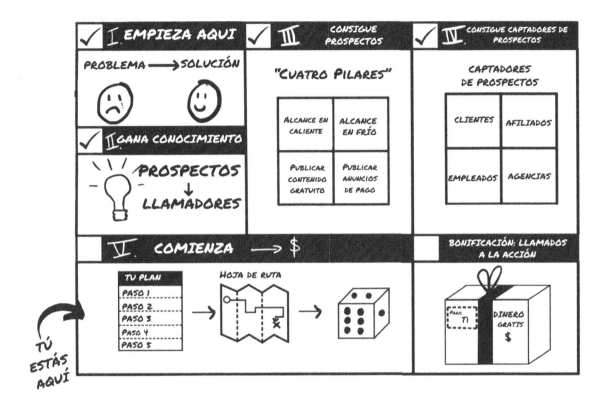

Junio de 2017. Tres meses después de perderlo todo nuevamente, y cambiar Gym Launch por la concesión de licencias.

"Oye Leila, ¿qué piensas de esto?" Le pregunté.

"¿Qué pasa?"

Le pasé mi teléfono.

Sr. y Sra. Hormozi, les invitamos cordialmente a un evento privado para empresarios con ingresos de ocho cifras en adelante. Háganme saber si están interesados.

"Me parece genial", dijo ella. "... pero no estamos ganando ocho cifras". Hice como que no la escuché. "¿Quieres ir?"

"Claro. ¿Está incluido en nuestra cuota de mentorías?" "Un segundo, preguntaré"

Un momento después llegó la respuesta por correo electrónico:

No, esto supone un cargo adicional. Es un evento de dos días restringido a tan solo diez personas en un complejo turístico privado.

"Nop", dije.

"Huh. ¿Podemos permitirnos ir?". Ouch.

"¿A quién le importa? No podemos permitirnos no ir".

10 días, un largo vuelo, y un corto viaje en auto más tarde...

Lo logramos. Estábamos en la reunión de los "chicos cool". Yo tenía un objetivo, el de aportar todo el valor que pudiera a los demás en la sala. Pero en el momento en que entré, sabía que estaba fuera de mi liga. Reconocí a casi todos los presentes. Eran famosos en el mundo de la publicidad. Todos habían dado charlas en grandes eventos. Firmaban autógrafos. Ganaban millones. Luego, estaba yo. Yo no era un empresario de ocho cifras. Era un chico de Baltimore pagando por respirar el mismo aire que todos los demás.

Una vez que todos se acomodaron, tuvimos una breve discusión administrativa y luego nos pusimos a trabajar. Esta forma de hacer las cosas contrastaba mucho con los grandes escenarios, los sistemas de sonido estridentes, las luces brillantes y otros elementos teatrales de los eventos "reales".

El primer orador estaba listo. Llevaba un rodete en el pelo y ropa holgada de estilo yoga. Parecía un hippie. Pero luego, empezó diciendo que *sólo* ganaba 3.000.000 de dólares al mes... ¡¿Esto de real!? Me sentí como un fraude. Los números que compartió con una actitud tan casual me dejaron alucinado. ¿Cómo es posible?

Continuó con su charla utilizando todo tipo de jerga empresarial, publicitaria y tecnológica. Señaló tablas y gráficos vertiginosos. Yo había acudido allí para aprender más sobre publicidad, pero cada segundo que pasaba me sentía más ignorante. Reconocí las expresiones suficientes como para darme cuenta de que no sabía nada útil acerca del tema. Su presentación me *sobrepasó*. Empecé a sudar la gota gorda. Leila me tomó de la mano. Los dos nos sentíamos estresados y desbordados.

Terminó y finalmente abrió la sesión de preguntas y respuestas. *Excelente.* Pero las preguntas seguían siendo del mismo nivel que su presentación. No, *aún estoy condenado.* Entonces, se oyó una voz incómoda: "¿Qué cursos estás haciendo para aprender todo esto?" *Ahora estamos hablando.* Me incliné. Bolígrafo en mano. Su respuesta cambió mi vida:

"A estas alturas, no espero aprender nada nuevo de los cursos. Tengo que aprender haciendo. Y 'hago' gastando un porcentaje de mis ingresos para probar nuevas campañas, nuevos canales, nuevas páginas o simplemente ideas locas. Y aprendo algo cada vez que pruebo, así que el dinero está bien gastado. Cada vez que una de estas pruebas resulta ganadora, y a veces lo son, es un gran acontecimiento. Aprendo algo increíble y gano mucho más dinero del que he gastado. Sube el listón para mi negocio y, lo que es más importante, para mí mismo. Así que, ya sea el 1%, el 5% o el 10%, reserva *algún porcentaje de tu presupuesto publicitario* para probar cosas nuevas sin esperar un retorno. Considéralo una inversión en tu educación".

Sentí escalofríos recorrerme como si algún demonio del juicio hubiera abandonado mi cuerpo. Me dio permiso para fracasar.

<u>Nada de esto es magia. Si él puede hacerlo, yo también puedo.</u>

***

A la semana siguiente, *tripliqué* mi presupuesto de publicidad. Sí, fue un poco agresivo. Pero mi mentalidad había cambiado por completo. Ganaría más o mejoraría en lo mío:

Nuestro negocio pasó de $400.000 en junio a $780.000 en julio. A partir de ahí, mi costo para conseguir clientes subió demasiado. Así que probé con nuevas audiencias. La mayoría fracasaron. Luego, un éxito. Pasamos de 1 millón a 1,2 millones y a 1,5 millones al mes.

Entonces me di cuenta de que no hacíamos ningún seguimiento de nuestros clientes potenciales... en absoluto. Probamos el correo electrónico. No funcionó. Probamos las llamadas telefónicas. Nada. Entonces probé con mensajes de texto. Y zas, subimos a 1,8 millones de dólares al mes siguiente.

A partir de ahí, probamos como locos los anuncios pagos. Hicimos muchos más *y* pusimos más énfasis en su valor de producción. Boom. Superamos los 2,5 millones de dólares al mes.

A continuación, lanzamos nuestro programa de afiliación y *sumamos* otros 1,5 millones de dólares al mes. Eso nos llevó a más de 4 millones de dólares al mes. Años más tarde, nuestra cartera ahora hace más de

16. millones de dólares al mes.

Así que prueba hasta que encuentres algo que funcione. Toma medidas masivas. Mantén la concentración. Apuesta fuerte hasta que funcione. Si no funciona, entonces prueba hasta que encuentres la siguiente cosa que funcione, y redobla la apuesta. Dar estos saltos es la única manera de desbloquear el negocio que quieres y la vida que viene con él. Y tal vez, matar a tu demonio del juicio también.

Así que de ahora en adelante...

O ganas o aprendes.

El fin del principio

La rapidez con la que ganes mucho dinero dependerá de la rapidez con la que aprendas las habilidades para ganar mucho dinero. Conseguir más clientes potenciales comprometidos con las habilidades de la publicidad, es un gran comienzo para hacer más dinero. De hecho, si ganas cualquier cantidad de dinero, más clientes comprometidos te harán ganar aún más. Y, por desgracia, *esas habilidades toman tiempo en ser aprendidas*. Así que comparto mis experiencias para ahorrarte años de tu tiempo. Para reducir la brecha entre no tener dinero y tener mucho dinero, es hora de hacer que suceda.

Esquema de la sección "Comienza"

Esta sección final tiene tres capítulos. Son breves y sustanciosos, tal como ha sido el tiempo que pasamos juntos.

En el primer capítulo, "La publicidad en la vida real", expondré mi gran regla publicitaria. Luego, te proporcionaré mi plan publicitario personal de una página que puedes usar para conseguir más clientes potenciales comprometidos, *hoy mismo*.

En el siguiente capítulo, "Reuniendo todas las piezas", te mostraré la hoja de ruta para escalar desde tus primeros clientes potenciales hasta tu máquina de *$100M en clientes potenciales*.

Por último, en "Una década de experiencia", recopilaré todo lo que hemos aprendido en viñetas para mostrar lo lejos que hemos llegado en el tiempo que llevamos juntos". Luego, para que puedas seguir tu propio camino, compartiré una parábola que me ha ayudado incluso en los momentos más difíciles.

La publicidad en la vida real: Abrirse al objetivo

Si un poco es bueno, más es mejor.

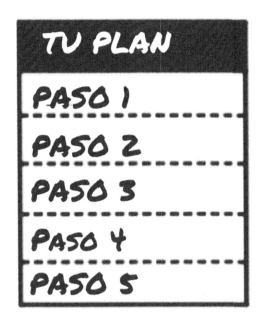

Junio de 2014.

Cuando lancé mi primer gimnasio, utilicé los mismos anuncios pagos que usé en el gimnasio de Sam hace tiempo. Y funcionaron, durante un tiempo. Con el tiempo, los costos empezaron a aumentar. Obtuve menos clientes potenciales por el mismo dinero. Pero, todavía necesitaba más clientes. No sabía qué hacer.

Pedí consejo a un mentor que dirigía una cadena de centros de bronceado. Me dijo: "Antes de toda esta cosa elegante de Internet, los volantes nos funcionaron muy bien a nosotros, deberías probarlos". Así que los probamos. Imprimimos 300 volantes. Durante el día siguiente, los pusimos en los coches de las zonas cercanas al gimnasio. Pasó un día. Nada. Al día siguiente, sonó el teléfono. ¡Por fin!

"Oye, has puesto un flyer en mi coche..." Mi corazón se aceleró. ¡Funcionó!

"-¡Sí, sí lo hice! ¿Cómo puedo...?" Pero antes de que pudiera terminar, me interrumpió.

"Sí, rayaste mi Mercedes..." *Mierda* "...vas a tener que pagar por..." Me asusté y colgué el teléfono. Volvió a llamar. Dejé que sonara. No volvió a llamar. Esa fue la única llamada que recibí de los volantes. Ningún cliente. Nada.

Universo: 1. Alex: 0.

Unas semanas más tarde

Estaba sentado en el vestíbulo de mi gimnasio esperando a que me cayeran clientes. Aburrido y un poco frustrado, llamé al mentor que había tenido la "brillante idea" de publicitarme mediante volantes.

"Hola Alex, ¿cómo te va?"

"Mmm… no muy bien".

"¿Por qué?"

"Pusimos los volantes, como dijiste."

"Oh sí, ¿cuántos clientes obtuviste de ellos?"

"Ninguno".

"Hmm... eso es extraño". Hizo una pausa. "¿Cuál fue tu volumen de prueba?" "¿Qué quieres decir?"

"Ya sabes, ¿cuántos repartiste?"

"Repartí 300", dije en tono resentido.

"Dispara, ¿sólo 300? Es difícil saber si algo funciona con un número tan pequeño... Yo pruebo con 5000. Luego, cuando encontramos un ganador, repartimos 5000 al día, todos los días, durante un mes..."

¿Cinco mil? Él *probaba* con casi diecisiete veces más que toda mi "campaña". Y lo hacía en <u>un solo día</u>. Me sentí como la persona que dice que el ejercicio no funciona después de ir al gimnasio una sola vez. Y *odio* a ese tipo de persona.

"...Quiero decir, ¿qué tipo de respuesta pensabas que ibas a obtener?", se rio entre dientes. "Si obtenemos un 0,5% por ciento, es decente. Si obtenemos el uno por ciento, eso es un ganador. Con 300 personas, el 0,5% sería como una persona y media. Eso hace que sea bastante difícil saber si tienes un ganador o no".

No tenía nada que decir. Tenía razón. *Me sentí como un tonto.*

Dudo que él recuerde la llamada. Pero a mí se me quedó grabada. Me prometí a mí mismo que *nunca* dejaría que la falta de esfuerzo fuera la razón de que *algo* no funcionara para mí. Podría ser otra cosa. La oferta. El texto. La imagen. El objetivo. Los medios. La plataforma. La posición de la luna. Pero ¡*no mi esfuerzo*!

Esos 300 miserables volantes me enseñaron una importante lección. Hice lo correcto, pero no lo hice las suficientes veces. Me faltaba lo que se puede describir con una sola palabra: volumen.

Neil Strauss dijo una vez: "El éxito se reduce a hacer lo obvio durante un periodo de tiempo inusualmente largo sin convencerte de que eres más listo de lo que eres." La acción correcta en la cantidad incorrecta aún fracasa. La mayoría de la gente, incluyéndome a mí, *se detiene demasiado pronto*. No hacemos lo *suficiente*.

La mayoría de la gente subestima drásticamente el volumen que se necesita para que la publicidad funcione. No hacen ni la mitad ni un tercio de lo necesario. De hecho, hacen muchísimo menos. Yo hacía 1/1500 veces el esfuerzo necesario para que una campaña de publicidad funcionara, *pero no lo sabía*.

Escucho esto todo el tiempo. "Alex, he contactado con 100 personas en las últimas seis semanas, sólo he conseguido un cliente, no funciona". Respuesta: "Hiciste 1/42 de la cantidad de trabajo requerida. Eran 100 al día, no 100 a lo largo del tiempo".

La mayoría de la gente no entiende que la publicidad es un juego de entradas y salidas. Para ellos, los resultados parecen estar fuera de su control. Su escaso esfuerzo respecto a los recursos les proporciona una producción escasa y poco fiable de clientes potenciales comprometidos. Ahora vamos a acabar con eso. Tú te comprometes respecto a tu esfuerzo publicitario. Tu resultado son clientes potenciales comprometidos. Y punto. Ahora, tenemos muy claro lo que tienes que hacer (los cuatro pilares fundamentales). Y como aprendimos al maximizar los cuatro pilares, sólo tienes que poner más y hacerlo *mejor* que antes. Empezamos con la regla de 100, pero cuando la conviertes en norma, estás listo para pasar al siguiente nivel con...

Regla de los 100 potenciada - Abierto al objetivo

Una cadena de gimnasios de gran éxito permitía a sus gerentes de ventas establecer sus propios horarios. Pero había una trampa: tenían que inscribir a cinco nuevos socios al día, *fuera como fuera*. Si lo lograban antes del almuerzo, podían retirarse temprano. Pero si tardaban 18 horas, que así fuera. A este tipo de horario lo llamaban "abierto al objetivo".

Me he dado cuenta de que los empresarios y vendedores de élite de todos los sectores utilizan alguna variante de "abierto al objetivo". Esto se debe a que es como la regla de los 100... pero para los grandes. No sólo te comprometes a hacer algo un número específico de veces... te comprometes a trabajar hasta alcanzar un número específico de resultados, pase lo que pase. Esto significa que desbloqueas un nuevo nivel de esfuerzo que ni siquiera sabías que tenías. Puede significar que basta con hacer algo varias veces para obtener el resultado deseado. O, como con el tema de los volantes, cinco mil veces, todos los días, durante *años*.

Si quieres llevar tu publicidad al siguiente nivel, *trabaja hasta que el trabajo esté hecho*. Abandona la idea de "hacerlo lo mejor posible". En lugar de eso, haz todo lo que sea necesario. Y a veces eso significa que lo mejor de ti simplemente debe mejorar.

Cómo hago que Abierto al Objetivo funcione para mí

Si tuviera que elegir los tres hábitos que mejor me han servido en mi vida - serían:

1) <u>Levantarme temprano (4-5 a.m.)</u>: Consejo profesional, esto en realidad significa *acostarse temprano*...

2) <u>Ponerme a trabajar de inmediato</u>: sin rituales. Sin rutinas. Bebo café y me pongo a trabajar.

3) <u>Sin reuniones hasta el mediodía</u>: sin interrupciones. Nada. Tiempo de trabajo totalmente concentrado.

Para ser claro, no creo que haya magia en despertarse temprano. Pero sí creo que hay magia en un largo periodo de trabajo ininterrumpido inmediatamente después de un largo periodo de sueño ininterrumpido. Al fin y al cabo, son las horas seguidas de trabajo más productivo que puedo hacer... sin que nada se interponga en mi camino... Cada día. ¿Cómo podrías perder?

Y como tengo una buena idea de lo que puedo hacer en un día, establezco mi objetivo diario en consecuencia. Entonces, sólo después de mi bloque dedicado exclusivamente al trabajo, resuelvo problemas, converso con seres humanos, y me ocupo de las demás cosas del día a día.

Levantarme temprano, ponerme a trabajar y trabajar 8 horas seguidas ha sido mi "pila de hábitos" de mayor retorno de la inversión (ROI). Por mucho. Si decides probarlo, espero que te sirva tan bien como me ha servido a mí (o mejor). Y para los que estén pensando: "¡Espera! ¡Eso son más de doce horas de trabajo al día!". Tienen razón. Juego para ganar. Pero si te abruma al principio, lo entiendo. Sólo tienes que reducirlo unas horas y luego trabajar para aumentar la cantidad de horas. Algunos días es duro, pero siempre me gusta recordarme a mí mismo:

"Haz más de lo que ellos hacen y tendrás más de lo que ellos tienen".

Alex Hormozi
@AlexHormozi

Siempre que llego a un punto bajo en el que pienso "¡¿para qué me molesto?!"

Simplemente intento recordarme a mí mismo "aquí es donde la mayoría de la gente se detiene, y es por eso que no lo logran".

Como mi trabajo suele consistir en "conseguir más clientes" en la mayoría de mis empresas, me centro en la publicidad. Este libro, por ejemplo, se escribió exclusivamente en ese bloque de tiempo abierto al objetivo. ¿Por qué? Porque es un activo que me puede traer más empresas.

Así que, si vas a seguir mi pila de hábitos de alto ROI, entonces vas a querer un plan de acción claro para ese periodo. Este es el plan de publicidad más simple que puedo ofrecerte.

Lista de publicidad en una página

Paso 1: Elige el tipo de cliente potencial comprometido que quieres conseguir: Clientes, Afiliados, Empleados o Agencias.

Paso 2: Elige la Regla de los 100 o el Objetivo Abierto. Comprométete con tus acciones publicitarias diarias

REGLA DE 100

100/DÍA X 100 DÍAS

	CALIENTE	FRÍO
SALIDA	ALCANCES	ALCANCES
ENTRADA	MINUTOS DE CONTENIDOS	DÓLARES DE AVISOS PAGOS

BONIFICACIÓN: HAZ 100/DÍA DE MÁS DE UNO DE LOS CUATRO PRINCIPALES

Paso 3: Completa la lista de control de publicidad para esa acción diaria

Lista de comprobación de publicidad	
Quién:	Tú mismo
Qué:	Tu oferta o Imán de prospectos
Dónde:	Plataformas
A quién:	Audiencia / Listados
Cuándo:	Primeras 8 horas
Por qué:	Obtener prospectos comprometidos o reclutadores
Cómo:	Alcances calientes/fríos, contenido, avisos
Cuánto:	100 o hasta que alcances tu objetivo
Cuántas:	Número de seguimientos/veces de reenvíos
Hasta cuándo:	100 días o hasta que alcances tu objetivo

Paso 4: Realiza esta acción diariamente hasta que tengas el dinero suficiente para poder pagarle a otra persona para que lo haga.

Paso 5: Cuando lo tengas, vuelve al paso 1. Haz que los empleados sean tu nuevo tipo de cliente potencial objetivo.

Y repite los pasos 1-4 hasta que obtengas la ayuda que necesitas. Entonces, vuelve a escalar.

Conclusión

Muchas páginas. Muchísimas ideas. Casi hemos llegado al final. Pero no tienes más prospectos. ¿Qué ocurre? La respuesta: La lectura no hace que la gente se interese por el producto que vendes... *la publicidad lo hace*. Si no le estás hablando a nadie sobre el producto que vendes, entonces no estás consiguiendo que nadie se interese por él. Y punto.

Este capítulo ha delineado el plan para hacer publicidad de la manera más sencilla que pude:

- Trabaja "abierto al objetivo".

- Estructura tu día para que estar "abierto al objetivo" sea posible.

- Crea y comprométete con ese objetivo con la lista de control de publicidad de una página.

Muchos omiten la planificación o, lo que es peor, escriben un plan de cien páginas que nunca se utiliza. Así que evita la atroz pérdida de tiempo que supone escribir páginas sin sentido. Aprovecha el poder de exponer tus pasos de acción en *una sola página*. Deja poco espacio para excusas, distracciones y delirios. O has hecho el trabajo o no lo has hecho. Puedes completar tu lista de verificación publicitaria de una página en unos cinco minutos. Y una vez que la verdad desnuda te mire de frente, lo único que te queda es *hacerlo*.

UN REGALO PARA TI: Lista de control de publicidad descargable

Puedes ver un entrenamiento adicional y descargar esta lista de comprobación para completarla tú mismo en Acquisition.com/ training/leads. Como siempre, también puedes escanear el código QR que aparece a continuación si detestas teclear.

Hoja de ruta - Reuniéndolo todo

De cero a $100.000.000
"Un líder debe apuntar alto, ver a lo grande, juzgar ampliamente,
diferenciándose así de la gente corriente que debate en estrechos confines".

- Charles de Gaulle,
Presidente francés durante la Segunda Guerra Mundial

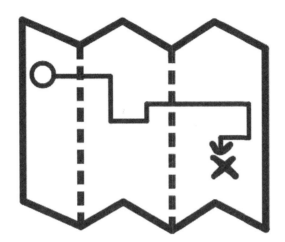

Para llegar a donde quieres llegar, conviene saber lo que te espera. Por eso, en este capítulo, describiré las fases por las que pasarás a medida que escales tu publicidad. En Acquisition.com utilizamos esta hoja de ruta para escalar las empresas de nuestra cartera desde unos pocos millones al año hasta más de $100.000.000. Estos niveles te ayudarán a identificar tu posición en el tótem de la publicidad para que sepas qué hacer para pasar al siguiente nivel.

Nivel 1: *Tus amigos conocen lo que vendes.* Para empezar a conseguir clientes potenciales comprometidos, haz una oferta, dirigida a un avatar, en una sola plataforma. En el momento en que consigues clientes potenciales, puedes empezar a ganar dinero. Para mí, esto comenzó contactando a *todos* mis conocidos.

Acción principal: Contacto en caliente.

Nivel 2: *Informas <u>consistentemente</u> a <u>todos tus conocidos</u> sobre lo que vendes.* Conoces las entradas exactas para conseguir un cliente potencial comprometido con el método de publicidad que has elegido. Y, escalando esas entradas, consigues clientes *consistentes* con ello. Pero los clientes constantes vienen de maximizar tu capacidad de trabajo personal. En mi caso, además de los contactos en caliente, maximicé mi capacidad de trabajo personal con anuncios pagos, utilizando un caso práctico como imán de clientes potenciales. Pero mirando hacia atrás, me gustaría haber empezado con la publicación de contenido gratuito. Así que te sugiero eso.

<u>Acciones principales</u>: Haz todo lo que puedas y publica todo el contenido que puedas *consistentemente.*

Nivel 3: *Contratas a empleados para que te ayuden a hacer más publicidad.* Has maximizado tus insumos personales de publicidad, pero no los de la plataforma. Y si quieres más clientes potenciales comprometidos, esto sólo puede significar una cosa: Debes hacer más. En mi caso, contraté a un videógrafo y a un responsable de compras de medios para que se encargaran de la mayor parte del trabajo de publicidad paga.

<u>Acción principal</u>: Contratas a gente para que haga publicidad rentable en tu nombre.

Nivel 4: *Tu producto es lo suficientemente bueno como para obtener referencias consistentes.* Sigues generando buena voluntad y aspiras a conseguir que el 25% o más de tus clientes procedan de referencias. Ahora, te has preparado para aumentar nuevamente tu publicidad. Pero para que eso funcione, tienes que tomarte más en serio la contratación de un equipo que lo haga posible.

Aquí es cuando me di cuenta de que mis anuncios fueron desactivados, pero aún seguía recibiendo referencias cada semana. Así que redoblé la apuesta por las referencias. Creé buena voluntad utilizando los comentarios de los clientes para actualizar mi producto cada dos semanas. Al mismo tiempo, puse en marcha un sólido programa de recomendación con grandes incentivos.

<u>Acciones principales</u>: Céntrate en tu producto hasta que consigas referencias consistentes y luego vuelve a escalar tu publicidad con un equipo más grande. Aquí es donde la mayoría de la gente se equivoca. Dejan que su producto pierda fuerza y nunca se recuperan.

Nivel 5: *Te anuncias en más sitios, de más formas y con más gente.* Primero, te expandes a nuevas audiencias en tu mejor plataforma. A continuación, creas anuncios con todas las posibilidades y tipos de medios que admite la plataforma. Y, después de que tu equipo pueda obtener resultados consistentes, amplías tu equipo nuevamente para añadir: *otra plataforma, un captador de prospectos, o una actividad dentro de los cuatro pilares fundamentales.*

En mi caso, he matado dos pájaros de un tiro. Amplié mis anuncios de pago para incluir a posibles afiliados. Y esto allanó el camino para mis programas de afiliación.

<u>Acción principal</u>: Anunciarte de forma rentable usando al menos dos métodos en múltiples plataformas.

Nivel 6: *Contrata a los mejores.* Tus ejecutivos desarrollan departamentos específicos para un método o plataforma publicitaria sin necesitar de ti. Y no buscas potencial. Buscas líderes experimentados especializados exactamente en lo que quieres. Llegamos al tope aquí.

Me llevó tres años darme cuenta de dos cosas. Una, es que necesitaba ejecutivos veteranos con experiencia adecuada a mis problemas. Y la segunda, es que necesitaban incentivos más fuertes. Pero cuando me di cuenta de esto, vendí esas empresas. Cuando puse en marcha Acquisition.com, me di cuenta del poder de ampliar el pastel para conseguir que más personas de las adecuadas invirtieran en el éxito. Así es como superamos los 100 millones de dólares y luego los 200 millones en ingresos de cartera y más allá.

Acción principal: Conseguir que ejecutivos y jefes de departamento curtidos en mil batallas se hagan cargo de nuevas actividades y canales publicitarios.

Consejo profesional: contrata experiencia, no potencial.

Probé dos veces el "alcance en frío" antes de que funcionara la tercera vez. La principal diferencia: la persona que contraté para llevarla a cabo. Primero probé con alguien externo con experiencia, pero no funcionó. Luego lo intenté internamente con alguien sin experiencia, y fracasó. Finalmente, contraté a alguien interno *con* experiencia, y funcionó. Como se trata de una maquinaria de operativa compleja y pesada, la persona que contrates para dirigir el equipo es muy importante. Elige experiencia. Deben saber *más* que tú. <u>Si no estás aprendiendo de ellos en la entrevista, tienes a la persona equivocada.</u>

Nivel 7: Volveré y editaré este capítulo una vez que cruce el billón de dólares. Lo prometo que enviaré las lecciones en cuanto las tenga. Tienes mi palabra

Puntos finales: sé que esto parece ser algo ordenado y limpio. Pero nunca lo es. Los negocios reales son *caóticos*. Se necesita *mucho* para descubrir qué audiencias, imanes de clientes potenciales, métodos y plataformas funcionan mejor. Y sólo puedes descubrir lo que funciona si lo intentas. Así que tienes que probar muchas cosas diferentes, muchas formas diferentes, durante el tiempo suficiente para saberlo con seguridad.

Nadie puede saber nunca qué es lo mejor que puedes hacer. Pero lo que sí sé es lo siguiente: cuanta más publicidad hagas, más gente conocerá el producto que vendes. Cuanta más gente conozca el producto que vendes, más gente lo comprará. Esta es la clave de la Máquina de *prospectos de $100M*.

La máquina de prospectos de $100M.

Echemos un vistazo a tu futuro. Tu empresa tiene unos ingresos anuales de más de 100 millones de dólares. Es genial tener una imagen clara de cómo es la máquina de los 100 millones de dólares. Echemos un vistazo, ¿de acuerdo? En primer lugar, tu publicidad funciona a toda máquina...

- Tu equipo de medios publica toneladas de contenido gratuito, en todo tipo de medios y en diversas plataformas.

- Realizas regularmente ofertas a tu audiencia caliente para conseguir más clientes o afiliados.

- Tu voraz audiencia convierte en *inmediatamente* rentable *cualquier cosa* que lances.

- Tienes equipos que ejecutan y escalan anuncios de pago rentables en múltiples plataformas.

- Tu equipo de captación en frío te consigue más clientes.

- Tienes un gestor de afiliados que lanza e integra a todos los nuevos afiliados.

- Tienes reclutadores *y* agencias de reclutamiento que traen más captadores de prospectos.

- Tu producto es tan bueno que un tercio de tus clientes te traen más clientes.

- Tu equipo ejecutivo impulsa todo este crecimiento sin que tengas que hacer nada.

- Y... *tienes más clientes potenciales comprometidos de los que puedes manejar.*

¿Cuánto tiempo lleva todo esto? Para los empresarios que saben qué hacer, entre cinco y diez años. Construir algo grande, incluso si sabes exactamente qué hacer, lleva tiempo. Y a muchos les gusta pregonar el "éxito de la noche a la mañana", pero si miramos detrás de la cortina veremos una historia diferente. A mi mujer y a mí *nos llevó más de diez años de nuestro mejor esfuerzo* alcanzar los primeros 100 millones de dólares de patrimonio neto. Así que cuanto mayores sean tus objetivos, más amplios deben ser tus horizontes temporales. Querrás jugar a juegos en los que si esperas, ganas.

Alex Hormozi ✓
@AlexHormozi

El emprendedurismo no es para los débiles de corazón.

La carga es pesada y el camino largo.

UN REGALO PARA TI: BONO TUTORIAL - Escalar de $0 a $100M+

A veces es útil escuchar el relato de cómo se desarrolla cada etapa. Si sabes lo que viene después, puedes empezar a prepararte para ello hoy mismo. He grabado un tutorial gratuito en el que te ayudo a identificar dónde te encuentras, y lo que viene a continuación para que puedas triunfar. Puedes conseguir el tutorial gratis en... lo has adivinado, <u>Acquisition.com/training/ leads</u>. Como siempre, también puedes escanear el código QR de abajo si detestas teclear.

ESCANÉAME

Una década en una página

"La sencillez es la máxima sofisticación" - Leonardo Da Vinci

Hemos aprendido mucho. Y creo que agrupar lo que hemos aprendido en un solo lugar te ayudará a asimilarlo. Así que elaboré esta lista "en la parte de atrás de la servilleta" de lo que hemos tratado y por qué.

1) Cómo definir un prospecto a partir de este momento. Ahora ya sabes lo que debes buscar: clientes potenciales comprometidos, no sólo clientes potenciales.

2) Cómo convertir prospectos en prospectos comprometidos con una oferta o imán de prospectos. Y cómo crearlos.

3) Los *cuatro pilares fundamentales*: las únicas cuatro formas en las que podemos hacer que la gente conozca lo que vendemos.

   a) Cómo llegar a la gente que nos conoce: preguntarles si conocen a alguien.

   b) Cómo publicar: enganchar, retener, recompensar. Dar hasta que pidan.

   c) Cómo llegar a desconocidos: listas, personalización, gran valor rápido, volumen.

   d) Cómo publicar anuncios pagos dirigidos a desconocidos: segmentación, llamadas, Qué-Quién-Cuándo, llamadas a la acción, adquisición financiada por el cliente.

4) Maximizar los cuatro pilares: Más Mejor Nuevo

   a) ¿Qué nos impide hacer lo que hacemos actualmente con un volumen diez veces mayor? Y resolverlo.

   b) Encontrar la limitación en nuestra publicidad. Luego, probar hasta superar la limitación. A continuación, hacer más hasta que se vuelva a limitar.

5) Los cuatro captadores de clientes potenciales: *Clientes, empleados, agencias y afiliados.*

   a) Cómo conseguir que los clientes recomienden a otros clientes

   b) Cómo conseguir que tus empleados escalen tu publicidad sin ti

   c) Cómo conseguir que una agencia te enseñe nuevas técnicas

   d) Cómo conseguir que los afiliados se lancen e integren

6) La publicidad en el mundo real: *La regla de los 100 y Abierto al objetivo*

    a) El plan publicitario de una página en cinco pasos para conseguir más clientes potenciales *hoy mismo*.

7) Los siete niveles de anunciantes y la máquina de *Prospectos de $100M* de dólares en acción.

Como prometí al principio, el resultado de estos puntos será la captación de más clientes potenciales, mejores, más baratos y fiables. Espero que este libro te sea útil. Espero que como resultado de leerlo sepas cómo conseguir más prospectos de los que tienes actualmente. Y espero haber desenmascarado el misterio que se esconde tras la captación de prospectos.

Además, dado que eres de los pocos que realmente terminan lo que empiezan, quiero dejarte un regalo de despedida: una fábula que me ha ayudado en mis momentos más difíciles.

El dado de múltiples caras

Imagina que juegas con un amigo a lanzar dados. Cada uno recibe un dado. Uno de los dados tiene 20 caras. El otro tiene 200. En cada dado, sólo una cara es verde. Y el resto, son rojas.

El objetivo del juego es simple: *sacar verde tantas veces como puedas.*

Las reglas del juego son las siguientes:

- *No puedes ver cuántas caras tienes. Sólo puedes ver si sacas rojo o verde.*

- *Si sacas verde, uno de tus lados rojos se vuelve verde y puedes volver a lanzar.*

- *Si sacas rojo, no pasa nada y tienes que volver a lanzar.*

- *El juego termina cuando dejas de lanzar. Y si dejas de lanzar, pierdes.*

<u>¿Y tú qué haces?</u>

Lanzas. Si sacas rojo, tomas el dado y vuelves a lanzar. Cuando otros sacan verde, levantas el dado y vuelves a lanzar. Cuando saques verde, tomas el dado y vuelves a tirar. Sigues diciéndote una cosa. "Cuanto más lance, más verdes obtendré". Al principio, sacas verde de vez en cuando. Pero cuantas más caras rojas se conviertan en verdes, más veces saldrán verdes. Con suficientes tiradas, conseguir verdes se convertirá en la norma y no en la excepción.

<u>¿Qué hace tu amigo?</u>

Tira unas cuantas veces y siempre le sale rojo. Te ve sacar un verde y se queja de que *debes* tener un dado con menos caras. Piensa que es la única manera de que hayas sacado verde antes que él. Y aunque lo hiciste, también lanzaste muchas más veces. Entonces, ¿cuál es la verdad?

En cualquier caso, tira un par de veces más, frustrado, y saca un verde. Pero luego se queja de lo que ha tardado. Ha pasado más tiempo observándote y quejándose que jugando. Mientras tanto, tú has conseguido tu racha de verdes. *Es mucho más fácil para ti*, se dice a sí mismo. ¡Siempre sacas verdes! Este juego está arreglado, así que ¿cuál es el punto? Y se rinde.

***

¿A quién le tocó el dado de 20 caras? ¿Quién tiene el dado con 200 caras? Si entiendes el juego, verás que una vez que tiras suficientes veces, *<u>el dado que te dan no importa.</u>*

- Un dado con menos caras puede salir verde antes.

- Un dado con más caras puede salir verde más tarde.

- Pero, un dado con una cara verde *siempre* tiene una oportunidad de salir verde... *si lo tiras.*

- Cada dado tiene su cara verde cuando se tira suficientes veces.

Todos tenemos un dado de muchas caras. Y mirando a los otros jugadores, no tienes ni idea de si es su tirada número 100 o la número 100.000. No sabes cuán "buenos" eran los otros jugadores cuando empezaron, sólo puedes ver lo bien que lo hacen *ahora*. Pero, si entiendes el juego, también sabes que *eso no importa*.

Algunos empiezan a jugar pronto. Otros empiezan mucho más tarde. El resto se sienta al margen y se queja de la suerte que tienen los demás jugadores. Supongo que sí, pero tienen más suerte porque juegan. Y cuando llegan al rojo, que lo hacen, no se rinden, vuelven a tirar.

Aprender a hacer publicidad se parece mucho al juego del dado de múltiples caras. No sabes si funcionará hasta que lo intentas. Y cuando empieces a publicitarte, es probable que te salga rojo en tus primeras tiradas. Pero si lo intentas las suficientes veces, *te saldrá verde*. Y *cuando* funcione, tendrás más posibilidades de que *vuelva* a funcionar. Cuanto más lo hagas, más fácil te resultará. Empiezas a entender el juego. No importa cuántos jugadores haya o el número de caras del dado que te den, empiezas a ver las dos únicas garantías:

1) Cuantas más veces tires, mejor te vuelves.

2) Si te rindes, pierdes.

Así que aquí está mi promesa final:

No puedes perder si no te rindes.

BONIFICACIÓN: LLAMADAS A LA ACCIÓN

Si es gratis, ¡es para mí!

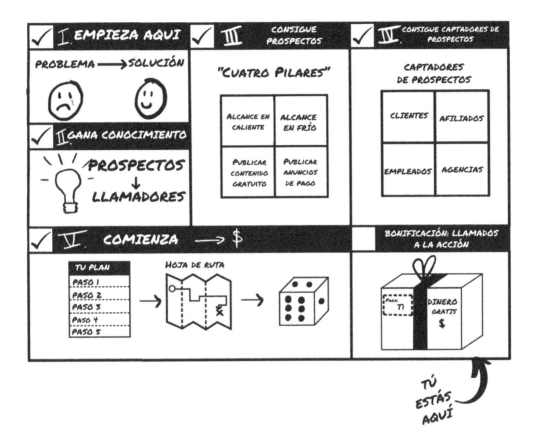

Te daré un montón de cosas gratis en un momento - así que mantente atento.

El Dr. Kashey (mi editor) y yo hemos dedicado más de 3.500 horas a este libro. Escribimos más de 650 páginas y 19 borradores con diferentes marcos, temas y puntos de enfoque. Pero, en última instancia, los cambios sólo dejaron en el interior los conocimientos más destilados de "lo que hay que saber". Revisamos 127 páginas de modelos dibujados a mano para seleccionar los pocos que se incluyeron en el libro. Todo esto para decir que espero que este trabajo te ayude a hacer crecer el negocio de tus sueños.

Cuando mire atrás en mi vida, estos libros serán una de las cosas de las que me sienta más orgulloso. No podría escribir con tanto fervor si no pensara que la gente lo va a leer. Y por mucho que me esfuerce por ser el hombre que trabajaría igual de duro si a nadie le importara, aún no he llegado a ese punto. Su apoyo y su positividad marcan la diferencia para mí. Así que gracias de todo corazón por permitirme hacer el trabajo que considero significativo. Les estaré eternamente agradecido.

Si eres nuevo en #mozination, bienvenido. Creemos en las grandes ambiciones y en combinarlas con generosidad y paciencia. Y yo tengo un objetivo personal en ese espíritu de entrega: *morir sin nada más por dar.*

Así que si todavía estás conmigo, gracias. Quiero dar algunas cosas más.

1) **Si te cuesta determinar a quién vender**, he publicado un capítulo titulado "Tu primer avatar" entre este libro y el anterior. Considéralo como un "single" de un álbum de música. Puedes conseguirlo gratis en **Acquisition.com/avatar**. Sólo tienes que ingresar tu correo electrónico y te lo enviaremos.

2) **Si te cuesta determinar qué vender**, puedes ir a Amazon o a cualquier otro sitio donde compres libros y buscar "Alex Hormozi" y "Ofertas de $100M". Te ayudará a encontrar el camino correcto. La versión digital está disponible para la venta al precio más barato que la plataforma me permitió hacerlo y aun así listarlo como un libro.

3) **Si tienes dificultades para conseguir que la gente compre, mi próximo libro será sobre persuasión y ventas.** Es posible que haya salido a la venta, o no, para cuando leas esto. Se llamará Ventas de $100M *o* Persuasión. Aún no lo he decidido. Pero si buscas mi nombre podrás encontrar cualquier otro libro que haya salido para cuando estés leyendo este.

4) **Si quieres un trabajo en Acquisition.com** o en una de nuestras empresas de cartera - nos encanta contratar a personas en #mozination. Nos gusta hacer esto porque hemos encontrado que obtenemos los mejores rendimientos invirtiendo en personas excepcionales. Ve a **Acquisition.com/careers/open- jobs**, y podrás ver todas las ofertas de trabajo en todas nuestras empresas y nuestra cartera.

5) **Si tu empresa genera más de 1 millón de dólares de EBITDA (beneficios netos),** nos encantaría invertir en tu negocio para ayudarte a crecer. Es un placer para mí saber que las empresas de nuestra cartera han crecido mucho más y más rápido que la mía, porque han evitado los errores que yo cometí. Si quieres que echemos un vistazo a tu empresa y veamos si podemos ayudarte, visita **Acquisition.com.** Enviar tu información es rápido y fácil.

6) Para obtener las **descargas gratuitas de libros y videos de** formación que vienen con este libro, ve a **Acquisition.com/training/leads.**

7) **Si te gusta escuchar podcasts y quieres oír más**, mi podcast en el momento de escribir este artículo está entre los 5 primeros en emprendedurismo y entre los 15 primeros en negocios en los EE.UU... Puedes acceder a él buscando "Alex Hormozi" dondequiera que suelas escucharlos. O entrando en

Acquisition.com/podcast. Comparto historias útiles e interesantes, lecciones valiosas y los modelos mentales esenciales en los que confío cada día.

8) **Si te gusta ver videos**, dedicamos muchos recursos a nuestra formación gratuita, disponible para todo el mundo. Queremos que sea mejor que cualquier otro curso pago, y que seas tú quien decida si lo hemos conseguido. Puedes encontrar nuestros videos en YouTube o dondequiera que veas videos buscando "Alex Hormozi".

9) **Y si te gustan los formatos de video cortos**, echa un vistazo a los contenidos que publicamos a diario en **Acquisition.com/media.** Verás todos los sitios en los que publicamos y podrás elegir los que más te gusten.

Por último, gracias de nuevo. Por favor, sé una de esas personas generosas y **comparte esto con otros empresarios dejando una reseña.** Significaría mucho para mí. Te envío vibraciones de creación de empresas desde mi escritorio. Paso mucho tiempo aquí, así que son muchas vibraciones. Que tu deseo sea mayor que tus obstáculos.

Espero conocerte pronto a ti y a tu empresa. Ad astra.

Alex Hormozi, Fundador, Acquisition.com